常識の世界地図

21世紀研究会編

文春新書

196

はじめに

牛肉と牛乳を同じ鍋で煮炊きした料理は絶対に食べない、と言われたら、私たちはどのように理解したらいいのだろう。その理由についてどんなに考えても、ほとんど想像さえつかないのではないか。

しかしユダヤ教の戒律を守る人たちは、そうした料理には決して手をつけようとはしない。それだけではない。さらに厳しく戒律を守る人たちは、牛肉と牛乳を同じ冷蔵庫のなかにも入れないのだ。

アフリカのある部族は、トウモロコシは白いものしか食べない。だから、黄色いトウモロコシをいくら援助物資として送っても、飢えた人たちは、タブーとされたものを食べるより、それがつまった袋のかたわらで死を待つ方を選ぶのだ。彼らは果して愚かなのだろうか。

またサウジアラビアでは、男が金のネックレスをして街中を歩いたら、逮捕されることさえあるという。こうしたことは南半球だけにあるミステリー・ゾーンではない。ドイツなどでも、日曜日に芝刈りや引っ越しをすると、警察に通報されることがあるというのだ。いったい、なぜなのだろう。

それぞれの国には、その国々の長い歴史によって育まれてきた文化があり、常識がある。私たちにとって、それがたとえ理解をこえるものであったとしても、そうした常識なり文化がその国々の日常生活を秩序立ててきたのだということだけは知っておいた方がいいだろう。

しかし常識は、ときには、誤解と偏見の上に築かれてしまうこともある。

「飛行機を降りたら、日本人の着物姿が見られると思ったのに」と言って、がっかりした外国人観光客もかつてはたくさんいたのだ。きっと彼らは、十九世紀に日本を訪れた人たちの日記や紀行文によって伝えられたハラキリ、ゲイシャガールを日本についての常識としてインプットされてしまったのだろう。

そうした誤解は一九七〇年代にもまだ続いていた。その頃、日本に赴任することになったあるフランス人新聞記者は、日本では通信に伝書鳩を使うと思い込んでいたので、鳩を手に入れるためにはどうしたらいいのか、出発前まで思い悩んでいたという。彼は子どもの頃、教科書でそう教わったために、大人になってからも同じ日本像を変わらずにもっていたわけだ。

七〇年代の日本といえば、新幹線が走り、半導体が登場するなど、さまざまな分野で日本の躍進が世界に伝えられはじめた時代である。そうした情報が一方では入っていっても、一度受け容れてしまった固定観念は、なかなか抜き難いということだろうか。

しかし私たちは、このフランス人記者を笑うことはできないと思う。

たとえば、アフリカについて聞かれたとき、半裸の黒人とサバンナ、野生動物以外に、私たちはどのようなイメージをもっているのだろうか。日本人だけではない。ほとんどの人がおたがいについて知らないのだと思う。

それは私たちが知っていると思い込んでいるアメリカについても言えるのではないか。

ニューヨークは恐ろしい街であり、銃による殺人が日常茶飯事のように起こっているなどといったアメリカ像は、映画やテレビで紹介された断片的な情報が、いつのまにか「常識」として固定してしまったものかもしれないのだ。ごくふつうのアメリカ人が何を考え、どのように生きているのかを知る努力がまず必要とされるのだと思う。

カエルを食べるというと、ほとんどの欧米人はぞっとする、と言う。しかし中国人もフランス人もカエル料理に舌鼓をうつ。そして、こんなうまい料理を食べないとは、と他国人を笑う。

食への偏見は、ときには決定的であり、民族差別に直接つながりかねない。そのカエルがイヌになりクジラになったときに起こるであろう反発と嫌悪は、容易に想像がつくだろう。

しかし、人を分けへだてるものは食だけではない。身ぶりも挨拶も服装も、それぞれの考え方、常識を知らずにいるために、反発や誤解を招きやすい。

たとえばフィジーやサモアは、おおらかな南の島というイメージを勝手にもたれているが、ここでは、タンクトップやホットパンツは猛烈な反発を受けるのだ。また東南アジアでは、子どもの頭をなでたりすると告訴されることがある。頭は、神聖なものだという根強い考えが彼らのなかにあるからだ。

もちろん、こうした常識がかたちづくられるまでには、その国々がたどった長い道筋があったのだと思う。しかも、その道は決して平坦な道ではなかっただろう。何世紀にもわたる他民族、他の文化との闘い、階級間の争いなど、表にはなかなか出てこない歴史の暗部もあったのではないかと想像される。だからこそ、どの国にも、簡単にはゆずることのできない常識なり、生き方がいまも根強く残っているのだと思う。

ただ常識という言葉でくくっても、それが、その国のすべてをあらわしているわけではない。人によっても、時代によっても、常識は変わってくる。だから、これがこの国の常識だと決めつけることはできないと思う。しかしそれでも、ある国、ある人々についてぼんやりと見えてくるイメージがある。私たちはそれが何なのか、なぜそう見えるのかを知りたいと思う。

そうすれば、映画を見るときも、海外ニュースを見るときも、そして何よりも彼らと接するときに、彼らの身ぶりや服装、表情やおたがいが接近する際の微妙な距離感などについて、これまでとはまったく違った新鮮な見方をもてるはずである。

国境が二十一世紀に生きる私たちをいまもへだてているように、常識もまた、私たちの心を遠くへだてるものなのだろうか。

しかし、もし、東は東、西は西、で終わらないことを信じるのならば、私たちはおたがいの文化、常識について知ろうとし、そのルーツを理解することが大事だと思う。そして、そのことによっておたがいの無知をあらためて知り、ときにはその常識を修正してゆくことも、次の世代に対して私たちが負う責務なのではないか。

広大な常識・非常識の世界地図を読者とともに歩いてみたい。

常識の世界地図　目次

東・中央アジア

南アジア・中東 (左頁下)

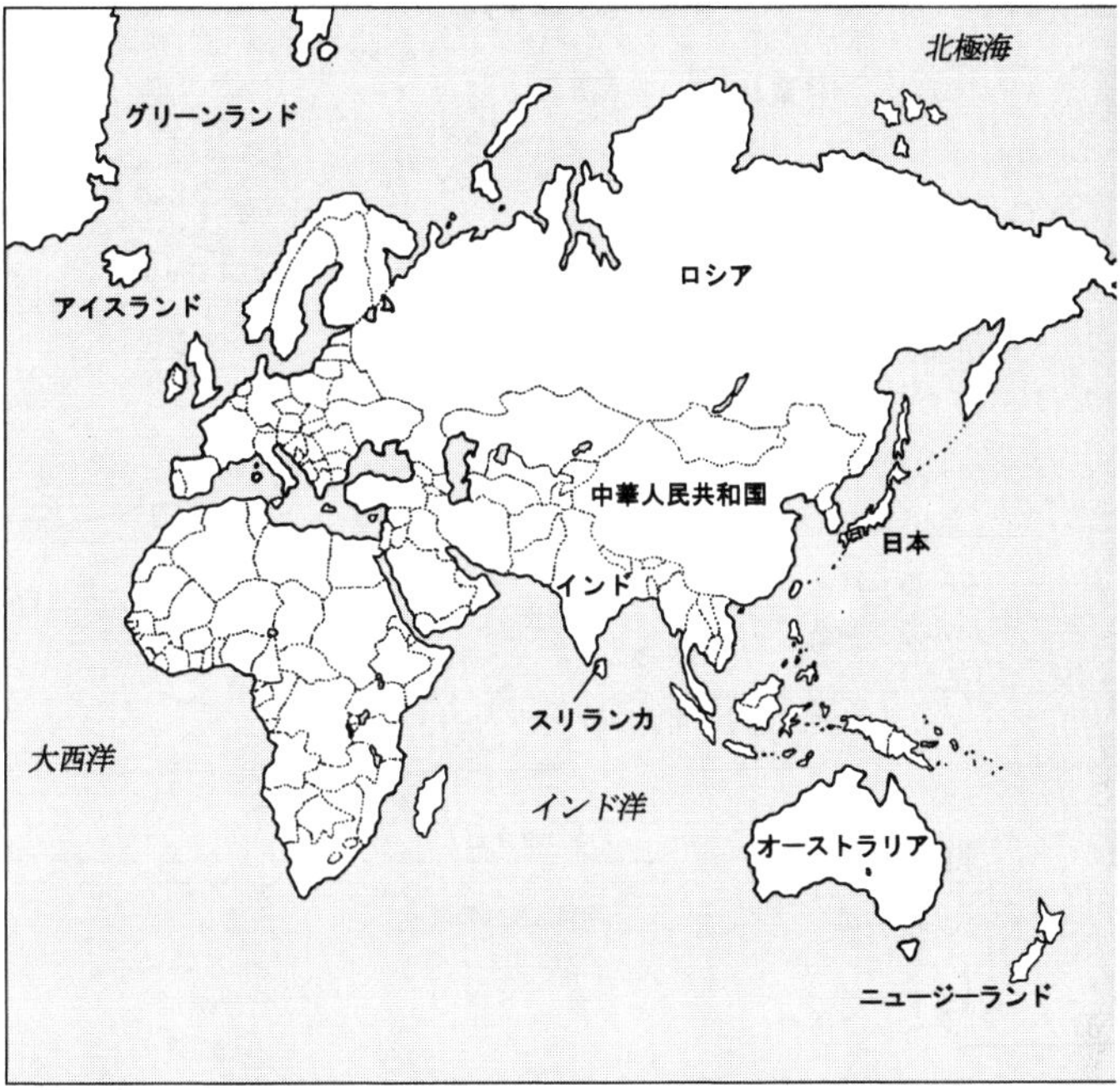
北極海
グリーンランド
アイスランド
ロシア
中華人民共和国
日本
インド
スリランカ
大西洋
インド洋
オーストラリア
ニュージーランド

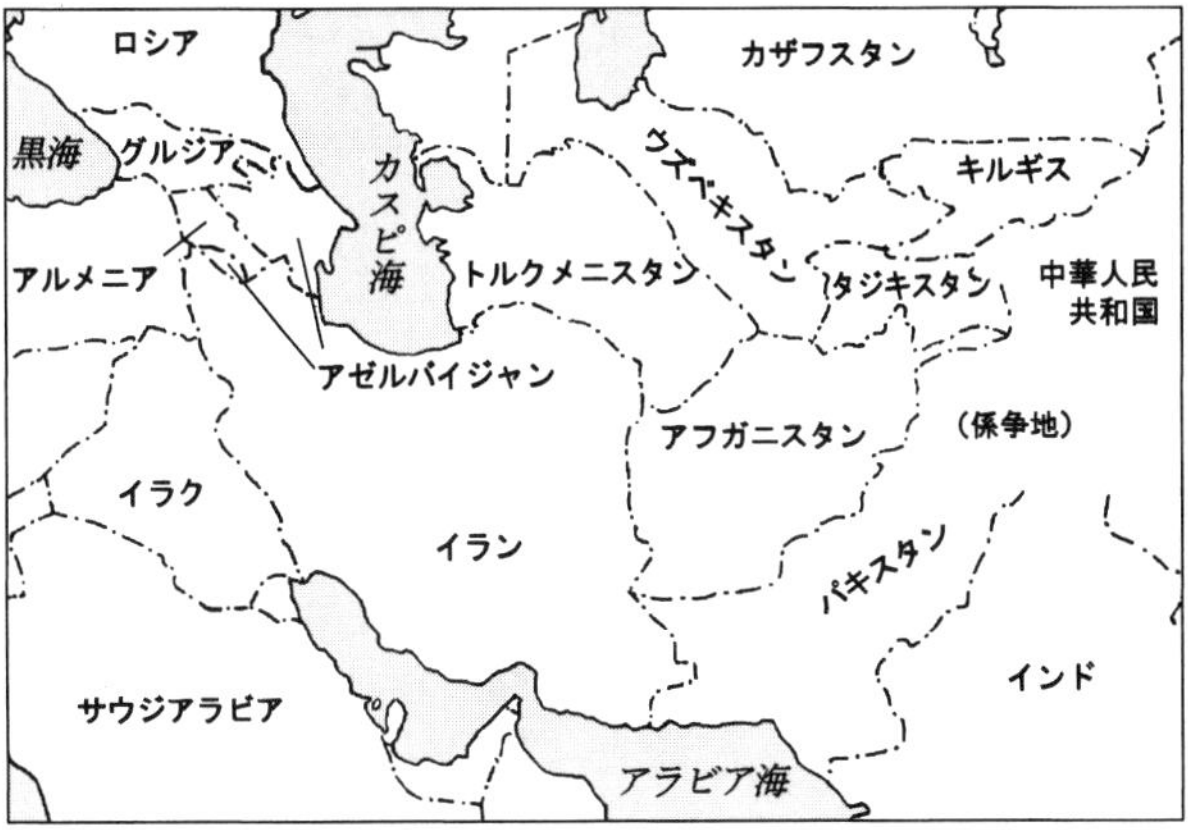
ロシア
カザフスタン
黒海
グルジア
カスピ海
ウズベキスタン
キルギス
アルメニア
トルクメニスタン
タジキスタン
中華人民
共和国
アゼルバイジャン
アフガニスタン
（係争地）
イラク
イラン
パキスタン
インド
サウジアラビア
アラビア海

中東

ヨーロッパ
(左頁上)

ヨーロッパ・
バルカン半島
(左頁下)

東南アジア

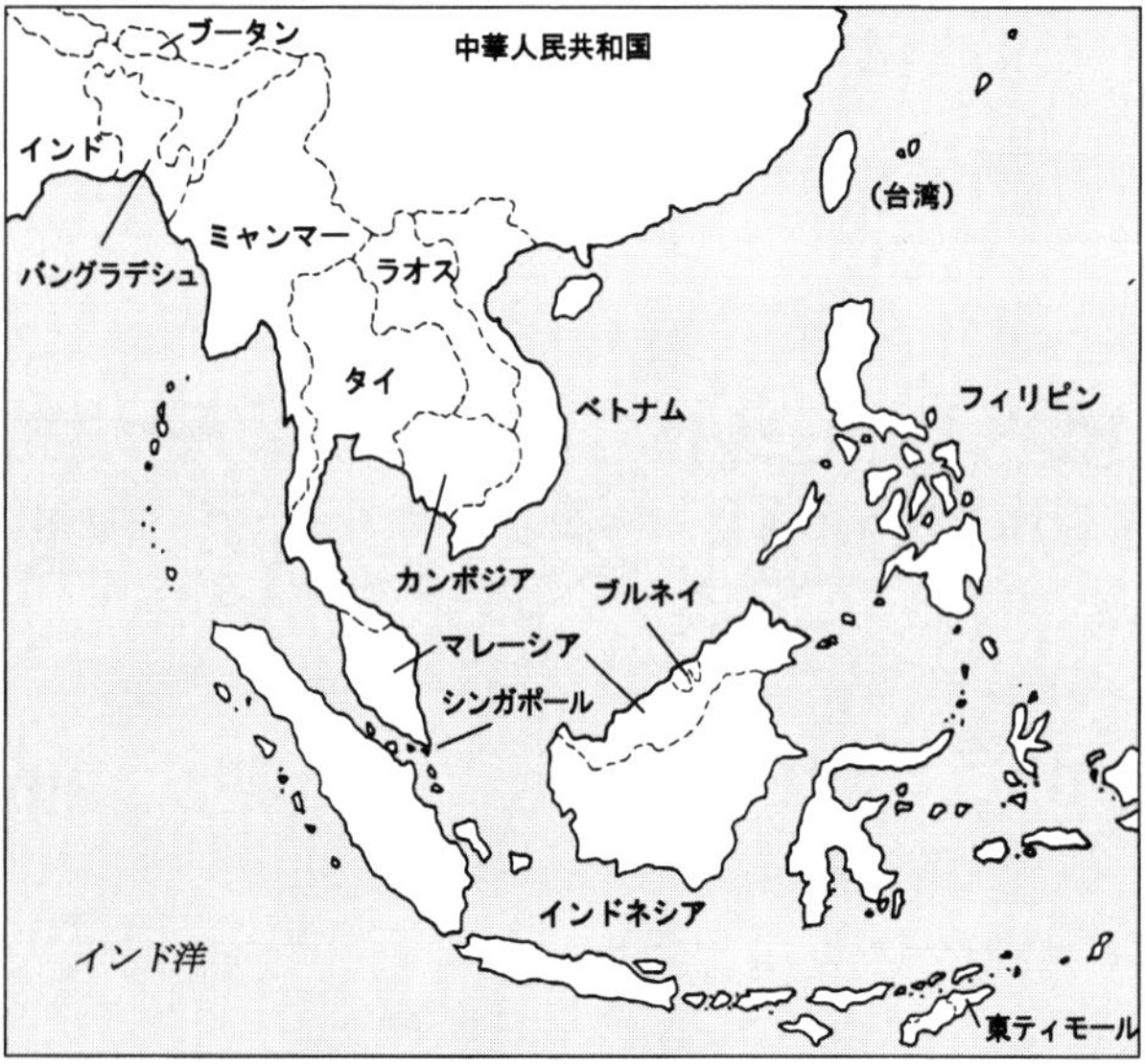

アイスランド
ノルウェー
スウェーデン
フィンランド
ロシア
エストニア
ラトビア
イギリス
デンマーク
ロシア
リトアニア
オランダ
アイルランド
ベラルーシ
ポーランド
ドイツ
スロバキア
ウクライナ
チェコ
ベルギー
ルクセンブルク
オーストリア
モルドバ
ポルトガル
スイス
ハンガリー
ルーマニア
フランス
イタリア
ユーゴスラビア
黒海
アンドラ
ブルガリア
スペイン
モナコ
トルコ
マルタ
ギリシア

フランス
リヒテンシュタイン
スロバキア
モルドバ
ウクライナ
スイス
オーストリア
ハンガリー
ルーマニア
スロベニア
セルビア・モンテネグロ
サンマリノ
クロアチア
黒海
ボスニア・
ヘルツェゴビナ
モナコ
ブルガリア
イタリア
マケドニア
アルバニア
地中海
トルコ
ギリシア

中央アメリカ

アフリカ
(左頁上)

オセアニア
(左頁下)

南アメリカ

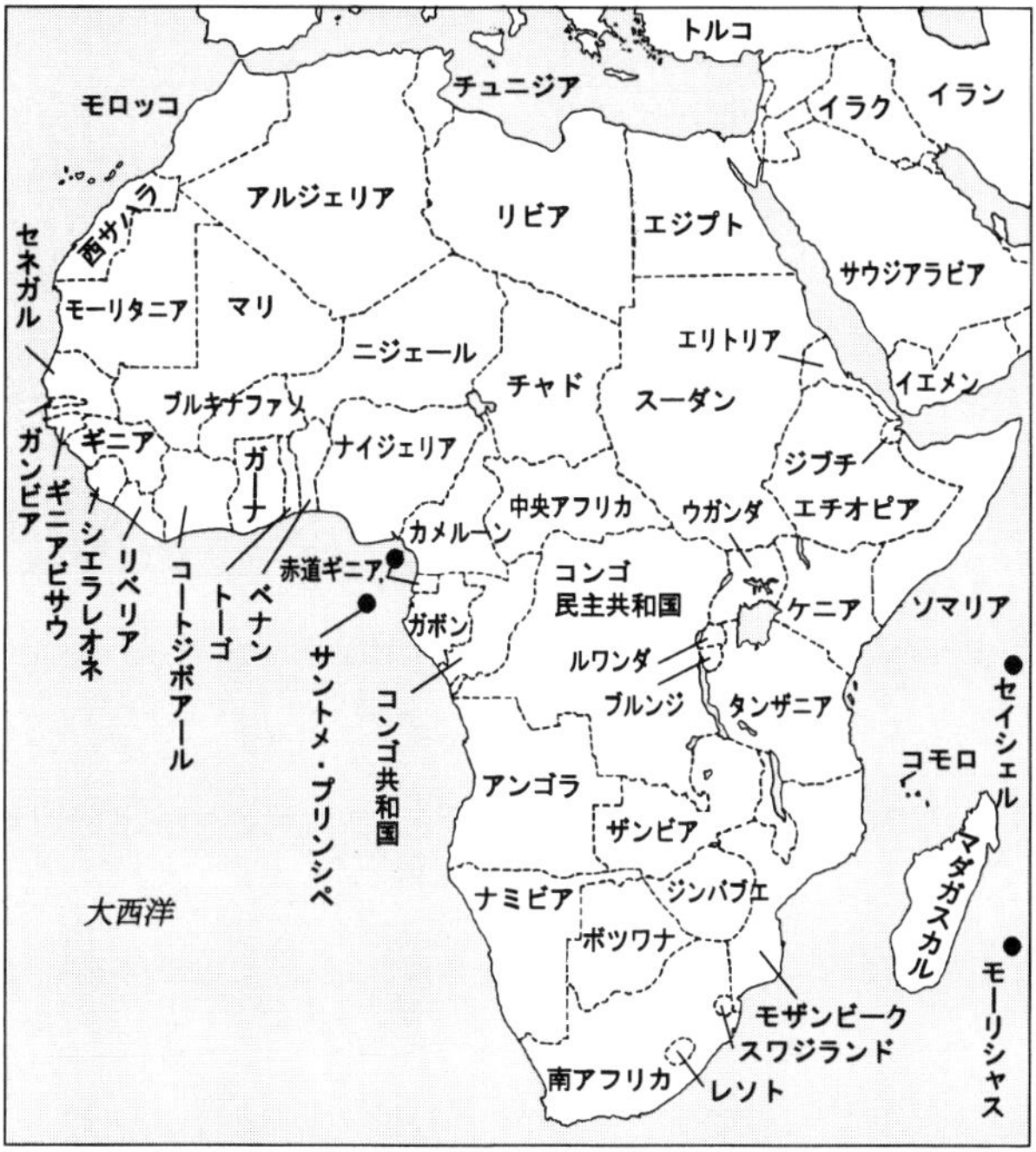
トルコ
チュニジア
イラク
イラン
モロッコ
西サハラ
アルジェリア
リビア
エジプト
セネガル
モーリタニア
マリ
サウジアラビア
ニジェール
エリトリア
チャド
スーダン
イエメン
ブルキナファソ
ギニア
ガンビア
ガーナ
ナイジェリア
ジブチ
ギニアビサウ
シエラレオネ
リベリア
中央アフリカ
ウガンダ
エチオピア
カメルーン
赤道ギニア
コンゴ
民主共和国
ケニア
ソマリア
コートジボアール
トーゴ
ベナン
サントメ・プリンシペ
ガボン
ルワンダ
ブルンジ
タンザニア
セイシェル
コンゴ共和国
コモロ
アンゴラ
ザンビア
マダガスカル
ナミビア
ジンバブエ
大西洋
ボツワナ
モーリシャス
モザンビーク
スワジランド
南アフリカ
レソト

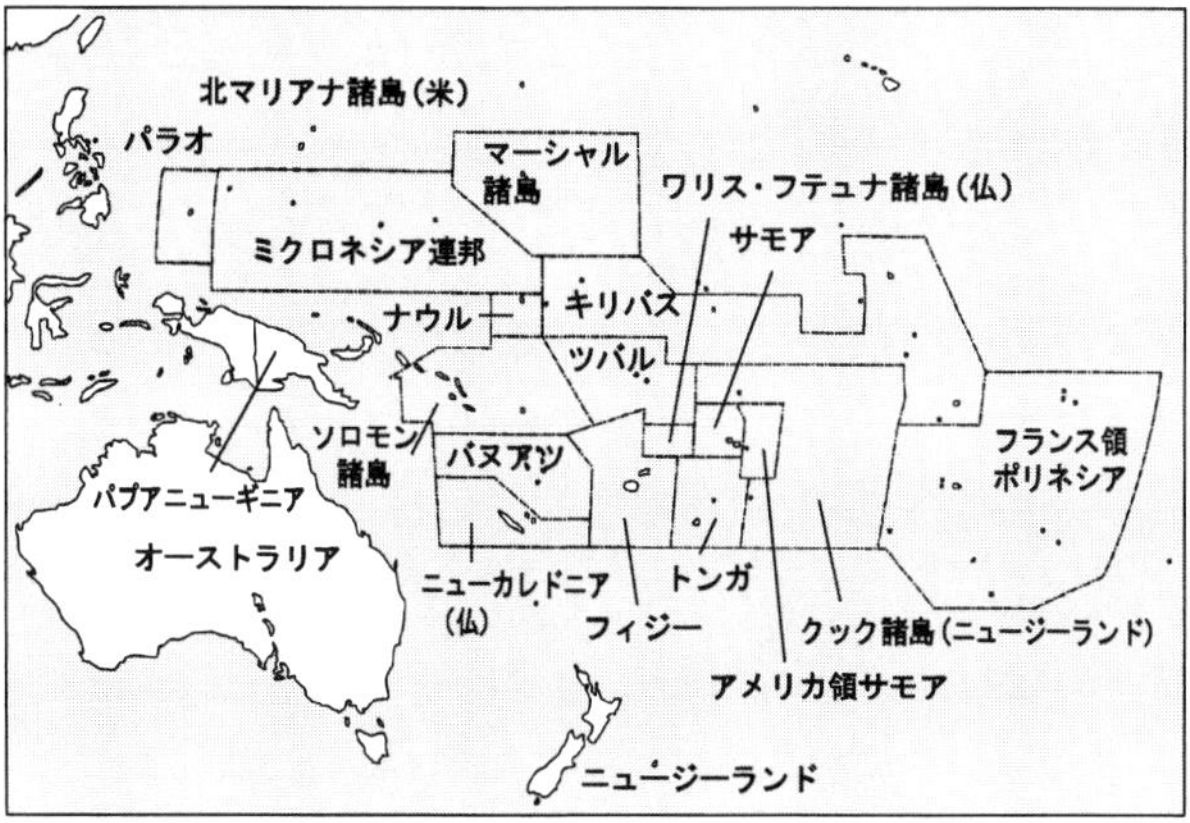
北マリアナ諸島(米)
パラオ
マーシャル
諸島
ワリス・フテュナ諸島(仏)
サモア
ミクロネシア連邦
キリバス
ナウル
ツバル
ソロモン
諸島
バヌアツ
フランス領
ポリネシア
パプアニューギニア
オーストラリア
ニューカレドニア
(仏)
トンガ
フィジー
クック諸島(ニュージーランド)
アメリカ領サモア
ニュージーランド

第一章

誤解の世界史——挨拶から身ぶりまで

シドニー　1788年1月26日、初代総督のアーサー・フィリップが率いる船団がシドニー・コーブ（中央のオペラ・ハウスに向かって右）に錨を降ろしたときから白人の支配がはじまった。　オーストラリア

世界の挨拶

軽く手をあげる、肩を叩き合うなど、人の出会いはさまざまな動作をともなう。

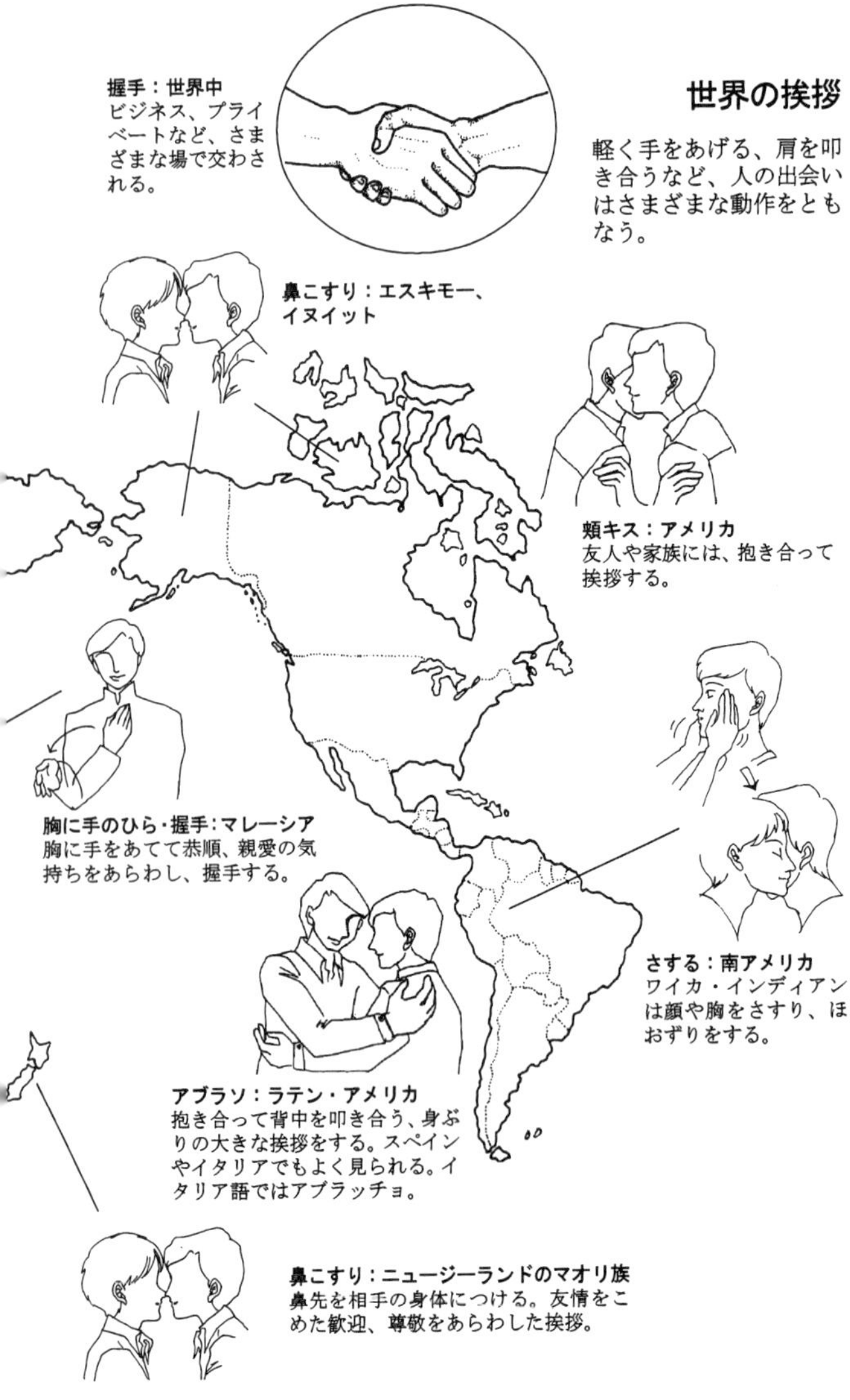

握手：世界中
ビジネス、プライベートなど、さまざまな場で交わされる。
鼻こすり：エスキモー、イヌイット
頬キス：アメリカ
友人や家族には、抱き合って挨拶する。
胸に手のひら・握手：マレーシア
胸に手をあてて恭順、親愛の気持ちをあらわし、握手する。
さする：南アメリカ
ワイカ・インディアンは顔や胸をさすり、ほおずりをする。
アブラソ：ラテン・アメリカ
抱き合って背中を叩き合う、身ぶりの大きな挨拶をする。スペインやイタリアでもよく見られる。イタリア語ではアブラッチョ。
鼻こすり：ニュージーランドのマオリ族
鼻先を相手の身体につける。友情をこめた歓迎、尊敬をあらわした挨拶。

頬キス：ヨーロッパ
友人や家族には、抱き合って挨拶する。
鼻こすり：
フィンランドのサーミ族
ベア・ハッグ：ロシア
ギュッ！と抱き合って挨拶する。
胸に手のひら：イラク
ベール（アバヤ）をかぶった女性に対して。ベールをかぶっていない女性とは握手してもよい。
鼻こすり：
北アフリカ、アラブ
親愛の情をあらわす。
手の甲を額に：セネガル
ウオロフ族は目上の人に会うと身をかがめ、相手の手を額にあてる。
つばをはく：東アフリカ
キクユ族は、「幸運がありますように」と願って、相手の手のひらにつばをはきかける。特別な相手に、まじないをかける気持ちでそうするのだという。
かがんで拍手：タンザニア
トングェ族は目上の人に会うと、かがんで拍手する。目を相手からそらせる。
手のひら合わせ：インド、タイ
年長者、目上の人へ、また客人に対しては、少し身をかがませて。

人差し指には毒がある

言葉の通じない外国人に、何とか意思を伝えようとするとき、私たちは身ぶりとともに手や指を使うことがある。

しかし、何気なく使っている身ぶりや手ぶりが、ある国ではそのまま理解されても、別の国では猥褻、下品とされることがある。親しさを示したつもりのしぐさが、敵意と受け取られることさえあるのだ。

たとえば、日本人にとっては何気ないしぐさの一つなのだが、外国人にひどく嫌がられるものに「指差し」がある。これは海外では、身分や立場に関係なく、決してしてはいけないとされているしぐさだ。ましてや、これを特定の人に何度も繰り返したりしたら、「おまえ、喧嘩を売ってるのか」ということにもなりかねない。

日本では人差し指は、文字通り、人を指差すときに使われる。集会、会議などで、目上の人が目下の人を指名したり、人数を数えるときに、たいして失礼だとも思わずに人差し指を使う。

しかし、外国人をまじえた会議などで、「あなたの意見は」と言うつもりで、相手を指差したりしたら、一悶着を覚悟しなければならないときもあるだろう。

民族、社会によっては、人だけでなく物を指差すことさえよくない、とされているところもあるのだ。

ヨーロッパには、かつて、人差し指には毒があるので、傷薬などを塗るときに使ってはいけない、という俗信があった。また一般的に、人差し指を突きつけるのは威嚇の身ぶりだとか、伸ばした人差し指は武器の象徴であり、戦うことも辞さないぞという宣告だ、とも考えられていたために、人差し指での指差しがとくに嫌われたのかもしれない。

実際、映画などでも、激しい口論になったときに、相手に向かって人差し指を突き出し、乱暴な言葉を投げかけるようなシーンがあるが、このしぐさは、そんなときでもなければやってはいけない、というくらいに挑戦的なポーズなのだ。

そもそも、指一本で行なうしぐさが避けられる地域もある。

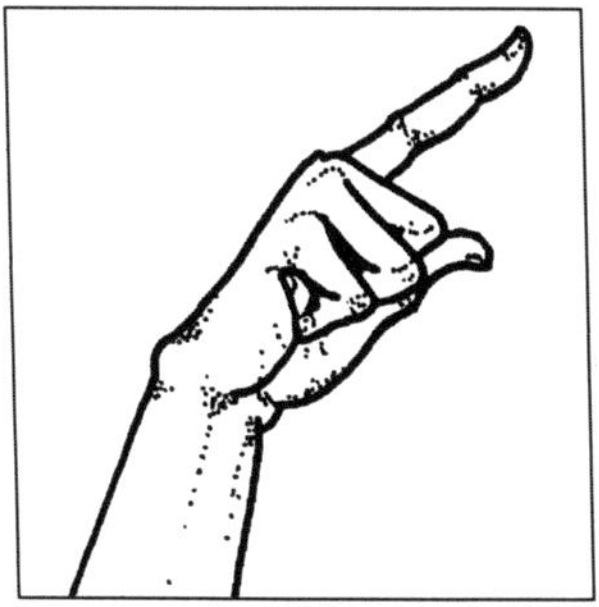
指差し

インドなどでは、方向を示すのにあごを使うし、フィリピンでは、唇をとがらせて方向を示す。

アメリカ人がよくやるような、親指やあごによる指示は、私たちには、人差し指よりよほど横柄で不作法に見えるのだが、世界的には、人差し指で指示されることを侮辱や挑発ととらえる社会の方が圧倒的に多い。

欧米のマナー・ブックなどには、「他の四本の指はかるく握って、親指で方向を指し示す。自分を示したいときは、自分の胸に親指を向けるのがよい」と書かれている。女性がよくやるように、手のひら全体を使えば、もっと丁寧な感じになるだろう。イギリス人などは親指も使わず、頭を動かすだけで、方向を示そうとする。

握手は平等的すぎる？

私たちは握手をするとき、相手が外国人でも、つい頭を下げてしまうことがある。これは私たちには何でもないおじぎなのだが、人によっては失礼な行為ととる人もいるらしい。

というのも、欧米に限らず多くの国々では、挨拶するときには必ず相手の目を見る、アイ・コンタクトの習慣があるからだ。相手の目をちゃんと見ないのは、何か後ろめたいことがあるからではないか、ということになってしまうのだ。また頭を下げて握手すると、立場的に下の態度を自分からとったということにもなる。おじぎや、目を伏せての挨拶が美徳とされるのは、おもに東アジアとアフリカのいくつかの地域に限られるようだ。

そのためか、外国のビジネスマンなどは、日本に来る前に、まずおじぎの練習をしてから来るという。また、アメリカ海軍の潜水艦と衝突してハワイ沖で沈没した「えひめ丸」事件では、アメリカ側の当局者が、遺族に謝罪するときのおじぎの角度までシミュレーションしたという。

おじぎは角度や間合いによって、さまざまなニュアンスが表現できるが、それだけに、これを苦手とする外国人は多い。

しかし世界的にいえば、狭い通路などで人とすれ違うときも、頭を下げたり、目をそらしたりせずに、「エクスキューズ・ミー」と言って、軽く目礼することが多くの国の流儀にかなうのではないかと思う。

アメリカ人との握手では、勢いが大切だ。笑顔をつくり、しっかり相手の目を見ながら、手に力を込める。力の入っていない握手は、dead-fish（死んだ魚のように、気のない、無反応な）と思われてしまうからだ。多民族社会のアメリカでは、相手にどんな第一印象を与えるかが勝負なので、まず挨拶で自分の存在感を見せつけることが大事だというのだ。しかしイギリス人やフランス人などは、自分の方からは強く握らない。

もともと握手は、相手に敵意のないことを示すための行為だった、と考えられている。見知らぬ人間と出くわしたとき、利き腕を出しあって、敵意がないことをおたがいに確かめあったのだろう。もし、剣のような武器をもっていたとしても、それを左手にもちかえることになるからだ。

挨拶としての握手は、十七世紀の半ばにイギリスで結成されたクエーカー教徒の習慣に由来するという。ちなみに、クエーカーとは、神の言葉を聞くと震える（quake）ことからこの名がつけられた。クエーカー派は正式名称をフレンド派と言い、信者たちは、おたがいの肩書きのかわりに「友《フレンド》」というよびかけをもちいた。この教派は、人間の内なる神の力を信じて、戦争を否定し、徴兵を拒否し、平等を旨とすることでもよく知られている。

こうした考えをもつクエーカー教徒たちは、従来の、身分関係をはっきりあらわす「礼」を拒否して、それに替わるものとして握手をもちいたのだという。

しかし、握手が欧米で一般的な習慣として定着するまでには、それから二百年もかかったのである。厳密に階層化されたヨーロッパ社会では、地位の違う者が同じ立場に立つような握手は、平等的すぎるとして、長い間、受け入れられなかったからだ。

それならば、握手以前には、どのような挨拶が行なわれていたのだろうか。

古代オリエントには土下座もあったが、エジプト人は、年長者に対しては腰を直角に折るくらい深いおじぎをすることで知られていた。目上の人に対しては、ひれ伏すものから会釈くらいのものまで、さまざまだったようだ。また、古代ギリシア・ローマ時代には、主人に対して片膝をつく従者の挨拶、握り拳を自分の肩にあてる同胞との挨拶、肩を抱き合う親愛の挨拶など、さまざまな形の挨拶が生まれた。

中世以来の千数百年にわたる挨拶の歴史は、一口ではとても言いあらわせないが、ごくおおざっぱに言うと、男性は帽子をとり、おじぎをする、相手が女性なら手にキスをするなどが、上層階級の礼儀にかなうとされていた。これらは身分の上下関係をはっきりさせるための挨拶だ。宮廷作法としては、片膝をついたり、右足を後ろに引いて両膝を曲げるおじぎもあり、挨拶を受ける方は軽く手をかざしたりして、それに応えた。

ただ、このような尊敬や服従を示す挨拶は、特別な場合をのぞいて、二十世紀のうちにほとんど姿を消してしまった。

ＯＫサインは「死者ゼロ」のしるし

「ずいずいずっころばし　ごまみそずい」ではじまる手遊びをご存じだろうか。軽く握った拳のなかに、ひとりが人差し指を差し入れるのだが、この指の動きは、日本の遊びを知らない人には、性交そのものをあらわすサインになってしまう。

こうした指の形によるサインは、知らずに使うと、さまざまな誤解を招くことがある。

たとえば日本で、親指と人差し指で丸をつくって「お金」をあらわすサインがあるが、これはヨーロッパの一部地域や中東、ブラジルなどでは、そのものズバリの卑猥な表現になってしまう。

このしぐさは古代ギリシア時代にまでさかのぼることができるほど古くからの表現で、男性の肛門、女性の性器を意味している。

ちなみに、これはＯＫサインともなる。ただし、しかめっ面をして、このサインを出したときには、多く

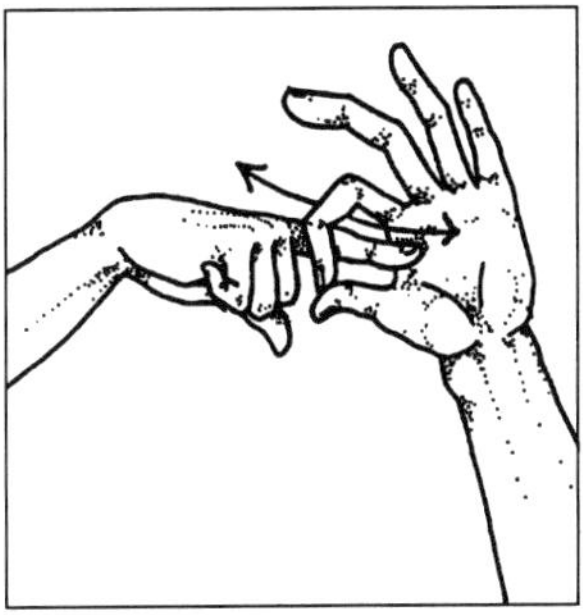

性交を意味する。同性愛のときにももちいられる。

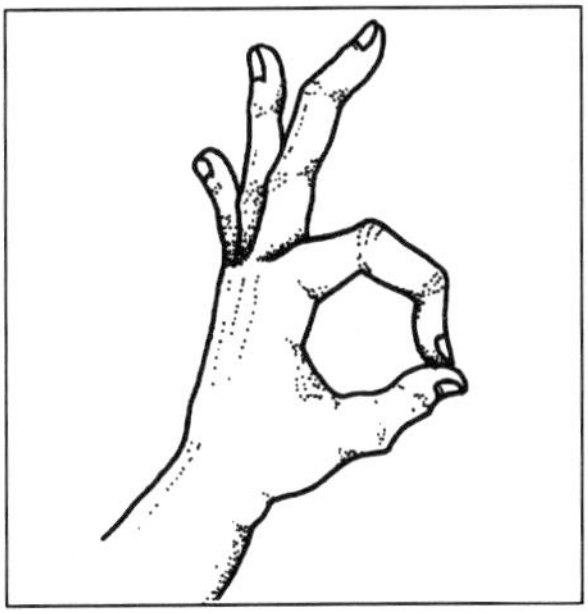

ＯＫサイン

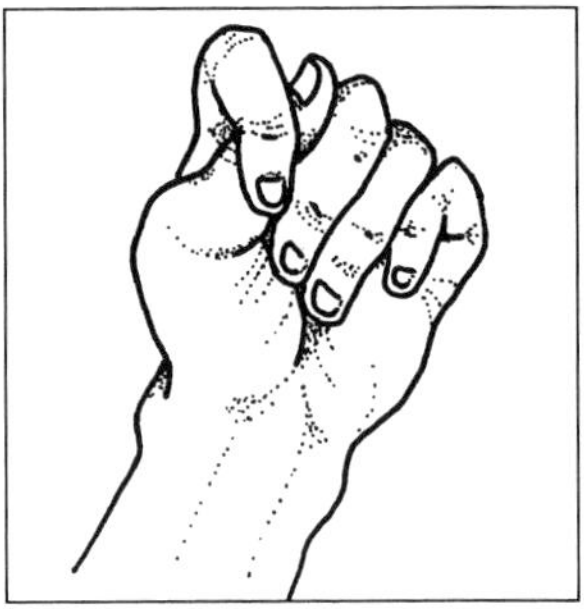

いちじく　多くの国で性器（男性の場合、女性の場合さまざま）や性交を意味する。

の地域でゼロを意味することになってしまうという。

もともと、このOKサインは、南北戦争当時のアメリカで、兵士が上官に、「死者ゼロ」を報告するときのしぐさに由来するものだという。

ただしフランスでは、この指の形はゼロをあらわすほか、唇の端に近づけてピンとはじくと、美味しい、のサインになるというのだからおもしろい。

つけくわえておくと、海外でお金のことを言いたいときは、親指に人差し指と中指をこすり合わせて紙幣を数えるしぐさをすることが多い。

いちじくの手

握った拳の人差し指と中指の間から親指の先をのぞかせるしぐさは、女性器を暗示したものとされている。これは、ヨーロッパでは、女性に性交を意識させるためのサインだという。また、南ヨーロッパでは、侮辱の意味でももちいられることがある。

このサインは、英語では fig hand（いちじくの手）と言われている。「いちじくの手」というのは、その英語からの直訳だが、これはその形がいちじくに似ているからではない。

この奇妙な名前の起源は、イタリア語のマーノ・フィーカ mano fica にある、と言われている。mano は hand のことだが、fig は、女性器を意味する隠語の fica をいちじくを意味するイタリア語の fico と混同したか、あるいは意識的に言いかえたために、英語になったときにこの名前になったらしい。

ところが、卑猥とされるこのしぐさも、アメリカやオーストラリアに行くと、手話で、アルファベットの「t」を意味するにすぎない。そのため、アメリカ人向けの異文化コミュニケーションの本などには、「握り拳の人差し指と中指の間から親指を突き出すしぐさは、外国では性的な意味、もしくは侮蔑のしるしになるので厳禁」などと、わざわざ書かれていたりする。

また、この指の形は、古代ヨーロッパでは性的な意味をもつ一方、魔除けとしても使われていた。地中海中央部のシチリアやサルディニア、ポルトガルやポルトガル文化の影響を受けたブラジルなどでは、いまでも、この指の形をかたどったお守りが売られている。

Vサインの謎

Vサインは、一般的には、「勝利《ヴィクトリー》」をあらわすと考えられている。またベトナム戦争以後は、「平和《ピース》」のサインとしても知られるようになった。

勝利の意味でのこのVサインは、ベルギーの弁護士ヴィクトール・ド・ラヴレーがナチスへの抵抗の象徴として発案したもので、彼の提案に賛同したイギリスのBBC放送が一九四一年一月

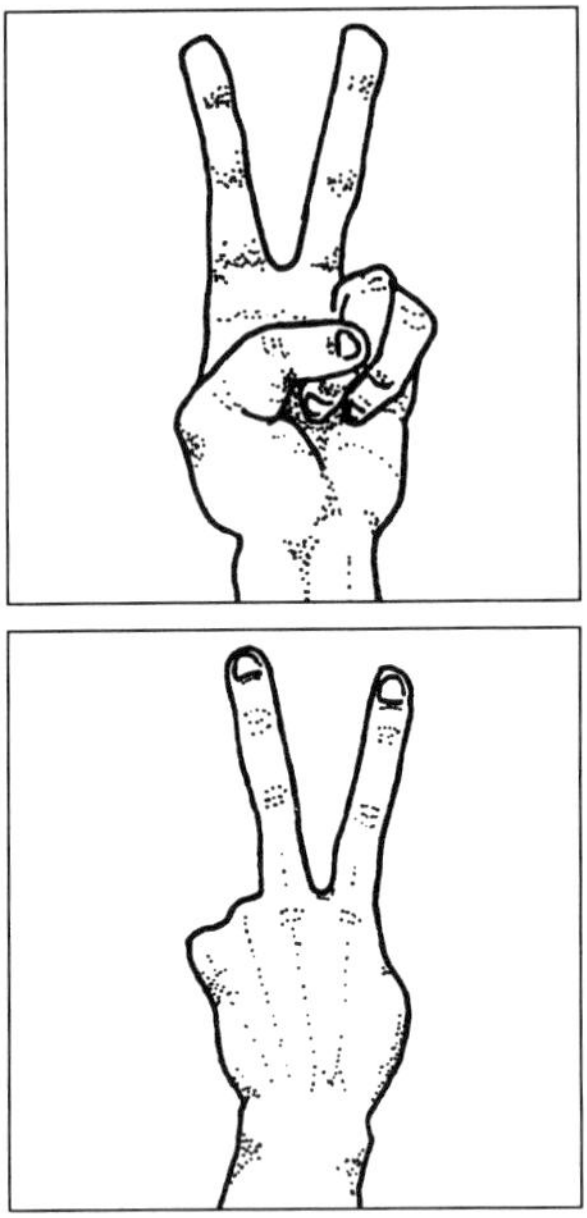

Vサインの表と裏

十四日に、このキャンペーンをはじめたのだという。

「V」のモールス信号は「トン・トン・トン・ツー」なので、BBC放送は、これと符合するベートーヴェンの交響曲第五番「運命」の冒頭のテーマ、「ダ・ダ・ダ・ダーン」をキャンペーンに使ったのだという。そして、時の首相チャーチルも、第二次世界大戦中、このサインをトレードマークのように使ったので、たちまちのうちに世界中に広まっていった。

Vサインの起源については別の説もあるが、いずれにせよ、VはVictory（勝利）の頭文字である。

ラテン語に起源をもつこの言葉は、フランス語（Victoire）などでもVからはじまるので、このサインが反ナチスの宣伝効果を著しく高めたことは間違いない。

しかし、世界的に有名になったこのVサインも、ギリシアでは、まったく違う意味になってしまう。相手に突きつけるように出したVサインは、「くたばれ」ということなのだ。

もともとギリシアには、五本の指を広げて手のひらを突き出す「ムーザ」というしぐさがあったが、Vサインはその縮小形である。「ムーザ」は、ビザンツ帝国下のギリシアで、通りを引き回される囚人に向かって見物人が汚物を投げつけたときの手のひらの動きにルーツがあるという。

また、イギリスでもVサインは、手のひらの向きによって、意味がまったく変わってしまう。手の甲を相手に見せるVサインは、リバース・ピース（裏がえしのピース）と言われており、こうすると、相手を侮辱するしぐさとなってしまうのだ。

かつて、北フランスのノルマンとイングランドが戦争を繰り返していた中世に、ノルマン人は、戦いに敗れた相手に対して、二度と反乱できないように人差し指と中指を切断する、と脅していたという。しかし、ある戦争でイングランドが勝ったとき、イングランドの兵士たちが人差し指と中指を突き立てて、二本の指の無事を誇示し、退却してゆくノルマン人たちをからかったというのだ。

ムーザ

一説では、これが、リバース・ピースとして、いまにいたるまでイギリスに伝わっているのだとされている。勝利のVサインを広めたチャーチル自身も、はじめの頃は、うっかりリバース・ピースを兵士たちにしてしまったこともあったそうだ。

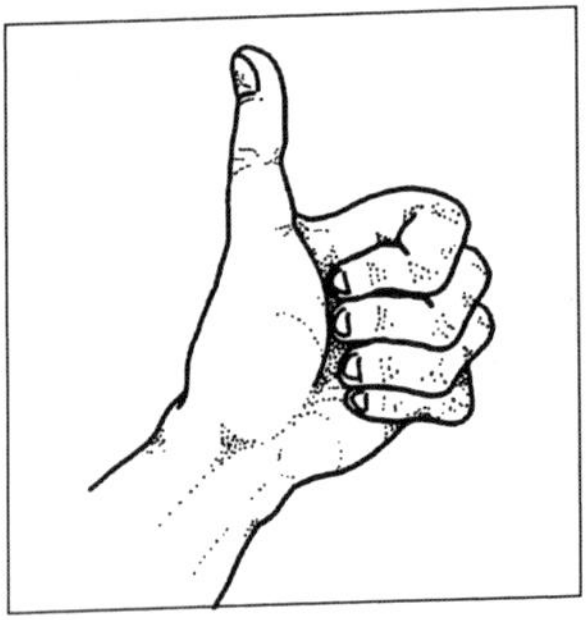

親指立て

親指立てと中指立て

欧米から日本に伝わり、一般的になったしぐさに、「よくやった」「ＯＫ」を意味する「親指立て」がある。

ただ、この指の形も、中東諸国やイタリア、バルカン半島、オーストラリアなどでは、性的侮辱をあらわすことがあるとか、スペインでは、場合によっては「バスク人万歳」になるという報告もある。

ちなみに、このしぐさの起源は古代ローマにある、と言われている。当時ローマ市民は、円形闘技場《コロッセオ》での剣闘士の死闘に興じていたが、このサインは、剣闘士が満足できる戦いをしたことへの賞賛の指形であり、これを下に向けると「殺せ」というサインになったというのだ。

また最近は、アメリカ映画の影響からか、握り拳をつくって中指を突き立てる若者が増えてきた。握り拳は睾丸を、立てた指は男性器をあらわしたものだ。

これは「ファック・ユー（くそくらえ）」のしるしとして、アメリカで浸透しているが、他の国々でも性的侮辱のサインとして使われている。ただ、これは、アメリカ人でも滅多にするようなものではないのだから、私たちもやたらに真似をしない方がよい。

同じように中指を立てるしぐさだが、中東諸国では、手のひらを上に広げて中指だけを立てることがある。これも男性器を模したもので、きわめて下品なサインになるので要注意である。ローマ帝政初期の暴君カリグラは、同性愛者の部下を愚弄するために、いつも中指を伸ばしてそれにキスをさせていた、と伝えられている。中指が古代から男根をあらわしていたのは確かだが、当時は、同性愛の象徴だったらしい。

話は少しそれるが、欧米では、何かを罵るときに、性や排泄、あるいは神様と関連づけた言葉を使うことが多い。たとえば、mother fucker（見下げ果てたやつ）、Shit!（クソッ！）、God-dam!（ちくしょう！）といった具合である。

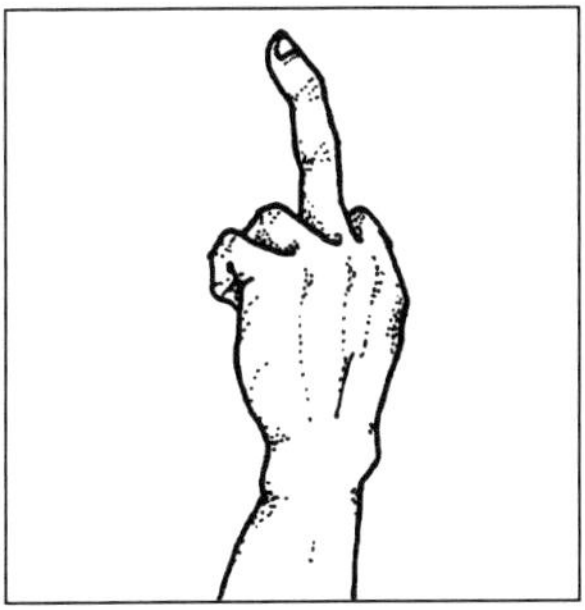

中指を立てる

英語で「性交」を意味するfuckは、公《おおやけ》の場では、文字通りの意味で使われることはほとんどない。アメリカ映画などでは、字幕にこそ出てこないが、ジュリア・ロバーツのような美人女優の口からも、やたらと「ファック」のつく言葉が飛び出してくる。Fuck me!（何てことだ！）Fuck you!（勝手にしろ！）というような言葉もあるし、フットボールなどですごいゴールを決めれば、A fucking good goal! ということになる。

この言葉は、かつては禁句の代表ともされた言葉で、二十世紀半ば過ぎまでは辞書にも載っていなかったほどだが、いまでは女性も含めて、アメリカ人の七割以上が日常的にこの言葉を使っている。

　だから、会話のなかにこの言葉が出てきたからといっても別にショックを受けることはないが、そういった言葉に不快感をもつ人もまだ多いのだから、彼らの真似をして、何にでもfuckingをつけたり、中指を立てたりするのはやめた方がいいと思う。

　ちなみに、イギリスでfuckingにあたる言葉はbloody（血だらけ）である。また、意外なことかもしれないが、イギリスなどでは、女性がOh, my God!とかJesus!と言うことさえ、無教養のあかしとされてしまうのだ。

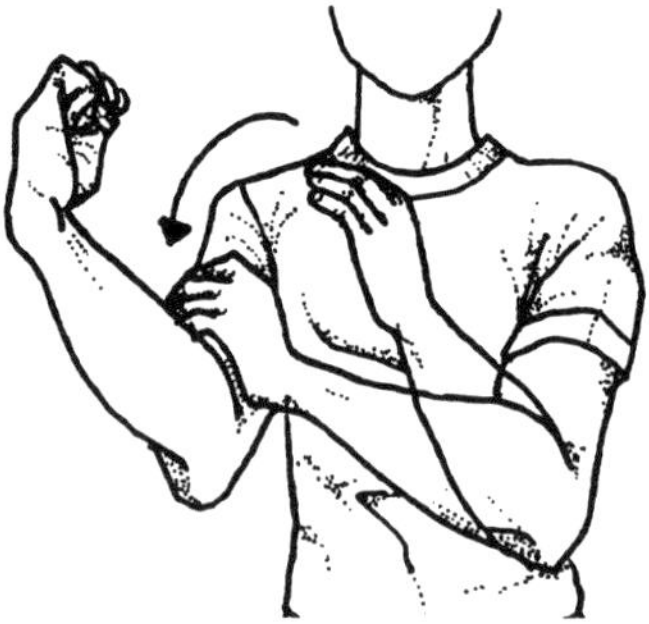
握り拳を振り上げる。

指十字とは何か
握り拳をつくって腕を曲げ、力こぶを出すしぐさがある。
　これは、日本では、男らしさ、力強さを誇示するための身ぶりだが、欧米では、侮辱や挑発のサインととられることもある。とくに、腕を素早く曲げながら、肘の内側や力こぶのあたりをばしっと叩いたりすると、相手を挑発するポーズになってしまう。

日本人が「まかせておけ」というつもりでこの「前腕あげ」をすると、場合によっては、喧嘩を売っているともとられかねないというのだ。

また、日本ではほとんど見られないが、キリスト教文化圏には、人差し指に中指を絡ませる「指十字」というしぐさがある。

これは、文字通り、十字架の形を真似ることによって、キリストの加護を得ようというものだ。梯子の下をくぐるとやってくるという悪運も、この「指十字」で避けられるというのだが、一般的には、幸運を祈るまじないとされている。

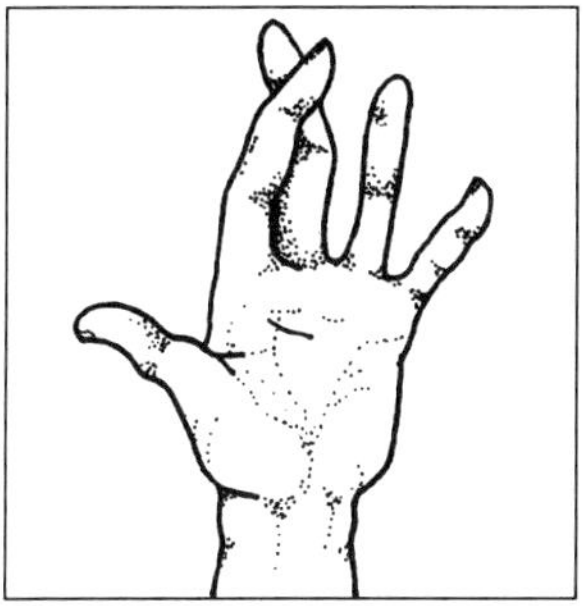
指十字

ちなみに、梯子の下をくぐると、なぜ不吉なことが起きるのかというと、これが人を十字架にかけるときに使う道具だからだという。
またアメリカ人は嘘をつくとき、相手に見えないように、背中に回した手で「指十字」をつくったりする。これは、ドラマや映画のなかで、可愛い子どもがよくやっていたりする。こういったしぐさに注意してドラマや映画を見るのも楽しいだろう。
なお中国では、この指の形は数字の十をあらわす。日本（とくに関東地方）では、汚いものを封じるおまじないとして、「エンガチョ」と言ってこのしぐさをすることがあるが、世代的にも地域的にも、かなり限定されたもののようだ。

ところで、ウォークマンの影響なのか、最近、よく腿などでリズムをとっている若者がいるが、このしぐさは気が短い人というイメージを与えるばかりか、アルゼンチンなどでは、卑猥な行為と誤解されかねない。

足でリズムをとるのも、いらいらしやすい人という印象をもたれるし、ところによっては、「帰れ!」というサインにもなるので、知らないうちにトラブルにもなりかねない。

また、日本ではときどき見かけるが、人前でベルトを締め直したり、ズボンをずり上げたりするしぐさは、猥褻とまではいかなくても、多くの人に不快な思いをさせる行為なので、やめた方がいいという。とにかく、下半身近くに手をもっていったりしない方が無難だろう。

そのほか、テーブルを指先で叩いたりするのはよくない、とする国も多い。フィリピンでは、テーブルを指で叩くのは下品な行為とされ、とくに女性の前ではしないようにと注意される。

ただし、軽く短くテーブルを打つことが、いい意味をもつ国もある。

中国では、酒をついでもらったときに、テーブルを指で軽く叩いて感謝の意をあらわすことがあるし、欧米では、うっかり自慢めいたことを言ってしまったときに、木製のテーブルを軽くノックして、嫉妬の女神の気をそらせようとするまじないが知られている。

イエスとノー

私たちは相手の話に同意していてもいなくても、あいの手を入れるように、うなずきながら話を聞くことが多いらしい。しかし、欧米人を相手にうなずきながら話を聞いていたら、ほぼ同意したと受けとられてしまうかもしれない。

もし彼らに、同意ではなく、「ちゃんと聞いていますよ」というメッセージだけを伝えたいのならば、相手の目をまっすぐに見つめていればよい。

すでに述べたように、視線を合わせないことを礼儀とする文化は、アジア系・アフリカ系の人たちの間では珍しくないし、注意深く聞くときに、「腕組み」をする人びともいる。しかし、欧米や中東諸国の人たちは一般に、アイ・コンタクトを重視するので、相手の目を見ないのはおかしいと思ってしまうのだ。

また腕組みはだまされないぞという「防御」のサインと思ってしまうかもしれない。かつて、湾岸戦争のときにイギリスの少年が、フセイン大統領の前で、腕組みをしながらその話を聞いていたことがあったが、これは、「あなたの言うことは信用しないよ」というあからさまな態度を示すためのポーズなのだ。

これまで述べてきたようなことは、もちろん、文化の優劣とはまったく関係がない。そもそも、文化には優劣などないのだから。ただ、話す相手に分かりやすく、また正しく意思を伝えたいのならば、おたがいのしぐさが何を意味するのかをまず理解する必要があるだろう。
　そのほか、まぎらわしいしぐさについて、いくつか見ておこう。
　たとえば「おいで」と手招きをするとき、私たちは手のひらを下に向けるが、

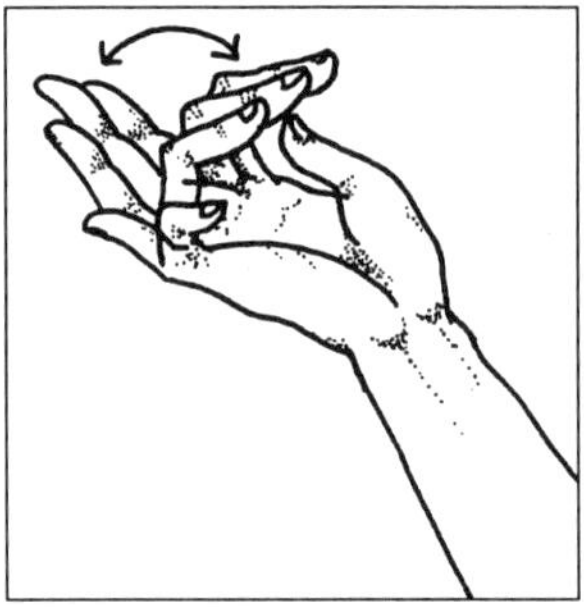
海外の手招き

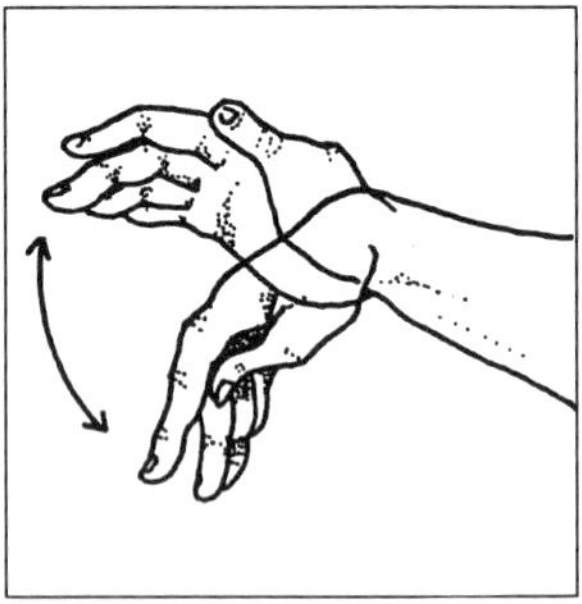
日本式手招き

欧米や中東などでは、手のひらを上に向けて指を動かす。
　このしぐさを日本人が誤解することはないだろうが、反対に、日本人の手招きを見た彼らが、不愉快に思うことはあるかもしれない。日本式の手招きは、「あっちへ行け」というサインになることがあるからだ。ただし、地中海沿岸地域では、手のひらを下に向けて手招きするところもあるために、北ヨーロッパの人びとは、そのしぐさに戸惑うこともあるようだ。
　イエスとノーも、首を縦に振るのがイエス、横に振るのがノーということにはならない。こんな単純なしぐさすら、世界標準《グローバル・スタンダード》ではないのだ。
　たとえばギリシアでは、ノーは頭を軽く後ろにそらす。

この「ノー」は「ギリシアの否定《グリース・ノー》」としてよく知られているが、中東諸国にも広く見られる。また南イタリアでは、「グリース・ノー」が一般的だが、北イタリアにはまったく見られない。これは、古代ギリシアのイタリア支配が北までおよばなかったことによる、と言われている。

ちなみにギリシア人が、イエスと言うときには、頭を左右に揺らすという。ジェスチャーに関する研究の草分け的存在である動物学者のデズモンド・モリスによると、似たようなしぐさは、ブルガリア、インド、パキスタンなどにもあるという。またイスラエルでは、頭を斜めに傾けるのがイエスだそうだが、これは私たちにとっては、本当にそうかな、というときのしぐさだ。

身ぶりを下品だと考えていたフランス人

しぐさやボディ・ランゲージは、国や民族によってさまざまに変わる。もしヨーロッパを大ざっぱに分けるとすれば、北欧ではボディ・ランゲージはほとんど使わず、フランス、スペイン、ポルトガルや、イタリア、ギリシアなど、南欧諸国ではよく使うということになるだろうか。

また、しぐさやボディ・ランゲージには、地域差もあれば、時代差もある。いまは身ぶりの大げさなフランス人も、十六世紀頃までは、身ぶりを下品なものと考えていたらしいのだ。

当時、フランスに嫁いだカトリーヌ・ド・メディシス（メディチ家のカトリーヌ）は、洗練された食文化をフランスに伝えたことで知られているが、身ぶり、手ぶりを多用する習慣もまた、彼女によってもたらされたものだという。そして、それからおよそ二百年をかけて、さまざまな抵抗を押しのけて、身ぶり手ぶりで何かを語るという習慣が階級を問わず浸透していった。

かたやイギリス人は、いまでこそ派手な身ぶり、手ぶりをあまりもちいないが、その傾向は、十七世紀の清教徒革命に由来するとも言われている。新約聖書の「マタイによる福音書」には、イエスの教えとして、あなたがたは、「然り、然り」「否、否」と言いなさい。それ以上のことは、悪い者から出るのである、と説かれているので、これを重視したクエーカー教徒などがその頃からしだいに、物静かな態度をよい態度とするようになっていったのだという。

ただ、何事につけても階級差の大きいイギリスでは、地域差、時代差のほか、社会的階級による違いもかなりあるようだ。

イタリア人特有のしぐさ

イタリアは、すでに述べたように、ボディ・ランゲージを多用する国として有名だ。とくに南イタリアの人々は話を強調するように手と頭をよく動かすので、言葉としぐさがまるで同等にあつかわれているようにも見える。

イタリア人に特有のしぐさはいくつもあるが、五本の指の先をくっつけて、手をすぼませたまま上下に動かすしぐさは、その代表といえよう。これは「何を言いたいのですか」と相手に尋ねるときのゼスチャーなのだが、そこから転じて「いったい何を言っているんだ」「何をしたいのだ！」と非難する調子でも使われる。この手すぼめは、南北を問わずイタリア全土でよく見られ、しかもイタリア人以外はほとんどしないという、まさに「国民的」なしぐさなのである。

ところが、これと意味はまったく違うが、非常によく似たしぐさがある。「おいしい！」と賞賛するときの指形で、こちらはヨーロッパで広く知られている。ルーツは古代ギリシア・ローマに起源をもつ投げキスにあり、「チュッ」という音と同時に指先をパッと開くのが本式なのだという。ただ、フランスでは、親指と人差し指だけでＯＫサインをしながら、軽くはじいて投げキスのまねをする。また手をすぼめたまま口のあたりで軽く上下させる地域もあるが、これはイタリア人の手すぼめとまぎらわしいだけでなく、それが賞賛を意味する地域もあるので、本当にややこしい。ちなみにイタリア人は、おいしいときには片手の人差し指を頬にあて、ぐりぐりとねじるように動かす。

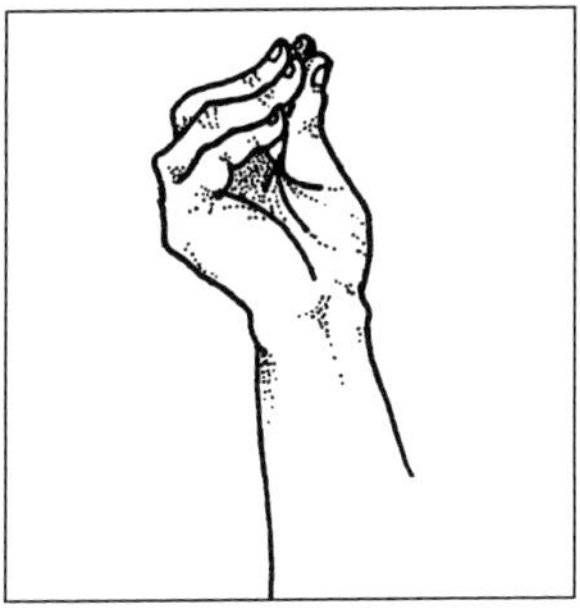

手すぼめ

さらに、手すぼめの形で指先を細かく開いたり閉じたりするしぐさが、フランス語圏で知られている。これは、心臓の激しい動悸と説明されることもあるが、実のところは、恐怖を感じたときの肛門括約筋の収縮のことらしい。日本語でいう「ケツの穴の小さいヤツ」と同じ発想からきたのだろう。

ジェスチャーのヨーロッパ地図

1975年から1977年の3年間、ヨーロッパの広範な地域で、20種類のジェスチャーについて、動物行動学者デズモンド・モリス率いる調査班がフィールド調査をおこなった。ここで紹介する一連の地図は、彼らの調査結果から作成された「ジェスチャー地図」をもとにしている。
(『ジェスチュア：しぐさの西洋文化』　デズモンド・モリス他著、多田道太郎・奥野卓司訳　角川選書　1992より)

調査地点は、15の言語にわたる18の国、40箇所で、以下のとおり。

1.イギリス＝グラスゴー（スコットランド）、
アバリストウィス（ウェールズ)、バンベリー（イングランド)、
ポートスチュアート（北アイルランド）
2.アイルランド＝ダブリン
3.ノルウェー＝オスロ
4.スウェーデン＝ストックホルム
5.デンマーク＝コペンハーゲン
6.オランダ＝アムステルダム
7.ドイツ＝ハンブルク（ドイツ北部)、ミュンヘン（ドイツ南部)
8.オーストリア＝ウィーン
9.ベルギー＝メケレン（ベルギー北部)、ナミュール（ベルギー南部)
10.フランス＝ドービル（フランス北部)、ナント（フランス西部)、
ビエンヌ（フランス中央部)、ルーバンス（フランス南部)
11.スペイン＝ビトリア（スペイン北部)、トレド（スペイン中央部)、
グラナダ（スペイン南部)、ラス・パルマス（カナリア諸島)
12.ポルトガル＝リスボン
13.イタリア＝トリノ、フィレンツェ、ローマ、ナポリ、タラント、
レッジョ、 メッシナ（シチリア東部)、パレルモ（シチリア西部)、
サッサリ（サルデーニャ北部)、カリアーリ（サルデーニャ南部)
14.マルタ＝ビルキルカーラ
15.チュニジア＝ハマメット
16.クロアチア＝ドブロブニク
17.ギリシア＝ ケルキーラ（コルフ島)、テサロニキ（ギリシア北部)、
アテネ（ギリシア南部)
18.トルコ＝イスタンブール

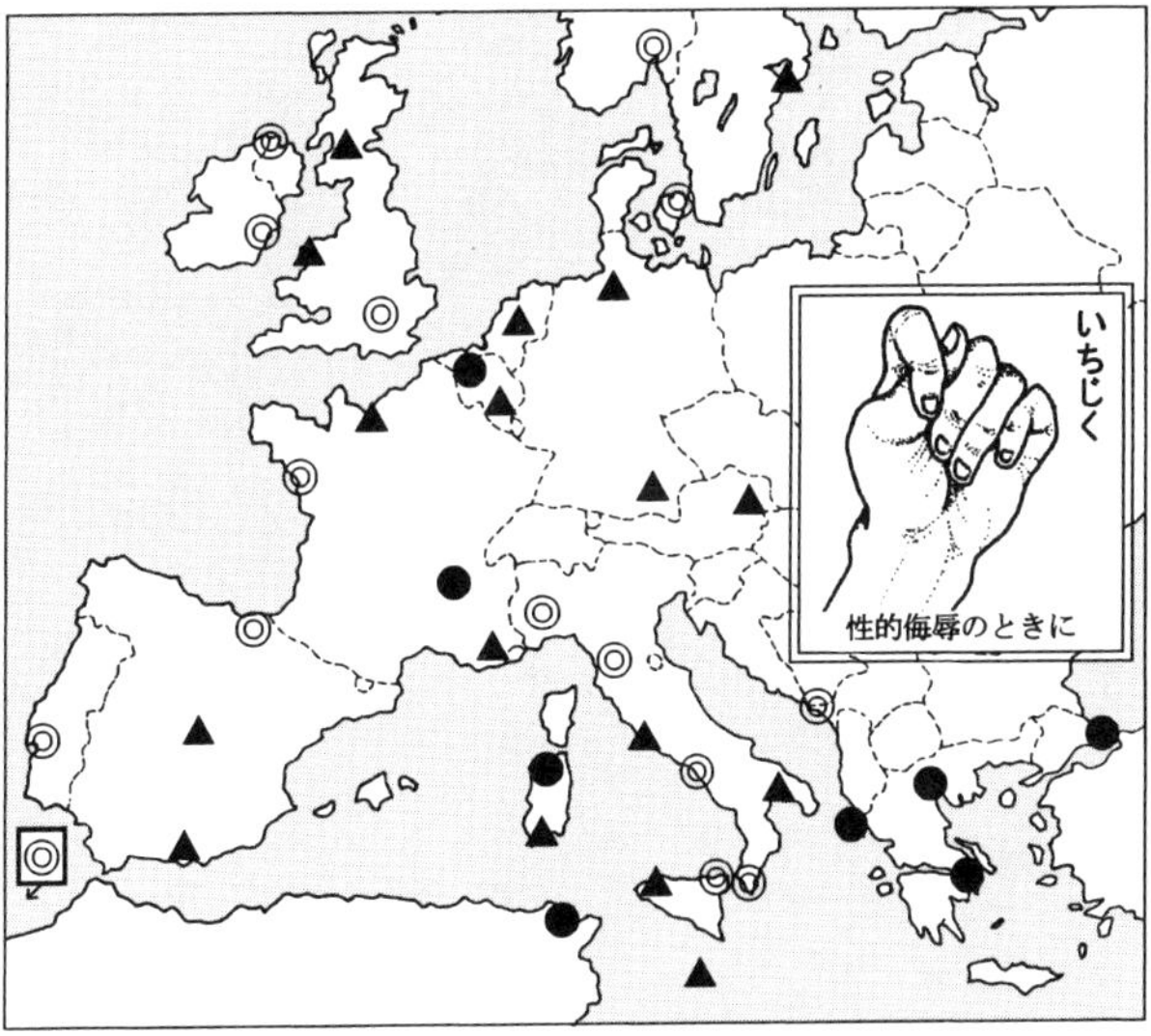
いちじく
性的侮辱のときに

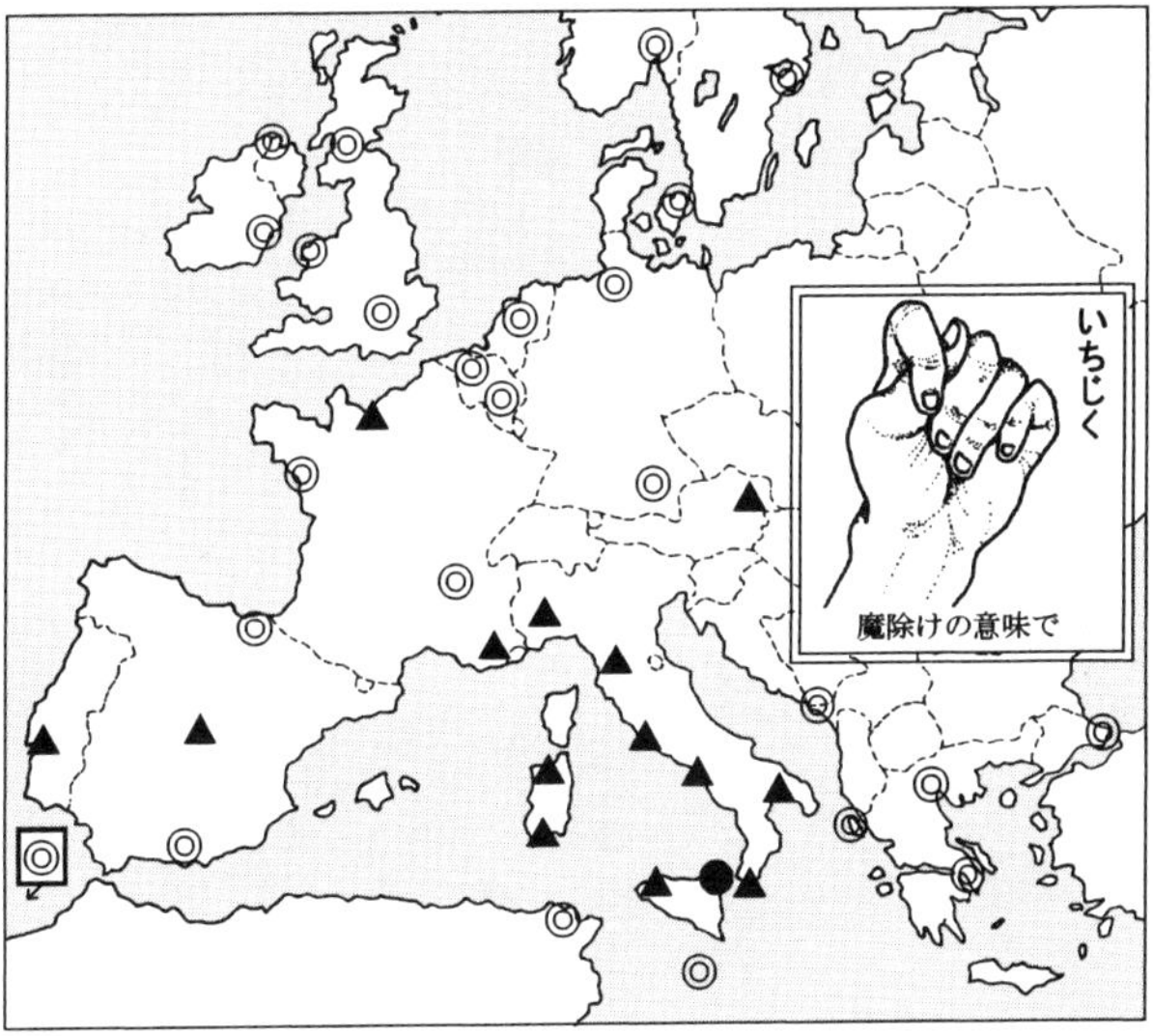
いちじく
魔除けの意味で

●＝日常的　▲＝まれ　◎＝なし

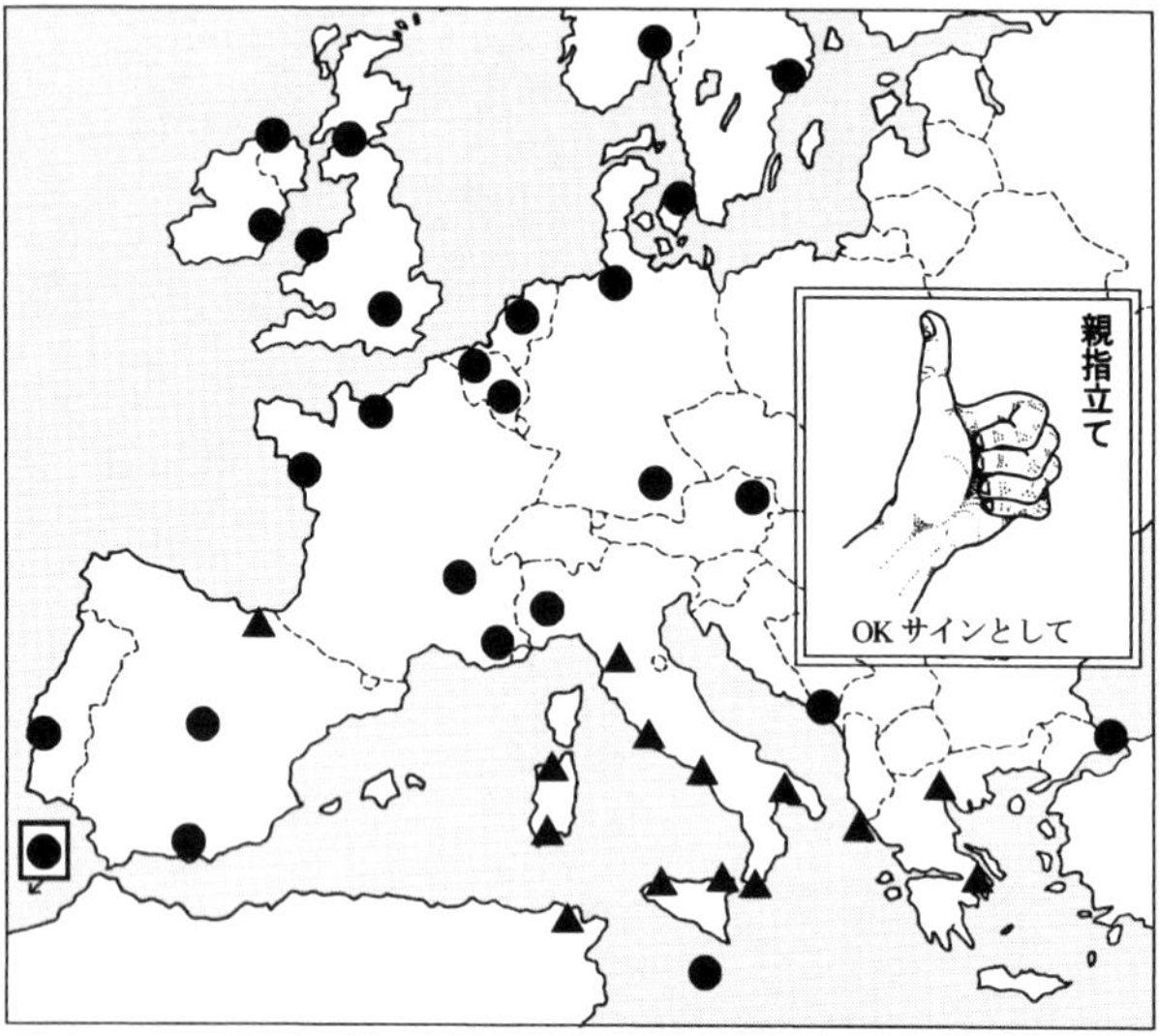
親指立て
OK サインとして

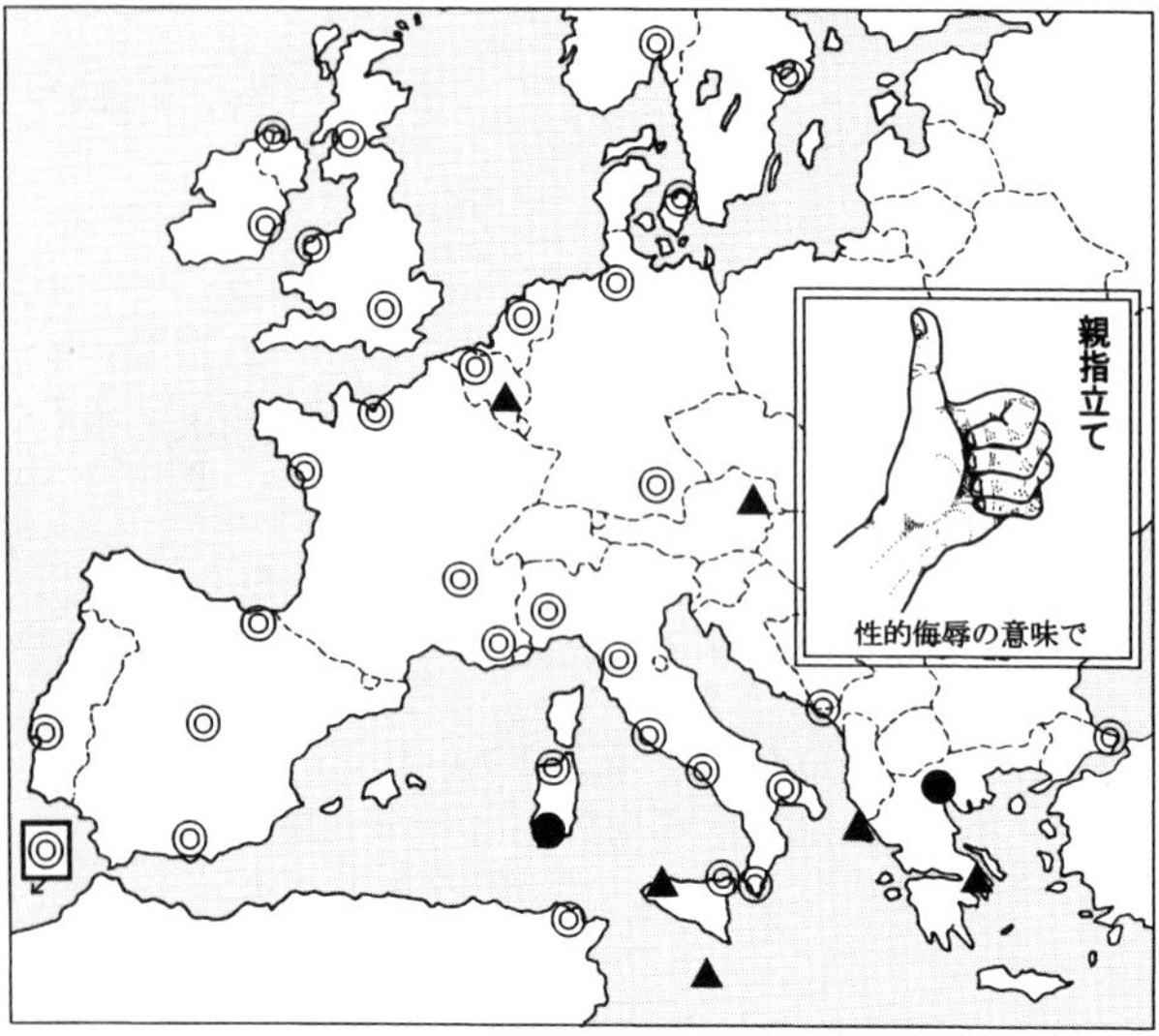
親指立て
性的侮辱の意味で

●＝日常的　▲＝まれ　◎＝なし

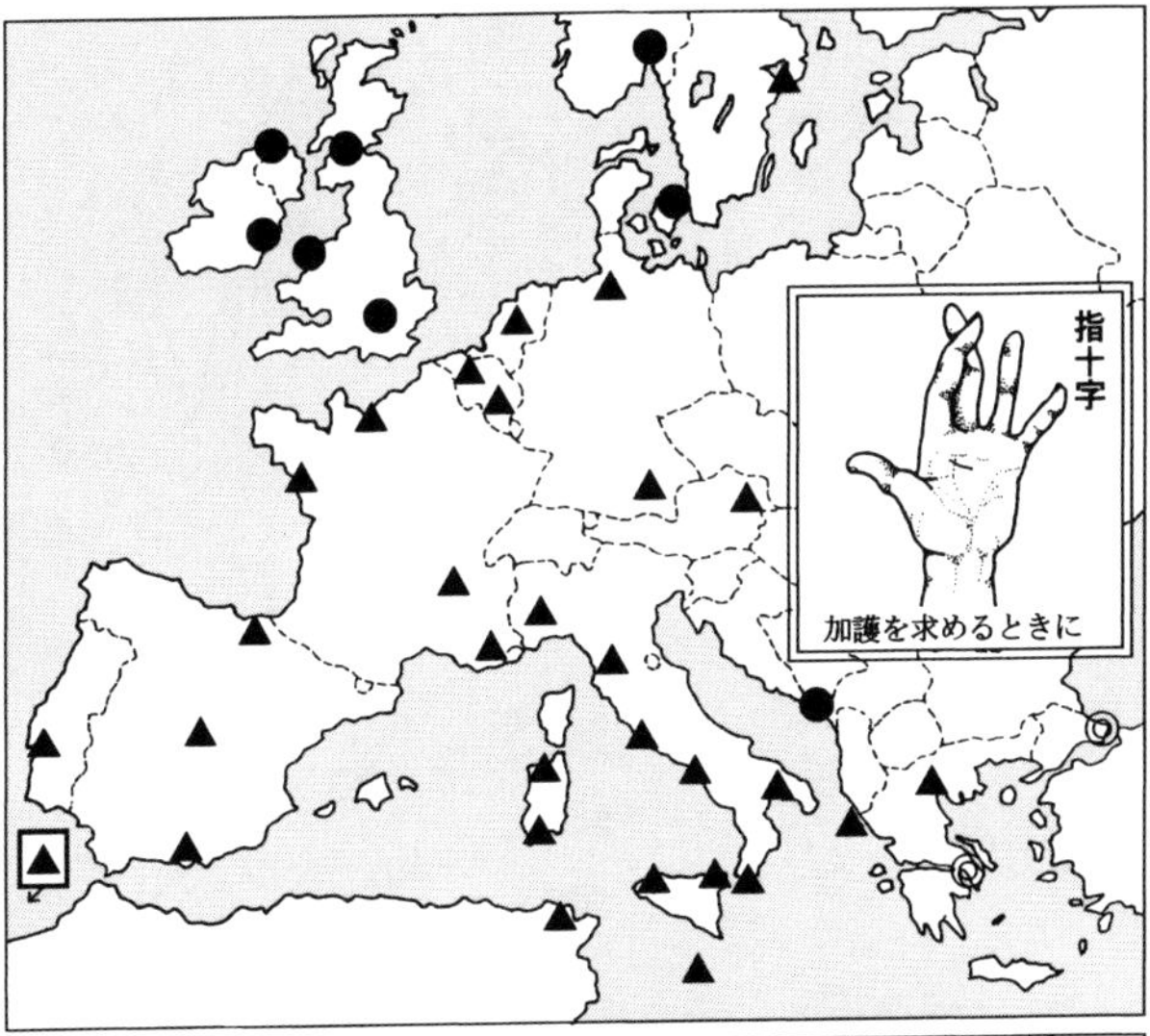
指十字
加護を求めるときに

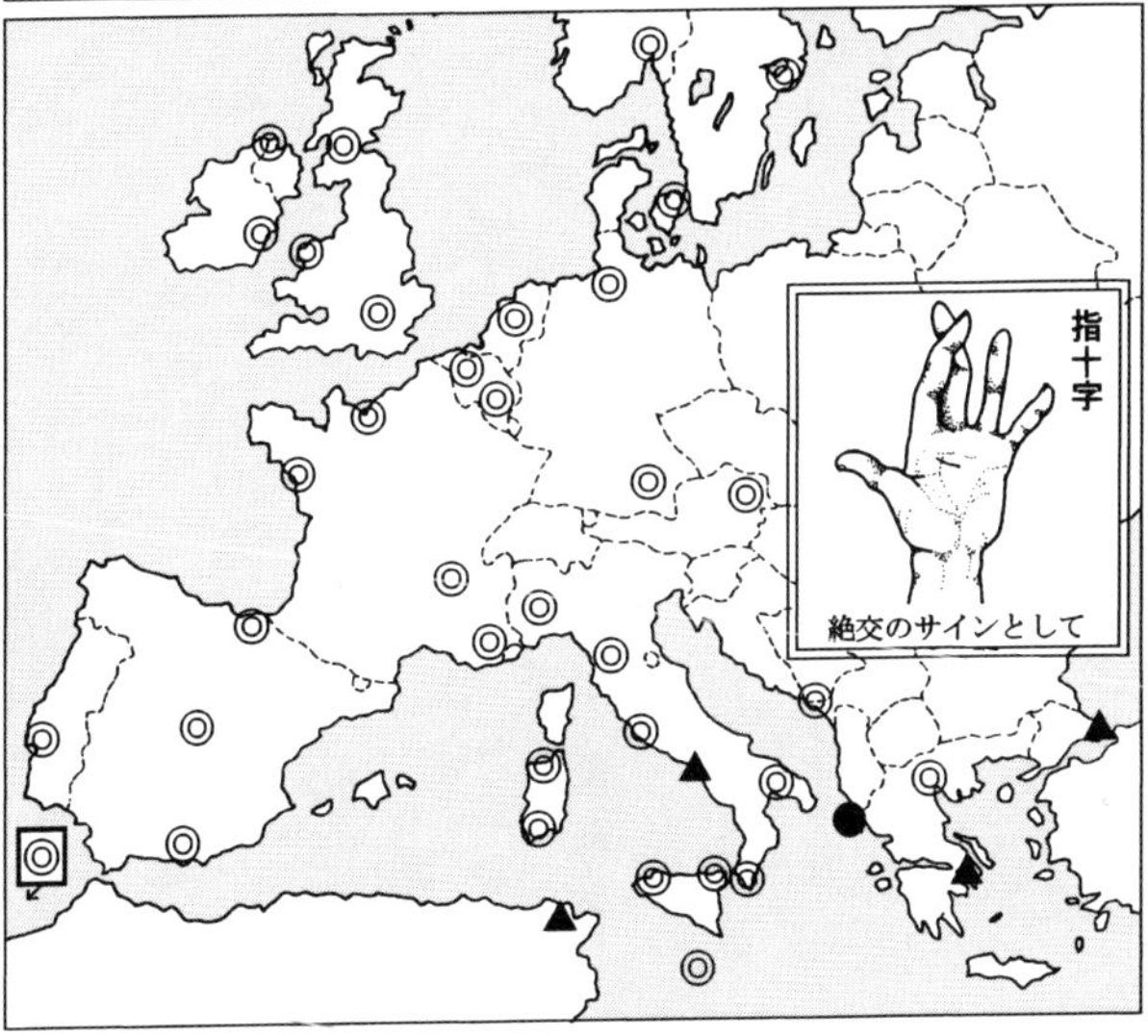
指十字
絶交のサインとして

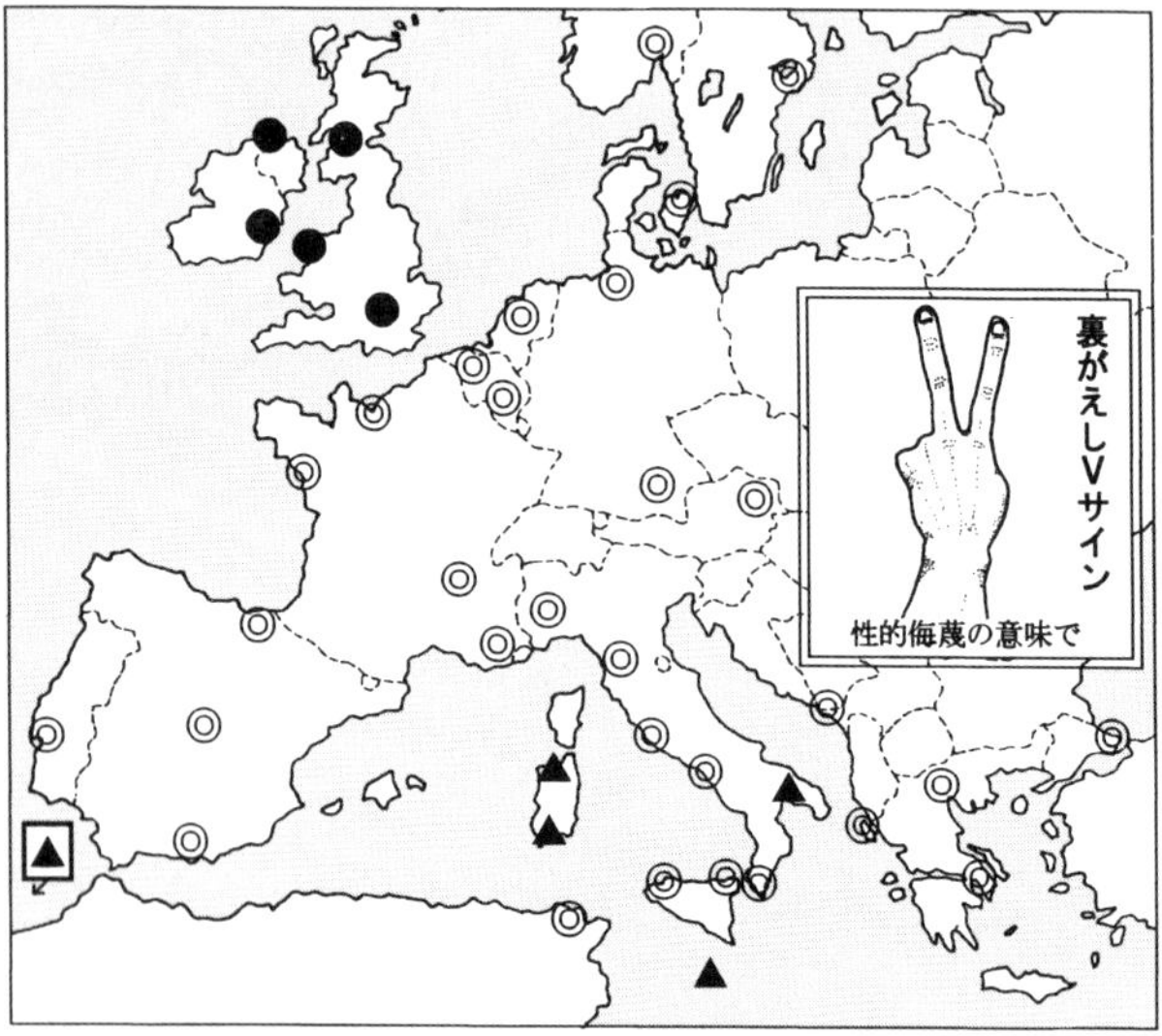
裏がえしVサイン
性的侮蔑の意味で

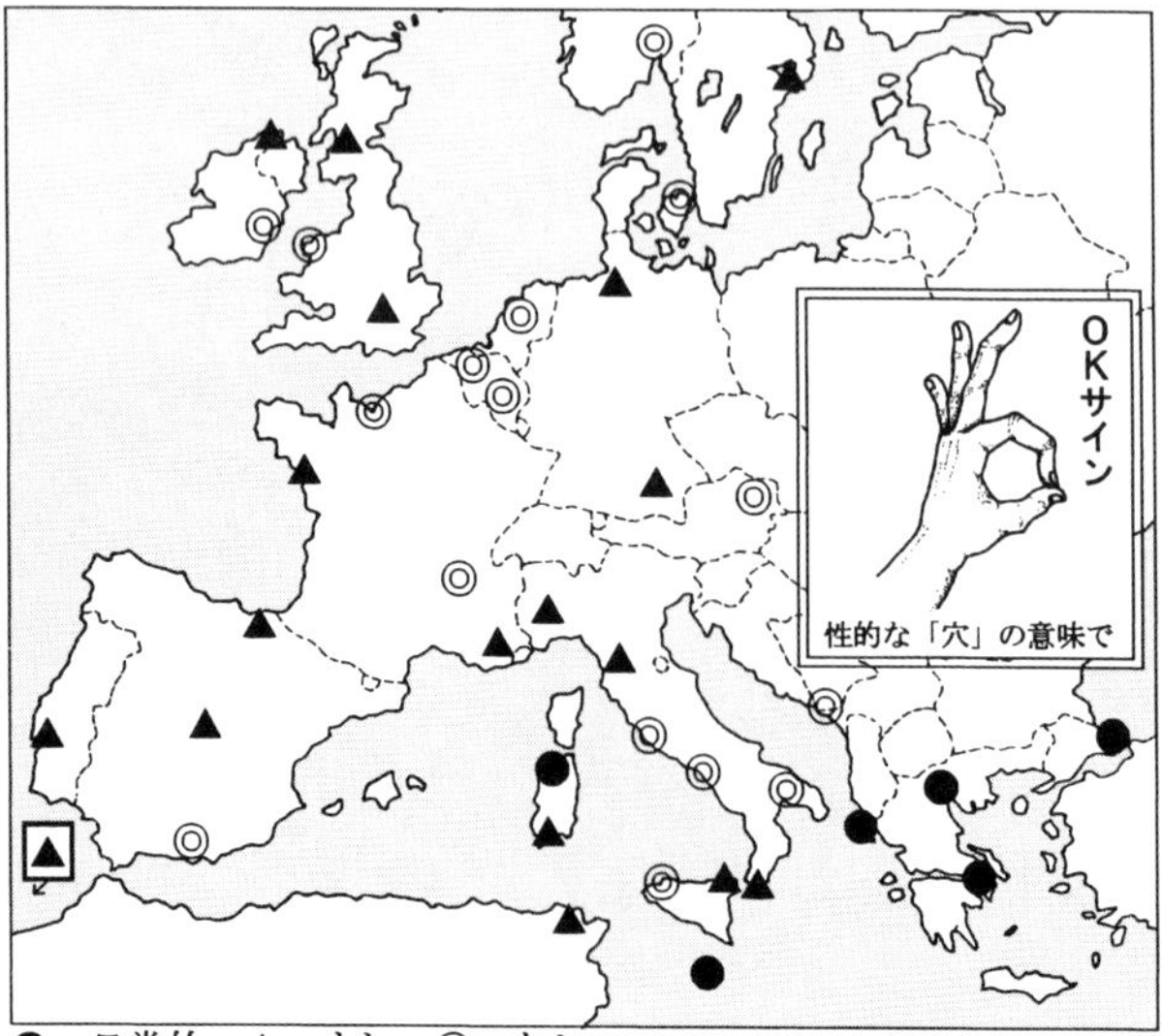
OKサイン
性的な「穴」の意味で

●＝日常的　▲＝まれ　◎＝なし

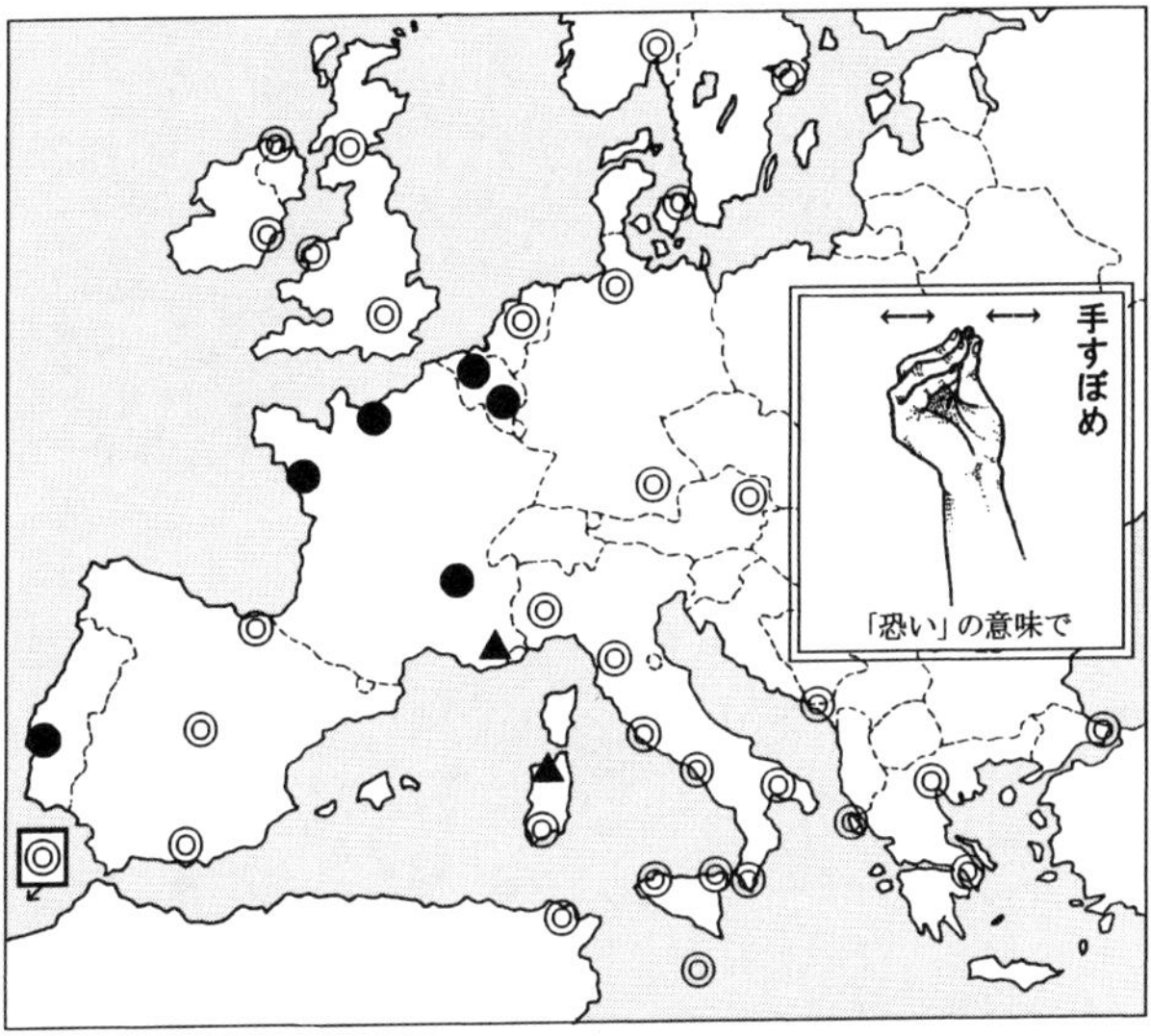
手すぼめ
「恐い」の意味で

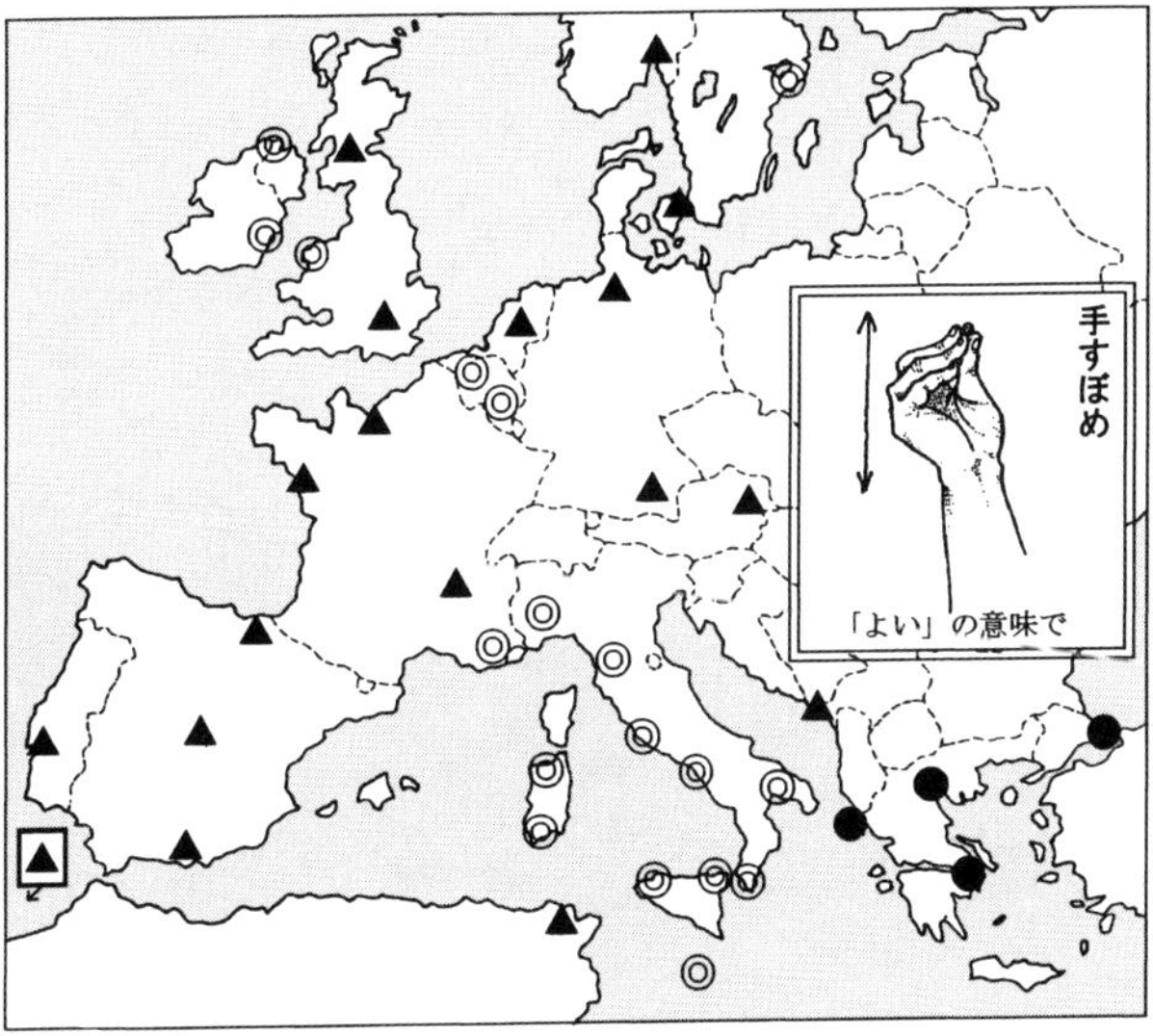
手すぼめ
「よい」の意味で

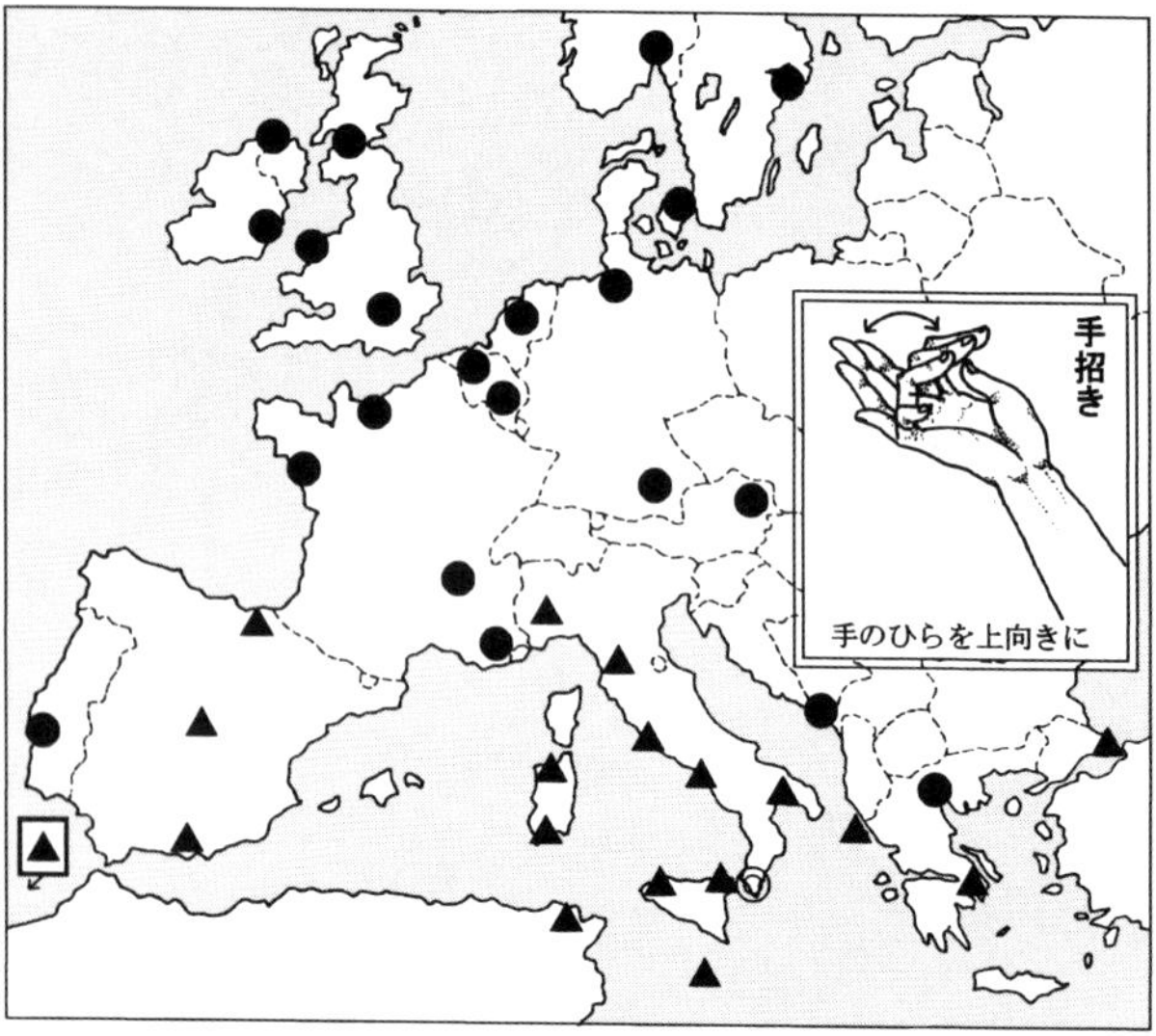

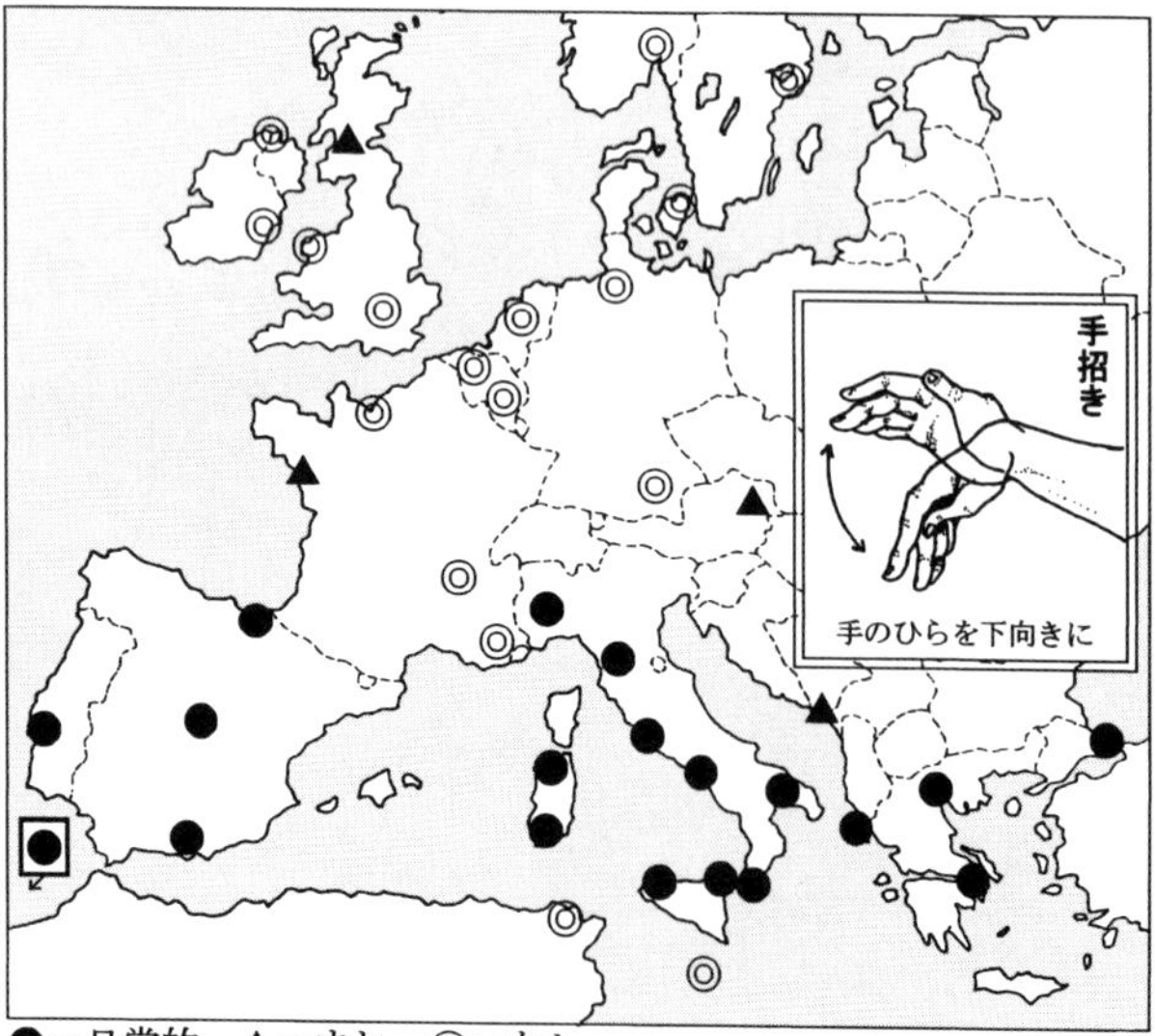

●＝日常的　▲＝まれ　◎＝なし

第2章
東洋の作法と西洋のマナー

クアラルンプール　マレー語で「濁った合流点」。19世紀後半から同地の植民地化を進めたイギリス人は、エキゾチックなアラビアン・ナイト風の建築物を好んで建てた。手前は旧植民地行政府事務局、現在は最高裁判所として利用されている。　マレーシア

外国からの観光客が多い国

世界全体の外国への観光客数：6億3513万人（1998年）
来日した外国人観光客数：410万6000人（1998年は35番目）

＊年間1000万人以上の外国人観光客を受け入れている国
(世界観光機関の資料による)

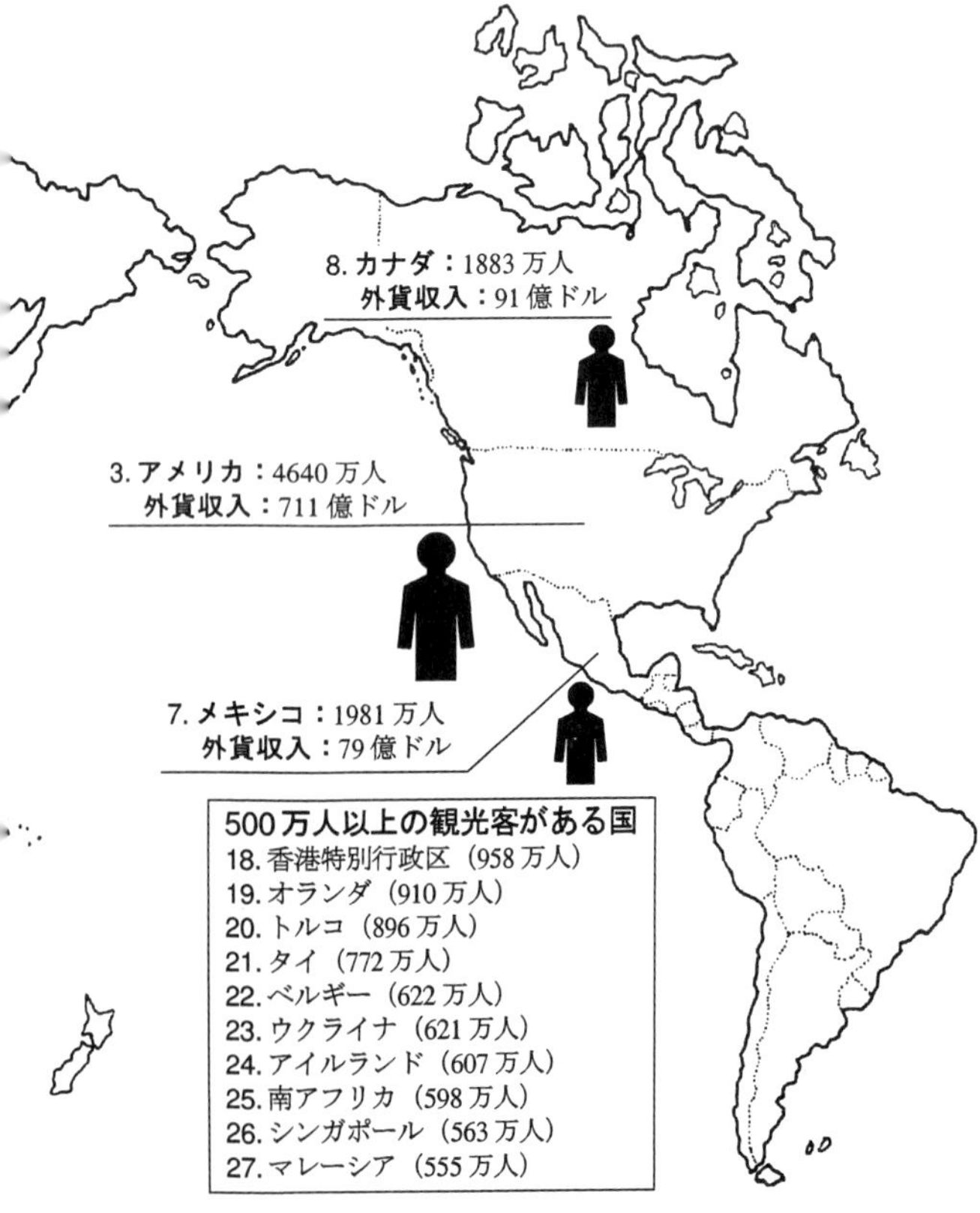

500万人以上の観光客がある国
18. 香港特別行政区（958万人）
19. オランダ（910万人）
20. トルコ（896万人）
21. タイ（772万人）
22. ベルギー（622万人）
23. ウクライナ（621万人）
24. アイルランド（607万人）
25. 南アフリカ（598万人）
26. シンガポール（563万人）
27. マレーシア（555万人）

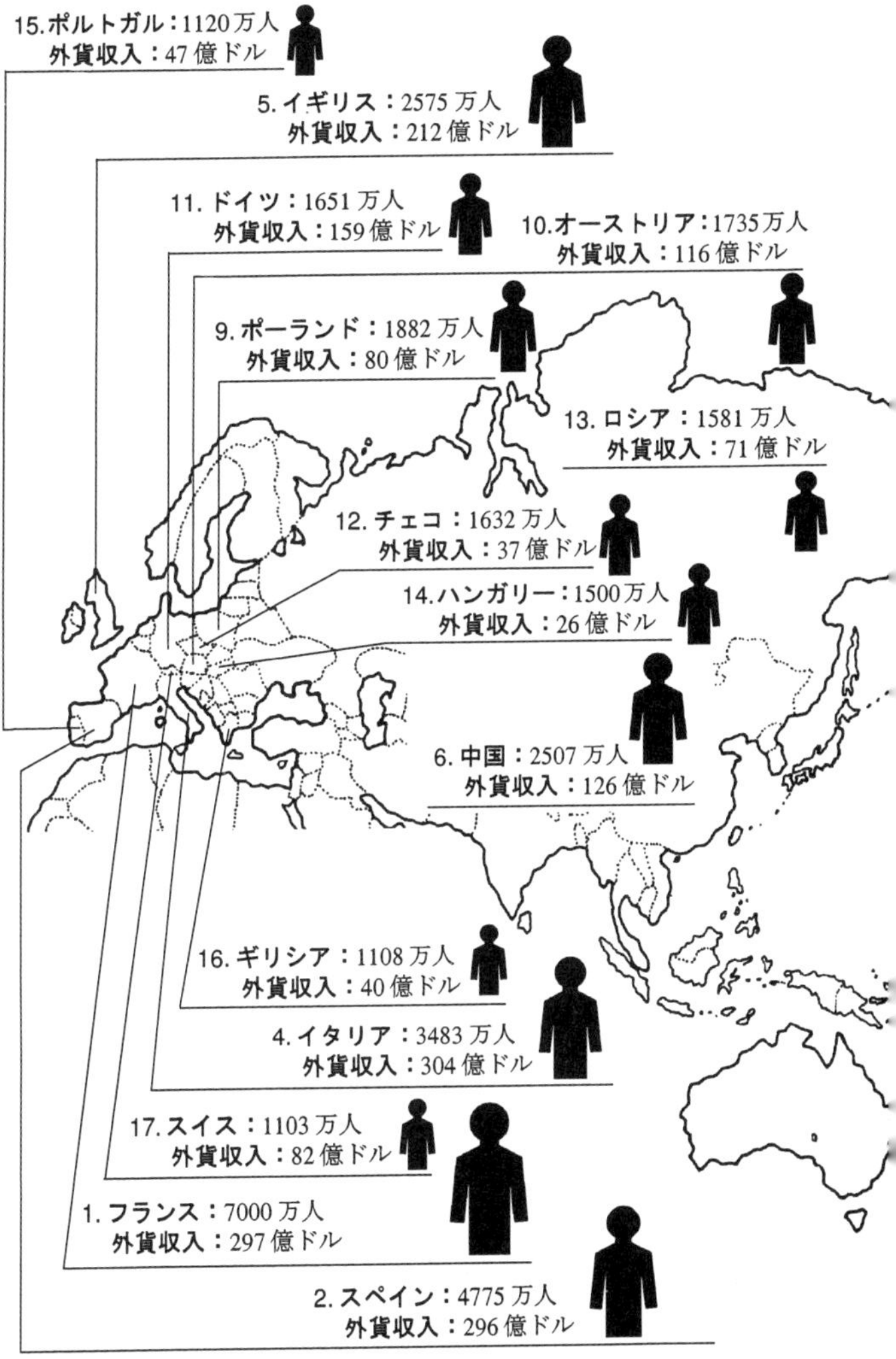
15.ポルトガル：1120万人
外貨収入：47億ドル
5.イギリス：2575万人
外貨収入：212億ドル
11.ドイツ：1651万人
外貨収入：159億ドル
10.オーストリア：1735万人
外貨収入：116億ドル
9.ポーランド：1882万人
外貨収入：80億ドル
13.ロシア：1581万人
外貨収入：71億ドル
12.チェコ：1632万人
外貨収入：37億ドル
14.ハンガリー：1500万人
外貨収入：26億ドル
6.中国：2507万人
外貨収入：126億ドル
16.ギリシア：1108万人
外貨収入：40億ドル
4.イタリア：3483万人
外貨収入：304億ドル
17.スイス：1103万人
外貨収入：82億ドル
1.フランス：7000万人
外貨収入：297億ドル
2.スペイン：4775万人
外貨収入：296億ドル

笑顔のオモテとウラ

あるエジプト人が、自国を訪れる観光客の見分け方を教えてくれたことがある。彼の見立てによると、ニコニコして、やたらと愛想がいいのは日本人。韓国人は、どこにいても目と口は動くものの顔に表情がない、と言うのだ。そのあたりの感じで、自分たちにとって見分けにくい東アジアの人々の区別をつけるのだという。

日本人のあいまいな笑顔は誤解を招きやすい、とよく言われてきた。怒りや悲しみも、それを直接にはあらわさず、静かな頰笑みとしかとれないような表情を浮かべるというのだ。私たちにとってそれは、あなたを受け容れましたよ、というサインなのだが。

また、照れ笑いも、日本人に特有のものではないが、外国人には、これが不真面目に映るという。愛想笑いも、度が過ぎれば卑屈なものとして嫌われるのはどこでも同じだが、日本ではこうした頰笑みが過剰なのではないか、と欧米人たちは感じているらしい。あるイギリス人は、日本人が集まるあるパーティーに招かれたので、礼儀として笑顔を心がけていたら、あとで顔の筋肉がこわばってしまったというのだ。

笑いには、楽しい笑いから嘲笑まで、受けとり方にもさまざまなお国柄が出てくる。たとえばイギリスなどでは、私たちには何でもないクスクス笑いをギグリング（giggling）と言ってひどく嫌うことがある。

フィリピン人やタイ、カンボジアの人たちも、日本人と同じように、とても笑うような状況ではないところで笑う、と欧米人たちは言う。こうした頬笑みは、もしかしたら、東南アジアの諸民族に共通する何ものかであるのかもしれない。

ところで欧米人は、ときおり、片方の眉だけをあげて、当惑まじりの表情をつくったりする。このしぐさは、欧米人やアラブ人、アーリア系のインド人など、コーカソイドに属する人びとはふつうにできるが、日本人はわずか十パーセントくらいの人にしかできないという。

たとえばインドの舞踊や大衆映画では、俳優たちの怒りや驚きをあらわす表情が一種の決まり事のようになっている。女優は、大きな目をいっぱいに見開き、喜怒哀楽をストレートに表現する。私たちには、うんざりするほど大げさなその表情は、もちろん文化の産物ではあるのだろうが、もしかしたらそれは、彼らの顔のつくりや筋肉の機能に関係があるのかもしれない。

つまり、欧米人に評判の悪いアジア系の「無表情」や「あいまいな笑顔」も、インド人や欧米人たちの「うんざりするような派手な表情」も、文化や習慣だけではなく、顔立ちや筋肉の機能によるのかもしれないということだ。また発音する言語によって、顔立ちも変わってくるという説もある。長くその国に暮していると、自然に、その国の人の顔に似てくるというのだ。

目の表情を読む世界

欧米の文化伝播力によって、いまや握手は世界共通の挨拶になっている。

目のお守り　エジプトやトルコで人気がある。車のなかに飾って交通安全のお守りにしたりする。

しかしこの握手も、握り方などによって、伝わるメッセージも変わってくる。ただ、そのときも、常に心にとめておくべきことは視線である。この点では、一重まぶたの、ややつり上がって見える目は、第一印象からして損をしているところがあるのかもしれない。地中海世界では、古代から目についての信仰があるが、その地に住む人たちのなかには、「東アジア人の目は、何を考えているのか分からないので苦手」という人もいるからだ。

相手の目を直視するアイ・コンタクトは、日本人が想像している以上に重要な行為なのだ。欧米人は、もちろん、これを常に意識して行なっているし、アラブ人は欧米人よりもさらにその傾向が強い。アイ・コンタクトを重視する欧米人でさえ、アラブ人に対してはアイ・コンタクトが何よりも重要、と説いているほどなのだ。

極端な言い方をすれば、彼らは、相手の目の表情によって、その人が正直か、信頼できるかを判断しているということだ。だから、目をそらせたり、伏せたりすることが謙遜とはならないということをまず知っておくべきだろう。

古代エジプト時代、宴席の女性と竪琴弾き　女性は片方のひざを立てて座り、男性はあぐらをかいている。　ルクソール西岸の私人墓、エジプト

だが、まなざしも、使い方によっては相手に敵意を与えてしまうことがある。日本語でいう「射すくめる」といったような見つめ方である。

たとえばある種の蛾が、身を守るために、擬態として目に似た丸い紋を発達させてきたことを考えれば、目が威嚇のサインでもあることが分かるかもしれない。他人から見つめられることに脅威や敵意を覚えるのは、一種、本能的な感覚なのだ。

正座は罪人の座り方

きちんとした座り方とは、どんな座り方を言うのだろうか。

たとえば正座は、日本人にとっては、もっともあらたまったときの座り方である。剣道、柔道、華道、茶道、邦楽も、この座り方によって、何となくおさまった形になる。

ところがこの正座は、世界的にみるとかなり特殊な座り方なのだ。

イスラームの礼拝は正座をし、頭を地につけて祈るが、日常生活のなかでこの姿勢を使うのは、日本のほかでは、グアテマラのマヤ系の先住民の女性など、ごく少数に限られている。

正座は、朝鮮半島では、囚人に強《し》いる座り方とされている。正しい座り方どころか、苦痛や屈辱を与えるための座り方なのだ。韓国では、男女とも、あぐらに片膝を立てた座り方が正式である。もし日本人が、韓国の家庭に行って正座でもしようものなら、「何てことを!」と言って、韓国式の座り方を教えてくれるだろう。日本人にとっては行儀が悪いこの片膝立ては、中東では、古代エジプトに起源があり、今日のアラブ社会でも一般的な座り方とされている。

また日本では、男の座り方とされるあぐらは、ほぼ世界中でみられる。欧米人が床に座るときは、あぐらか立て膝をすることが多い。韓国人も、実際は、あぐらの方がくつろげるという。

インドのマハトマ・ガンディーのあぐら姿は修行僧の精神をイメージさせるものだったが、南アジアでは、男女の別なく、あぐらがもっともふつうの座り方である。オセアニアも同じだ。地面に近いところで生活する人びとにとってのあぐらは、膝を抱えて座る姿勢とともに、もっとも楽《らく》な座り方なのだろう。ただしタイなどでは、横座りが正式な座り方とされている。

また、東アフリカの一部地域の男性は、脚を前に投げ出し、腰を伸ばしたまま座る。背もたれもなしに脚と背中をほぼ直角にした姿勢は、慣れない人がするとすぐに腰が痛くなってしまうが、彼らはこの姿勢で何時間も手作業をするのだ。

座るというのとはちょっと違うが、ギリシアの羊飼いは、斜めに立てた杖に寄りかかるようにして休息をとることができる。また東アフリカの一部の部族やオーストラリアの先住民アボリジニーは、片足をもう一方の脚の膝にあてて、一本脚で休息をとる習慣があった。

座る、休む、という人間の基本的な姿勢さえ、生活環境、文化によって、これだけ変わってくるのだ。

アメリカ式足組

足の裏を見せるのは侮辱

ゆったりとしたソファーに深々と腰掛け、片膝にもう片方の足首をのせたような姿勢でインタビューを受けるアメリカ人を、テレビや雑誌などでときどき目にする。自信たっぷりのようすは、見てくれを重んじるアメリカ人ならではのスタイルなのだろう。

日本では、ほとんどの人は両足を地につけるか、せいぜい足組みするような格好で座っている。しかし最近は、日本人の若者が、電車の車内、待合室、大学の教室といった公共の場でも、平気でこうした座り方をしている。

これは私たちにはひどく不作法に映るし、ヨーロッパでも、マナー違反と受けとられるだろう。ヨーロッパでは、たとえ靴をはいていても、足の裏を見せるのはよくない、と考えられているからだ。ただアメリカ人は、上品さより自分を誇示したり、くだけたスタイルを好むので、これをとくに行儀が悪い行為とは思っていないようだ。

ところが、北アフリカ、アラブなどのイスラーム圏でこの座り方をしたら、マナー違反どころか、深刻な問題となりかねない。イスラーム圏では、相手に自分の足の裏を見せることは、失礼を通り越して相手を侮辱する行為とされているからだ。

エジプトのように、欧米社会との接触が多い人たちは、そうした観光客の行為について見て見ぬふりをしてくれるかもしれないが、彼らも心のなかでは不愉快に思っているのだということだけは知っておいた方がいいと思う。

それに、イスラーム原理主義者たちからすると、こういった座り方こそは、まさに悪しき欧米文化の堕落の象徴ともうつりかねないので、攻撃の標的にもされかねない。

服装が女性を変えた

かつて日本人女性は、人前で足を組んだり、足を開いて座るようなことはしないものだった。しかし、いまでは、そのどちらもがあたりまえのように見られる。

欧米でも、女性が足を組む座り方は、キャリア・ウーマンのふつうのスタイルになっているが、これはビジネス・スーツを着ているということが、前提となっている。もし、女性らしさをことさら強調するような服で大胆に足を組んだりすれば、男性を誘惑しているともとられかねないからだ。

女性の服装とその意識の変化には大きなかかわりがあるが、二十世紀の後半に起こった女性の服装の変化は、女性の行動にも決定的な変化をひきおこした。女性が男のようにふるまうことへのタブーはビジネス社会では急速に消えつつあるが、その背景には、機能的なスーツやパンツ・スタイルの普及があることは言うまでもないだろう。

それは日本でも同じで、日本女性の内股での歩き方は、和服人口の減少とともに、過去のものとなってしまった。それでも、しばらく前までは、膝を合わせつま先を内側へ向けて座る姿勢に、かつての大和撫子の名残りが見られたが、いまの若年層にはそれすらない。

日本人女性以上に変化したのは、中国人女性かもしれない。

日本でもベストセラーとなった小説『ワイルド・スワン』の著者ユン・チアンの祖母（一九〇九年生まれ）は、纏足《てんそく》をさせられた最後の世代に属していた。

足指を内側に折り曲げて、きつく縛ったまま成長させない纏足は、男性の特殊なフェティシズムを満足させるとともに、纏足した女性の行動範囲を制限するものでもあった。そして、その「春風にそよぐ柳のような」歩き方が女性らしい美、とされてきた。

ところが、その次の世代であるユン・チアンの母親は、共産党員候補として、女性らしい装いをいっさい禁じられ、流産するほどの過酷な行軍を、男性とともに強いられるのである。あの性別にかかわりのなかった青い人民服が当時の中国人女性の行動様式に及ぼした影響は、はかりしれないものがある。

強制された服装の背後には、常に悲劇が隠されているものだ。また制服が、ある集団の行動様式を決めてしまうこともある。

靴を脱ぐ屈辱、脱がない無礼

ある日本人女性がイタリアを旅行していたとき、ローマから次の目的地である南イタリアへ列車で移動することになった。歩き疲れていたので、ちょっと落ち着いたところで靴を脱ぎ、前の座席に足をかけて座っていた。するとまもなく、近くにいた男性が話しかけてきたので、これも旅の面白さと考えて、しばらく話し相手をしていたという。しかし、そのうちに、「いくらなんだい」と聞かれて、はじめて、その男の意図に気づいたという。

これくらいで終わればまあ無事だが、アメリカ留学をしていたある日本人女性は、知り合いになった男の家へ遊びに行き、いつもの癖で、つい絨毯の上で靴を脱いでしまったという。そのあとベッドに押し倒された彼女は、勇気を出して訴え出たのだが、陪審員は、男の家へ行って靴まで脱いだのでは、自分から求めたと思われても仕方がないとして、男を無罪にしてしまったというのだ。

靴を脱ぐ、脱がないの感覚は、それぞれの国あるいは文化によって、正反対くらいの考え方の違いがある。

欧米を旅するとき、いつも靴をはいたままでいることに、違和感や疲労感を覚える日本人は大勢いるだろう。

しかし欧米人は、玄関で靴を脱がされることに、違和感以上の強い抵抗を覚えるようだ。あるイギリス人女性が日本家屋の家庭に招かれたとき、生まれてはじめて見知らぬ人たちの前で靴を脱ぎ、あとで興奮しながら、「ビッグ・アドベンチャーだった」と親しい日本の友人に語ったことがあるという。

日本などでは、ときどき、電車のなかで靴を脱いでいる人がいるが、これはまったく信じられないような光景だと、欧米人たちは言う。人前で靴を脱ぐのは、極端なことをいえば、人前で下着を脱ぐようなものではないか、と思う人びともいるのだ。

なぜ靴を脱ぐのか

では、どうして靴を脱ぐことへの意識がこんなにも違ってしまったのだろう。

まず、日本伝統の履き物を思い出していただきたい。通常は草履、下駄である。宗教儀式や作業用の履き物として、足を包む形のものもあったが、基本的には、足の裏を保護するためのものだった。これは日本の風土が、欧米に比べて、雨が多く湿度が高かったからだろう。靴のようなものだと、どうしても不快感があるし、それを寝るまではいているのはとても我慢できない。そのため、スーツに身を固め、ブランドものの靴で通勤する人も、オフィスではサンダルにはき替えるということになってしまうのではないか。とにかく、靴を脱いで、ようやく落ち着く、という生活習慣が私たちにはある。

一方、ニューヨークのビジネスマンたちは、通勤時には、とにかく歩きやすいものをはく。ときには、スニーカーもめずらしくない。ところが、オフィスに入れば、高級な靴、女性ならヒールのある靴にはき替えるのだ。日本とは考え方が逆である。

とにかくニューヨーカーたちは、戦場であるオフィスでは、いい靴にはき直して気を引き締めるというのだから、靴をサンダルにはき替えてほっとする日本人とは、根本的に考え方が違うのだろう。もちろんこれも、いい、悪い、という問題ではないが。

日本の気候風土に似た朝鮮半島、中国の江南地方、インドシナ半島の一部には、日本と同じように、靴を脱ぐという習慣が見られる。

また、それぞれの国の家屋の構造も、靴を脱ぐ・脱がないという行為とかかわりがあるのかもしれない。

どんな家屋にも、必ず入口があるわけだが、たとえば日本では、お客を招き入れるときに「おあがり下さい」と声をかける。下から上へ、外から内へと、明らかに異なる場所への誘《いざな》いがある。「敷居が高い」という表現も、そうしたところから生まれたのだろう。そこで履き物を脱ぐということは、別の空間に入る儀式ということになるのかもしれない。

しかし欧米では、玄関と床上といったような区別はない。come in（お入り下さい）という招き方からも、移動は同一平面上で行なわれるということが分かる。

もしも国旗を踏んだら

タイというと、やさしい頬笑みの国というイメージだろうか。

しかしこの国にも、ほかの多くの国と同じように、外国人にはなかなか理解しにくい、厳しい側面がある。

ある日本人の女性観光客がホテルのロビーを歩いていたときのことである。

ロビーの壁に掲げてあったタイの国旗が風かなにかで床に落ちていたらしい。ところが、おしゃべりに夢中になっていた彼女は床に落ちていた国旗に気づかず、踏んでしまったというのだ。それを見たホテル警備の警察官がすぐさま飛んできて、不敬罪の現行犯で、いきなり彼女を逮捕したのだ。

このときは悪意がなかったということで、留置場に一晩とめおかれただけですんだものの、タイ人にとって、国旗や国王、国を象徴するものへの思い入れ、もしくは強制は、日本人の常識でははかりしれないほど強い。

国旗だけではない。街のあちこちに飾られている国王夫妻の写真に手を出したりしたら、留置場に一晩というだけではすまないだろう。また、映画館や劇場などでは、開演前に必ず、国王頌讃歌が流される。外国人といえども、そのときは起立して聴き、曲が終わるまで着席してはいけないのだ。

これはタイだけの特殊事情ではない。どこの国にも、その国特有の文化の警報装置があるので、何に触れるとアラームが鳴るのかだけは、あらかじめ知っておいた方がいいだろう。

煙酒不分家

欧米では、いまや、喫煙はタブーとなりつつある。アメリカの知的階級とされる人々にとって喫煙は、飲酒と同じような恥ずべき習慣であり、タバコがやめられないのは自己管理能力に欠けるからだ、ということになっている。

一方、ラテン・アメリカや中国、東南アジア、インド、アフリカなどでは、いまだに、タバコの贈り物がけっこう喜ばれる。

日本では遅まきながらではあるが、航空機内やレストラン、オフィスでも、禁煙・分煙が広がってきた。嫌煙先進諸国のグループに、つま先をつっこんだというところだろうか。愛煙家には、何とも肩身の狭い世の中になってきている。

さて、嫌煙先進地域では、喫煙者は、同席者に吸ってもよいかをたずねるのが常識になっている。「私は吸いません」と言われたら、いさぎよくあきらめなければならない。

逆に、嫌煙後進地域というか愛煙地域では、自分が吸うときは、近くの人にも一本すすめてから、というのが共通のマナーのようだ。中国では「煙酒不分家」と言って、タバコと酒は一人でのむものではないとされている。まわりの人にタバコをすすめないで、自分だけ吸おうとすると、ケチだと思われてしまうのだ。

ちなみに、EU加盟によって一刻も早く先進諸国の仲間入りをしたいトルコは、タバコについてはまったくの後進国である。禁煙・分煙ゾーンはほとんどないし、食事中に吸う人も多い。トルコ人に限らず、本来、敬虔なイスラーム教徒は、酒だけでなくタバコも禁じられているのだが、酒にくらべれば、タバコのタブー感はゆるい。水タバコという、一見、管楽器を思わせるような装置で、ゆうゆうと一服を楽しむ姿も、古典的ながらいまだに健在だ。

くしゃみは吉か凶か

人間の生理現象のなかでも、くしゃみやせきについては、どこでも、かなり寛容である。

英語圏でくしゃみをすると、近くにいる人から「(ゴッド・)ブレス・ユー」と声がかかることがある。ドイツだと「ヘルフ・ゴット（ゲズントハイト＝お大事に、の方が一般的だが)」、フランスなら「デュー・ヴ・ベニス」となる。いずれも「神のご加護を」ということだ。イスラーム教徒は、反対に、「神をたたえよ」を意味する「シュクル・アル・ハムドリッラ」というまじないを唱える。

イタリアやスペインでは、すかさず「サルーテ」「サルー」と声がかかる。これは「健康」という意味だ（サルーテやサルーは、乾杯の合図でもある）。

「健康」という言葉は、風邪との関連から、「お大事に」という意味にもとれるが、もともとは、くしゃみの魔力を避けるためのまじないの言葉だったらしい。インド・ヨーロッパ語族の人びとは、くしゃみを霊的なもの、吉凶をともなうもの、と考えてきたからだ。

たとえば、ホメロスの『オデュッセイアー』には、長い冒険を終えて、オデュッセウスが故郷に戻ったとき、その報せを受けた息子が大きなくしゃみをして吉兆を告げた、と書かれている。

またアリストテレスは、ある著作のなかで、くしゃみが霊的なものと考えられるのはなぜか、と自問自答しているし、ソクラテスも、誰かが自分の右側でくしゃみをすると行動を起こし、それが左側だとやめてしまったという。

当時、くしゃみは、吉兆とされることも凶兆とされることもあったが、いずれにせよくしゃみには、何か不思議な魔力がひそんでいる、という信仰があったようだ。

くしゃみに関する俗信は、インドにもあった。インド最古の文献の一つである『リグ・ヴェーダ』には、くしゃみをしたときのおまじないなどについて、詳しい記述がある。

ちなみに日本では、くしゃみが出るのは誰かが噂をしているからだと言うが、この俗信もかなり古くからのものと思われる。

「くしゃみ」という名称は、まじないの言葉である「クソハメ」（糞《くそ》を食《は》め）に由来するというのが民俗学者の柳田国男の説で、もとは噂の悪意を祓《はら》うための言葉だったという。くしゃみをすると、そばにいる者がいそいでまじないを唱える、という習わしが日本にもあったわけだ。

つけくわえておくと、欧米では、耳や頬がくすぐったかったり火照ったりすると、誰かに噂されている、と言う。

いまでは英語圏でも、赤の他人からくしゃみに声がかかるようなことはめったにないが、一緒にいる知人から「ブレス・ユー」と言われることがある。そうしたときは、やはり「サンキュー」と応じるのが礼儀だろう。

しかし、くしゃみを不作法とする人びともいるので、まずは「エクスキューズ・ミー」と言っておく方が無難である。

一方、イタリアやスペイン、ラテン・アメリカなどでは、くしゃみをすると、いまでも、知らない人から声がかかる。スペイン語圏では、最初のくしゃみに「サルー（健康）」、二度目は「アモール（愛）」、三度目は「ディネロ（お金）」と、三種類ものまじない言葉を頂戴するという。言われた方は、そのたびに、「グラシアス（ありがとう）」と応じるのだが、そのあとも続けて出てしまったら、彼らも私たちもどうしたらいいのだろう。

余談だが、鼻をかむときイギリス人は、失礼ではないかと思うくらい大きな音を立てるが、鼻をすする音は、どんなに小さくても嫌だという。またイギリス人は、イタリア人やアメリカ人が啖や唾を吐くことをひどく嫌う。しかし彼らは、片手で手鼻をかむことは何とも思っていないのだ。私たちは、おたがいに、本当に理解できるのだろうか。

あくびとゲップ

あくびに対しては、生理現象なのだからしかたがない、と考える人もいるだろうが、口に手をあてるくらいは最低限のマナーだろう。

世界の多くの地域であくびは、緊張感がない証拠だとみられているからだ。

仲間うちでくつろいでいるときならともかく、大事な打ち合わせや会議などであくびをしたら、この話を破談にしてくれ、と言っているようなものだ。また、治安の悪いところであくびなどをしていたら、こいつはカモだと思われかねないだろう。

外国人は、電車などで眠っている日本人を見ると、本当にびっくりするという。どうぞ何でも盗んでいって下さい、と言っているようなものではないか、というのだ。しかし、それを日本が安全なことの証拠としてほめる人もいる。外国では、地下鉄や電車に乗るときには高級品を身につけないという人も多いのだ。

口を大きくあけてあくびをするのは、どこでも、あまりいいこととはされていない。

ヨーロッパでは、かつて、口から悪魔が入ってこないようにといって、赤ん坊があくびをすると、口の前で十字を切ったり、手で口をふさいでやったりした。

日本人は、大口をあけるのははしたないという感覚で口を閉じているが、悪魔や呪いが入るのを防ぐために口を閉じる、という社会はいまも多い。アラブ人のなかには、左手の手のひらを口にあてて、「悪魔から守りたまえ」と唱える人びともいる。

一方、くしゃみやあくびと違って、ゲップは、完全にマナーの問題とされる。

欧米で、ゲップが不作法とされるのは周知の通りである。テーブルマナーでは、オナラ以上に失礼な行為とされている。

ただ、欧米とは対照的に、中東や中国などでは、ゲップは遠慮する必要がないばかりか、「たっぷりいただきました」、つまり「ごちそうさまでした」というサインになる。これは料理への満足度をあらわす生理現象であり、決して失礼なことではない、というのだ。

しかし、中東や中国でも、欧米スタイルのレストランなどでは、やはりマナー違反とされているので、気をつける必要があるだろう。

仕切りも扉もないトイレ

私たちが異文化に接して、もっとも戸惑うことの一つにトイレがある。

このトイレには、基本的な形でいえば、腰掛けるか、しゃがむか、という二大潮流がある。

歴史的にみれば、しゃがむスタイルの方が古いが、腰掛ける方も、紀元前一二〇〇年頃の古代エジプトの貴族の墓から便座が発見されているので、それほど新しいものではない。

古代エジプトの便器は、背もたれのない腰掛け式で、おしりを置く部分の中央に、縦長の穴があけられている。その下には、おそらく受け皿が置かれ、排泄物に砂をまぶして捨てていた、と考えられている。

また紀元前一五五〇年頃、火山噴火で埋もれたサントリーニ島のアクロティリ遺跡からは、壁に備えつけられたベンチ形のトイレも発見されている。このタイプの腰掛けトイレは、古代ローマ時代になると、水洗式となってローマ世界に普及してゆくこととなる。

古代ローマの公共浴場のトイレには仕切りがなく、隣りの人と世間話をしながら用を足すといったような場所だったらしい。トイレはコミュニケーションの場でもあったのだ。

ちなみに、仕切りがないということでいえば、今日でも、中国の公共便所や学生寮などの共同便所は、仕切りのないものがほとんどだ。なかには、扉のないトイレもある。そして排便をするときには、一本の長い溝に、何人もの利用者がまたいでしゃがむので、温泉で背中を流す列のような光景になる。仕切りが多少あっても、前の人の肩から上が見えてしまう。そして、溝のなかに排泄物が溜まってくると、貯水桶のひもを引いて、出したものを全部一緒にどっと流す仕かけになっている。

エチケットとは？

ヨーロッパでは、古代エジプト時代にはじまった穴あき椅子型のトイレが、長い間、愛用されることになる。

古代エジプトの便座　副葬品として貴族の墓に納められていたもので、生前、愛用されていたものだろう。　トリノ・エジプト博物館蔵、イタリア

古代ローマの水洗便所　人びとは談笑しながら用足しをしていた。足元に溝が巡らされ、汚物を流し去る仕組みになっていた。港町オスティアの浴場のトイレ。　イタリア

十六世紀、フィレンツェのメディチ家から、のちにフランス国王となったアンリ二世のもとに嫁いだカトリーヌ・ド・メディシスは、穴あき椅子型のトイレを三つもっていたという。彼女は夫が亡くなったとき、そのうちの一つを喪に服すために黒塗りにした、と伝えられている。

また、彼女の息子アンリ三世は、部屋に招き入れた男に暗殺されてしまったが、そのとき彼は、部屋着で穴あき椅子のトイレに腰掛けていたという。

つまり、当時の王侯貴族は、便器に腰掛けながら謁見することにまったく羞恥心をもっていなかったのだ。そして、この椅子の下には、陶器や銀器の便壺が置かれ、従者がそのつど始末するのだが、それを捨てるところが、ルーヴル、ヴェルサイユのような宮殿でも庭だったというのだからすさまじい。

庭では、当然のように、ボリュームのあるスカートを利用して用を足す貴婦人、立ち小便の紳士が横行した。園丁が毎日、手入れをしても、たちまち庭は踏み荒らされ、排泄物が小山をなすという有様だったらしい。その狼藉に音をあげた園丁は、丹誠込めて仕立てた花壇を守るために、排泄場所を指示した札を張り出した。そして、ルイ十四世も、この札に従うようにと言ったので、その決まりを守ることを「札に従う」と言うようになったというのだ。そして、その札のことをフランス語ではエチケットと言っていたために、それが「エチケットに従う」「礼儀作法を守る」という表現となって、今日に伝わっているのだという。

王宮でさえそんな状態だったから、市内は、一般家庭からまきちらされる排泄物で汚れきっていた。そのためヨーロッパは、何度も伝染病の脅威にさらされ、しだいに衛生を重視しようとする動きが起こっていった。

トイレと風呂が一緒にある理由

そして、十九世紀半ばに、ロンドンやパリといった都市部で下水道がつくられるようになると、穴あき椅子は、同じ汚物を水で処理ということから、風呂桶と同じ部屋に置かれることになった。

多くの日本人にとって、風呂場は浄め、トイレは不浄の場所なので、私たちには、なぜ風呂とトイレが一緒の場所にあるのか理解しにくいが、ヨーロッパの風呂場とトイレは、基本的に、人の身体から出る汚れを水で処理する場所だということである。ちなみに、スペイン語で風呂場を意味する baño はトイレのことだし、英語でも、個人宅でトイレを借りるときは、「バスルームはどこですか?」と訊く。

一方、日本では共同浴場が一般的であり、家庭排水は台所からの水だけだったので、街路脇につくられた溝だけで充分に対応できた。また排泄物は、都市近郊で下肥《しもごえ》としての利用があったために、明治時代になってからも、江戸時代以来の汲み取りの伝統が公共事業として受けつがれ、リサイクル的に処理されてきた。もちろん風土の違いもあるが、こうしたことから日本では、トイレと風呂は別々に置かれることになったのだという。

風呂と腰掛け式便器、洗面台がセットになった西洋文化とはじめて出会ったとき、誰もが戸惑ったのではないだろうか。

風呂を便器に、便器を洗顔に、洗面台を化粧台にしたとか、便器そのものにしても、蓋《ふた》を背にして座るのか、蓋に向かって座るのかという疑問が消えたのは、ここ二十年くらいのことだったのではないか。

ただ外国人が日本に来て、何よりも驚き戸惑うのがウォシュレットのトイレだという。英語の表示がないので操作に四苦八苦し、顔に温水を浴びたり、部屋中を洪水にするなど、かつて日本が洋式トイレを受け入れたときのような悲喜劇がひそかに繰り返されているようだ。

日本人のなかには、しゃがまないと用を足した気分になれない人や他人のお尻が触れたところへはどうしても座りたくないという人がいて、いまも、便器の縁に足を乗せて、というスタイルをとっているようだ。しかし、そうした人たちのためには、流せる便座カバー、自動交換の便座カバーの開発もされ、公衆便所などにも備えられるようになってきた。

トルコ式と沙漠式

日常生活のなかで、しゃがむ習慣のない欧米人は、この姿勢ができないために、和式の便器しかないところはつらいという。この格好は、日本でも、用を足す姿を連想させるので品の悪い座り方とされるが、欧米でも、下品なサルのような座り方として嫌悪されている。海外旅行などで、疲れた日本人が、よくこうした格好をしていることがあるが、あれだけはやめた方がいい、と彼らは言う。

しゃがむという文化をもたない欧米が腰掛け式のトイレを採用していったのに対して、アジア系・アフリカ系は、しゃがむという方式をとったところが多い。このスタイルの利点は、基本的にどこでもできる、ということだろう。

いわゆる、きん隠しのある和式便器以外、しゃがんでする便器は、ほとんど平面である。たとえば、オスマン帝国の勢力がおよんでいた国々には、いわゆるトルコ式のトイレがあるが、これは床に十数センチほどの穴があいていて、その両脇に二〜三センチほどの高さの足台が設けられているだけだ。

そこには、ホースのついた水道の蛇口があるか、あるいは小さなバケツに水が用意されている（これは自分で事前に水桶から汲む場合と、チップを目的とした番人によって用意されている場合がある）。この穴に排便したあと、ホースでお尻に水をかけるか、バケツの水を手ですくってお尻を洗うのだ。手動式ウォシュレットというわけだが、外国人はほとんどこれができない。そのため、強引に紙を使うことになるのだが、紙を流すようなシステムにはなっていないので、トイレの番人と揉《も》めることもめずらしくない。

またトルコ式トイレは、常に水が打ってあるのがいいトイレである。日本人の感覚だと、トイレが濡れていると不潔な気がするが、イスラームやヒンドゥーには、水が汚れたものを浄化する、という考えがあるのだ。

また、東南アジアのような水に恵まれた環境では、川の上にトイレが設けられていることがよくある。川や海に直接落として流してしまう自然の水洗便所は、いまも健在である。

古代文明、ギリシア、ローマ、キリスト教、イスラーム、そして西欧の支配と、いくつもの文明が交差したエジプトのトイレには、いまも、さまざまなスタイルのトイレが残されている。現代のエジプトでは、観光客が行きそうなところはほとんどが洋式だが、一歩内側に入れば、トルコ式もある。また沙漠の国ならではのトイレもある。

沙漠の道路脇にあるレスト・ハウスのトイレなどは、男女の別がないことが多い。トイレに入るときは、まず水槽から、子供用玩具のバケツのようなものに水を汲み、一応、仕切りと扉がある用便用の部屋に入る。すると、そこにあるのはただ砂だけで、すでに先客があちこちに用を足したあとがある。ここでのマナーは奥の方から使うことだ。そして、終わったら、汲んできた水を手ですくってお尻を洗うというだけだが、このトイレはとにかく臭い。それと他人の残したものを目の前に見ながら用を足すということに慣れないと、出るものも出ない。そして、用を足す場所がなくなると、スコップをもった管理人が砂を入れ替えにやってくる。

ちなみに、沙漠で便意をもよおしたときは、砂山の陰に入って用を足す。当然、水はないし、紙を使えばゴミになるから、そんなときは、目の前の砂を一すくいして……ということになる。砂で拭くとざらざらして痛いような気がするが、吹き溜まりにある砂はパウダー状で、サッと水分を吸収してパラパラと落ちてしまう。実に重宝なのだ。

和式トイレの運命やいかに

トイレに関しては、「郷に入りては郷に従え」という諺が成り立たないようなところがある。ちなみに、TOTOの調べによると、現在、日本での便器の出荷比率は、伝統的な和式が八パーセント、洋式が九二パーセントと、確実に洋式に圧倒されている。また、都会化された若者のなかには、しゃがむことができない者もいるので、和式は明らかに少数派になっている。

たたみの間の便所　居心地のよさが追求されている。靴を脱いで、しゃがんでする便所として、これほど贅沢なものは世界的にもめずらしい。　京都・貴船ふじや

今後は腰掛け式が主流になり、和式便器は、壊れにくい、掃除しやすい、衛生面で優れている、ということから、公衆便所に生き残るくらいではないかと思われている。それは、しゃがんで用を足す文化圏のほとんどでみられる傾向だという。

また、便器についていえば、戦後も

一時期までは日本の各家庭には男性用の小便器が必ずあったが、これがいつの間にか消えてしまった。住宅事情と生活の洋式化にもよるのだろうが、これを父権の喪失と並行してとらえる社会学者もいるようだ。

最後に、便所のことをWCというのは、Water Closet（小さな水回りの部屋）のことで、つまりは水洗式トイレのことだ。欧米で普及していたこの呼び名が輸入された日本では、汲み取り式便所にもこの名がもちいられてきたが、それは、色がついていてもワイシャツ（white shirt）というがごとし、といったところだろうか。

脱線ついでに言うと、英語圏では、公共の場のトイレのことは、Toilet よりも Restroom、または Men's Room（男性用）、Ladies' Room（女性用）と尋ねた方がいいそうだ。

方位磁石をもってトイレに入るか？

イスラーム教徒の日常生活の指針とされる『ハディース』には、排泄について、次のように記されている。ちなみに、『ハディース』とは、預言者ムハンマドの言行を記した書物である。

まず、トイレに入ったときに唱える言葉がある。

預言者は、トイレに入ったときに、「おお神よ、わたしは男の悪魔と女の悪魔からあなたに助けを求めます」と言ったという。したがって、敬虔な信者は、これに倣う。

またトイレには、必ず水を置くこと。これは預言者がトイレに入ったときに、浄めの水が置いてあったので、以後、これに倣うようになったのだという。また、用足しに出るときには水をもっていくように、とも書かれている。

大便であろうが小便であろうが、用を足すときには、壁などがある場合を除いて、聖地メッカの方角に向いてはならず、背（尻）を向けてもいけない。ただし『ハディース』の別の箇所には、神の使徒がメッカを背にして用足しをしているのを見たともあるから、メッカの方角に向いて用足しすることだけを避ければいい、ということなのだろう。

ただ、メッカが祈りの方角とされる以前は、ムハンマドが昇天したとされるエルサレムが、彼らの祈りの方角だった。そのため、エルサレムの方角に向かっても用を足してはいけない、とされたこともあった。しかし、そうなると、ほとんどすべての方角が「してはならない」方角になってしまうので、この方角については、ある日、神の使徒がエルサレムの方角を向いてかがんでいるのを見た、（だから問題ない）としている。

また、神の使徒が伝えたこととして、右手でペニスを触わったり、洗ったりしてはいけない、ともされている。

モスクなどで誰かが小便の粗相をしたときには、水で浄めるように、とも書かれている。そのためか、モスクの公衆便所は、床一面に、たっぷりと水が打ってある。

以上が、排泄についてのイスラームの主な規定だが、多くの人びとは、その場に応じて、他人に迷惑がかからないことを基本に、行動している。トイレに入るとき、方角を確かめるために、方位磁石をもっていく人などいないからだ。

人間は一本の管である

厳しいカースト制度で知られるヒンドゥー社会では、バラモン階級が人間社会のなかで、もっとも優れた存在とされている。しかし、この世の支配者とされている彼らも、人間である以上、食べたものを出さなくてはならない。

そんな彼らの排泄方法については、ダルマ（人類の始祖、マヌによって伝えられた正しい生き方）にしたがった決まりがあるので、それを紹介しておきたい。

まず、放尿してはいけない場所として、道路、灰のある所、ウシが出入りする場所、耕地、水中、山の中、廃寺、アリ塚、生き物の棲む穴、川岸に近い所、山頂などがあげられている。こうした場所は、外国人だからといっても許されないことがあるので、気をつけなければならない。とくに、ウシを汚すようなことをしてはいけない。

また、歩きながらとか、立ったままで放尿してはならず、風、火、太陽、月、水、ウシを見ながら大小便をしてはいけない。こうしたものに向かって放尿したりすると、知力が失われるというのだ。

用を足すときには、枝、土、葉、草などで地面を覆い、周囲に気を配りながら、顔を伏せなくてはならない。また、用を足す方角もあらかじめ決められていて、昼間は北、夜は南、朝夕のサンディヤー（祈禱）のときは、昼と同じように北に向かってする。

ただ、排泄物が土器について穢れたら決して浄化できない、とされているので、土器に汚物がかからないように注意しなくてはならない。その場合は、焼き直しても穢れは消えない、とされているからだ。

大小便をしたあとは、土あるいは水で浄める。小便のときはペニスに対して一回、大便のときはお尻を三回水で浄める。そして、お尻を浄めた左手を十回、両手を七回、今度は土で浄める。学生の身分の者はこの倍、林などに住む者はその三倍、遍歴者はその四倍の浄めが必要とされている。

インドの貴族の女性用小便器　2階の部屋に備えつけられたもので、雨樋のようなものが階下の肥溜めにつながっている。犬山市、野外民族博物館リトル・ワールド

人間は一本の葦である、と言った人がいたが、人間は一本の管である、と言いかえてもいいのではないだろうか。人は、何かを口に入れたら、出さなければならない。収入があれば、必ず支出もあるのだ。

しかし、人間にとって排泄という

行為は一つでも、その方法はさまざまである。汚いとかおかしいと決めつける前に、まず見知らぬ国々の「出す」歴史に思いをめぐらせることも、相互理解のヒントになるのではないだろうか。

第3章 食をめぐるタブー

香港特別行政区　一説に、香木の交易がさかんだったことから「香港」。アヘン戦争以後、一世紀半以上、イギリスの植民地だったが、自由貿易港として発展を続けた。1997年7月1日、中国に返還された。　中華人民共和国

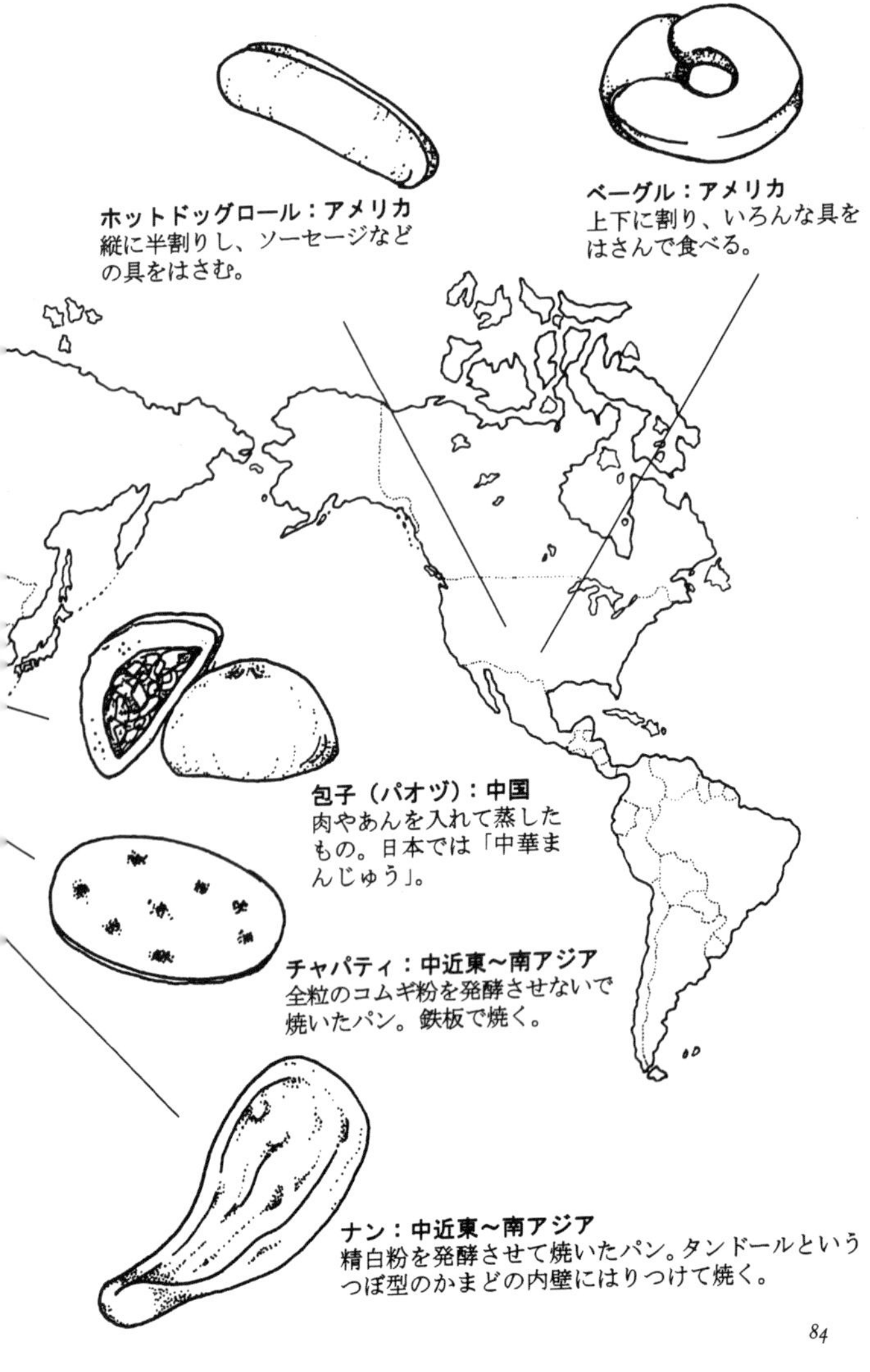
ホットドッグロール：アメリカ
縦に半割りし、ソーセージなどの具をはさむ。
ベーグル：アメリカ
上下に割り、いろんな具をはさんで食べる。
包子（パオヅ）：中国
肉やあんを入れて蒸したもの。日本では「中華まんじゅう」。
チャパティ：中近東〜南アジア
全粒のコムギ粉を発酵させないで焼いたパン。鉄板で焼く。
ナン：中近東〜南アジア
精白粉を発酵させて焼いたパン。タンドールというつぼ型のかまどの内壁にはりつけて焼く。

世界パン地図

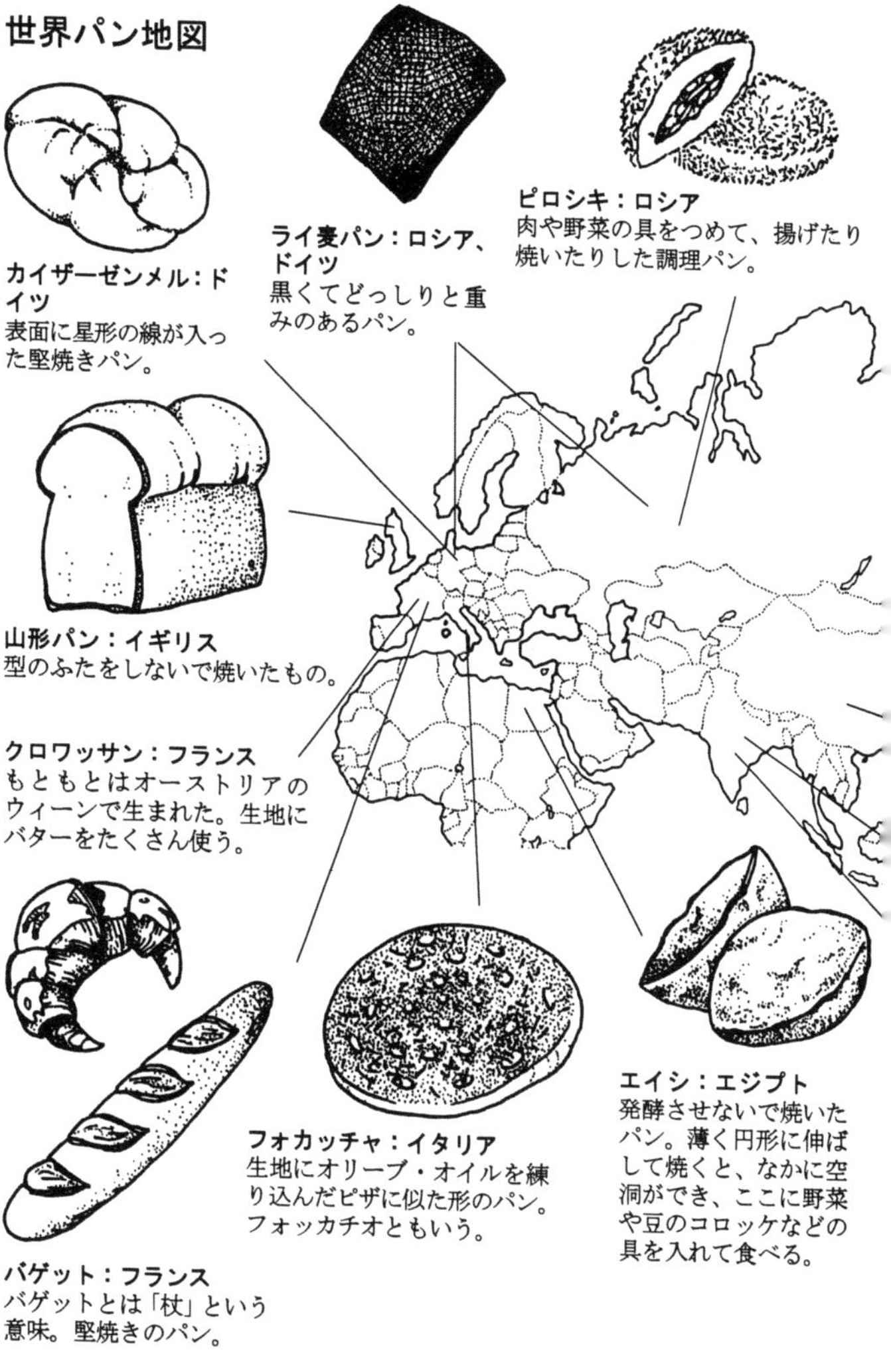
カイザーゼンメル：ドイツ
表面に星形の線が入った堅焼きパン。
ライ麦パン：ロシア、ドイツ
黒くてどっしりと重みのあるパン。
ピロシキ：ロシア
肉や野菜の具をつめて、揚げたり焼いたりした調理パン。
山形パン：イギリス
型のふたをしないで焼いたもの。
クロワッサン：フランス
もともとはオーストリアのウィーンで生まれた。生地にバターをたくさん使う。
バゲット：フランス
バゲットとは「杖」という意味。堅焼きのパン。
フォカッチャ：イタリア
生地にオリーブ・オイルを練り込んだピザに似た形のパン。フォッカチオともいう。
エイシ：エジプト
発酵させないで焼いたパン。薄く円形に伸ばして焼くと、なかに空洞ができ、ここに野菜や豆のコロッケなどの具を入れて食べる。

飢えてもブタを食べない

イスラーム教徒は、たとえ飢えても、ブタだけは食べない。もてなしのつもりでしつらえたテーブルに、うっかりブタ肉料理でも出そうものなら、会食を拒否されても仕方がないだろう。しかも彼らは、ブタを食べないだけでなく、目にするのも汚らわしいと思っているので、豚革製品も身につけない。

インドネシアには中国系住民も多いので、ブタ肉料理を出す店もあるが、同じイスラーム圏でも中東諸国では、たとえ中華料理店でも、ブタ肉を使うことはない。また、ソーセージやハムなど、ブタ肉の加工品の持ち込みも禁止されている。日本人がよくおみやげにするカップ麺も、とんこつスープやチャーシュー入りだと、税関でひっかかることがあるので要注意だ。

ある日本人が、イスラーム教徒の友人に、なかば冗談のつもりで、ブタ肉がわずかに入った料理をふるまい、食後に、種明かしをしたことがあったという。その日本人にしてみれば、ブタは汚れているなどというイスラーム教徒の「偏見」を打ち砕いてやろうという〝親切心〟だったのだろうが、何を食べたのかを知ったその青年は、真っ青になって激しい嘔吐を何度も繰り返したという。そして、彼らの友情は完全についえてしまった。

またあるとき、ドイツ人をもてなす席にタイの活き造りを出したら、それを見た途端に、そのドイツ人は吐いてしまったという。魚の目を見ただけで気持ちが悪くなるという人たちに、自分

ブタを飼うエジプト人　ブタがタブーとされたのは古代オリエント時代にまでさかのぼるとされるが、この浮彫りがあらわされた紀元前2500年頃にはブタが飼われることもあった。しかし時代が新しくなると、なぜかまったく描かれなくなる。　サッカラの私人墓、エジプト

たちだけにしか通じない食習慣や好みを押しつけてはいけないのだ。

他国の文化についての無知は、ときには罪悪ですらある。これはどんな理屈をつけようと、絶対にしてはいけないことなのだ。

食の掟――イスラームとユダヤ

イスラームだけでなく、ユダヤ教にも、食についての厳しい掟がある。ともに旧約聖書のモーセ五書を尊ぶイスラームとユダヤ教の禁食品はおおむね重なるが、ユダヤ教の食の規定は、旧約聖書のレビ記と申命記による。そこに定められた規定によると、反芻《はんすう》し、蹄《ひづめ》が分かれている獣類や、水中に棲むものでは、ヒレとウロコがあるものは食べてもよいとされて

いる。

具体的にいうと、獣類では、ウシ、ヒツジ、ヤギ、雄ジカ、カモシカ、コジカ、野ヤギ、オオジカ、野ヒツジは食べてもよいが、ラクダ、岩タヌキ、野ウサギ、ブタは、蹄が分かれていなかったり反芻しないという理由で汚れたもの、したがって食べてはいけないものとされている。また水に棲む生物では、貝、タコ、イカ、カニ、エビが、ヒレやウロコがないために食べてはいけないとされる。このほかにも、ハゲワシ、カラス、ダチョウ、カモメ、フクロウ、サギ、コウモリなどや、イナゴ以外の地を這うものは、食用禁止である。

ちなみに、コーランによれば、イスラーム教徒が食べるのにふさわしい植物とは、ナツメヤシの実、ブドウ、オリーブ、ザクロ、それに穀物で、肉は、ウシ、ヒツジ、ヤギ、ラクダ（これはユダヤ教徒と異なる）となっている。このほかでは鳥肉も許されているが、エビ、カニ、イカ、タコなどが禁じられているところはユダヤ教と変わらない。

牛肉と牛乳を同じ冷蔵庫に入れない

ユダヤ教では食べてよいものはコーシェル（清浄）、それ以外はトレイフ（不浄）とよばれる。

しかも、コーシェルかトレイフかは、食物として許された動物の種類によって分けられるだけではない。食べるのにふさわしいとされたものも、決められた畜殺方法によらなかったものはコーシェルではなくなってしまうのだ。

たとえば、動物を殺す場合は、一気にその喉を切り裂かなければならない。ナイフの刃を何回も動かしたりしたら、屠ることができても、その肉はもはやコーシェルではない。つまりユダヤ教徒には、食べられないものになってしまうのだ。

ユダヤ教では、食材だけでなく、調理法にも細かい規定がある。

たとえば、肉とその乳製品とを一つの鍋・釜で煮炊きしてはいけない。獣類とそれが産出したものは親子関係にあるとされているために、牛肉と牛乳、あるいはチーズ、バターといった乳製品が、一つの料理の材料として同時に使われることは禁じられているのだ。

そのため、敬虔なユダヤ教徒は、牛肉と牛乳を一つの冷蔵庫に入れず、食材ごとに使用する調理器具を区別するという。このあたりは、私たち日本人には、なかなか理解しがたいところだろう。私たちも実用的な部分で、まな板などの使い分けをするが、それとは感覚がまったく違う。これがいまも宗教に生きる人たちの世界なのだ。

ただしユダヤ人といえども、厳しい戒律を遵守する「超正統派」と、戒律をあまり気にしない「世俗派」がいるので、ユダヤ人の食事はむずかしいと一概にきめつけることはできないだろう。

イスラームでも、死肉やアッラー以外に捧げられた食物のほか、イスラーム教徒がとどめを刺さなかった獣類の肉は食べてはいけないことになっている。彼らにとっては、「ビスミッラー(神の名により)」と唱えながら、頸動脈を一回で切り落とすのが正しい畜殺法で、それにのっとったものをハラール(許されたもの)とよぶ。そうでないものはハラームと言って、食べてはいけないとされているのだ。

ただ、ユダヤ教と違うのは、調理方法に難しい規定がないことだ。ハラールであれば、生でも焼いてもいいのだが、暑い土地の食習慣として、生で食べることはあまりないようだ。

ただし、非イスラーム教徒が使用した食器、調理器具は、必ず洗い清めてから使うように、と決められている。これは一緒に食事をしたのが親しい人だからというようなこととはまるで関係のない、宗教上の掟なのだ。

欧米では、いまはイスラーム教徒用のラベルが貼られた肉が一般の店にも並んでいるが、日本では、ハラール肉を販売している店がほとんどない。そのためイスラーム教徒は、食用肉を入手するのに苦労するという。

ウシを食べない理由

イスラーム教徒もユダヤ教徒も、ブタを汚れたものとして食べない。しかし、ヒンドゥー教徒は逆に、神聖だからという理由でウシを食べない。

二〇〇一年の春、米国で、この食文化をめぐってのトラブルが起こり、大きく報道されたことがあった。

「一〇〇パーセント植物油使用」と宣伝していたマクドナルドのフライドポテトに、ウシの成分が使われているという噂が立って、大騒ぎになったのだ。ヒンドゥー教徒にとって、ウシは神

市街地のウシ　人や車の行き交う市場をウシが悠然と歩く。ただし最近では、このような風景はインドのマイナス・イメージと考えられるようになってきた。　ムンバイ（ボンベイ）、インド　（写真：PPS通信社）

聖なものであって、食べるものではない。それなのにマクドナルドは、そのウシの成分をひそかに使って、アメリカに住むヒンドゥー教徒に食べさせている、とインド系の弁護士が訴訟を起こしたからだ。

マクドナルドは、牛肉を使った風味が少量添加されていることを認め、すぐに謝罪するとともに、インドではこの方法をとっていない、と説明した。インドでも、マクドナルドの店舗に牛糞が投げつけられるなど、大騒動が起こっていたからだ（ちなみにインドのハンバーガーにはヒツジやスイギュウなどの肉が使われている）。

これは、インドネシアでの「味の素事件」を思い出させる。イスラームで禁忌とされているブタの酵素が、製品を作る過程でもちいられていたために起こったあの大騒動は、私たちに異なる文化圏とのつきあい方の難しさを改めて印象づけたのではないか。

ヒンドゥーの教えによると、ウシは別格として、蹄の分かれていない動物や猛禽類、水掻きのある鳥やスイギュウ以外の野生動物の乳、それにニンニク、タマネギ、キノコなどのような香りの強い植物は、食べてはいけないとされている。また肉食は、なるべく避けるべきだ、とも考えられている。輪廻転生を信じる彼らにとっては、自分たちが食べるヒツジやトリが死んだ祖父母、親の生まれ変わりかもしれないからだ。

ふつうのインド人はこうした禁食品をあまり気にはしていないようだが、ウシだけはまったく違うものらしい。食べてはいけないどころか、ウシには路上でも必ず場所を譲るし、神の使いとされる白いウシには絶対に触れない。牛革製品も、もちろん、使わない。旅行者は、ヒンドゥー寺院を訪れるときには、牛革の靴やベルト、財布などは、身につけない方がよいとされている。

ちなみに、ヒンドゥー社会で神聖なウシが食用にされない理由を論理的に説明できる、という人たちもいる。

たとえば、もっとも知られた説によると、生かして使えば、農耕を助け、乳を出し、糞も燃料に利用できるのだから、ウシを食べてしまうのは損だというのだ。そこで、宗教というタテマエをかりて、無意識の計算を働かせて、ウシを食べないことにしているのだという。たしかにインドの気候は、ウシの放牧に必要な牧草に合わないために、もし肉牛を育てるということになれば、人間の食料になる穀物を与えなくてはならない。そうやってウシを育てた場合、その肉を人間が食べるまでには、ウシの成育に要した全カロリーのほぼ九割が失われてしまうというのだ。

もう一度、ブタの問題に戻ろう。

イスラームの自爆テロに苦しむイスラエルでは、自爆したテロリストを汚れたブタと一緒に埋めてしまえという運動が、二〇〇一年夏頃から起こりはじめたという。そうすれば、イスラーム教徒であるテロリストは天国に行けなくなるだろうし、テロの抑制にもなるはずだというのだ。

ブタは、この世界では、それほど忌み嫌われているのだ。

食のタブー

ユダヤ教徒やイスラーム教徒と違って、キリスト教徒たちは、旧約聖書による食の禁忌にほとんど支配されないできた。キリスト教がおこった土地とそれが広まったヨーロッパでは、動植物相がまったく異なるのだから、それも当然といえよう。彼らは旧約聖書のレビ記と申命記を無視して、創世記で理論武装しようとする。

そこには、神がノアとその息子たちを祝福して、地のすべての獣と空のすべての鳥は、地を這うすべてのものと海のすべての魚とともに、あなたたちの手にゆだねられ、動いている命あるものは、すべてあなたたちの食料とするがよいと言った、と書いてあるというのだ。

ただ、禁じられているわけではないが、ほとんど食べたことのないタコやウナギ、カタツムリなどが一般のヨーロッパ人に嫌われていることは言うまでもない。スペイン人はタコやウナギを食べるし、フランス人はカタツムリも食べるが、こうした食習慣が、ときには、民族間の偏見をよびさますこともある。

その食べものに偏見をもっていても、食べようと思えば食べられるものがある。しかし、なかには、食べられると知っていても決して食べないというタブー食もあるのだ。たとえば、前述したような、ヒンドゥーやイスラームのウシやブタがそうだが、こうした禁忌をもつ人たちはいまも多い。

アフリカのある部族は、絶望的な飢餓状態に陥っても、決して黄色いトウモロコシを食べないという。彼らにとっての食糧は白いトウモロコシであって、黄色いトウモロコシではないのだ。だから、こうしたところに黄色いトウモロコシを援助物資として送っても、その部族の人たちはトウモロコシの袋の傍らで死を待つだけだ。それを見かねた国連の職員が子供にそっと黄色いトウモロコシを食べさせたことがあったという。しかしその職員は、彼らのタブーをやぶったことが露見した途端、部族の長老たちに殺されてしまった。

ネズミとウマ

では、欧米人が食べたがらない食材をあげてみよう。

まず、イヌ、ネコのような身近な動物を食べることへのためらいがある。このあたりは日本人の感覚とあまり変わりはない。イヌ料理は、韓国や中国、ベトナムなどが有名だが、私たちもイヌとなると、ちょっとたじろいでしまうのではないか。

ただ、そこにもやはり文化の違いがある。イスラーム教徒はイヌを不浄として、食べるどころかひどく嫌っているが、私たちにとってイヌはあまりにも身近な存在なので、どうしても食べる気が起こらないのだ。この点は、欧米人も同じで、いわゆるペット食タブーなのかもしれない。

もっとも日本でも、近代以前はイヌを食べていたという記録がある。また欧米人は、韓国のイヌ料理をしきりに非難するが、古代ギリシア・ローマ時代にまでさかのぼれば、彼らも薬効や儀礼のためにイヌを食べていたことがあるのだ。

欧米人が食べるのを嫌うものとしては、ペット的な動物のほかにウマやネズミがある。この二つは、まったく逆の理由から食用に適さない、とされている。

ネズミは、昔から、ペストとの関連で忌み嫌われているが、不浄、不衛生だからネズミを食べないという民族はかなり多い。ネズミ料理をメニューとしてもっているのは中国と南米、アフリカの一部の部族くらいだろうか。（ただ、これはおすすめするわけではないが、大型の齧歯《げっし》類や野ネズミの仲間は、実際には、不衛生でも何でもなく、けっこうおいしいものだ）

一方、ウマは、ヨーロッパ人にとって、はるか昔からイヌに次いで親しい動物だった。

ウマは賢く、訓練しだいでさまざまな仕事をこなす。有用なウシをヒンドゥー教徒が食べないのと同じ理由で、あるいは、そこにペット食へのタブーに近い感覚が加わって、彼らはウマを食べなくなったのかもしれない。

しかし、モンゴル人など、アジアの騎馬民族は、ウマに依存する生活を送りながらも、それを当然のように食用とする。イスラーム教徒やキリスト教徒は、それを蛮族の風習と蔑《さげす》み怖れて、ますます、ウマを食べなくなってしまったのかもしれない。

ただしヨーロッパでも、フランスやスイスには馬肉料理がある。「フォンデュ・ブルゴーニュ」は、サイコロ型に切った馬肉を油で揚げながら食べる鍋料理だ。日本では「サクラ肉」はかなり値がはるというが、フランスでは安い。ナポレオン一世は、馬肉を「貧民の食べ物」とよんだという。

ジョニー・クラポー

ところで、フランスといえば、エスカルゴ（カタツムリ）やカエル料理で世界的に有名だ。イギリス人は「カエルを食う奴ら」という軽蔑を込めて、フランス人を「フロッギー（カエル野郎）」とか「ジョニー・クラポー（クラポーはフランス語でカエル）」とよぶが、このように食文化の違いは、えてして直接的な嫌悪につながりやすい。

いまでこそ欧米各国では、「スシ」がもてはやされているが、日本人が生魚を食べる習慣は、かつてはさんざんにあざけられたものだった。またクジラ料理は、いまなお目の敵《かたき》にされ、日本人は残酷だということになっている。近代まで、脂をとるだけのためにクジラを殺していた欧米人からクジラを食べることについてとやかく言われたくないが……。

もっとも、サシミについての偏見は、その訳し方から生まれた誤解とも言われている。なまの魚（ロー・フィッシュ）を食べるというと、生きている魚にそのままかぶりつく、というようなイメージになってしまうからだ。

逆に、日本人のなかには、ヨーロッパのウサギ料理などにかなりの抵抗を覚えるという人がいる。

このウサギについては、キリスト教徒の食へのご都合主義を示す歴史がある。

キリスト教には、復活祭前に四旬節という断食期があるために、その期間は本来、肉を食べず、魚を食べることになっていた。しかし、四十日間も続く肉断ちの苦行に我慢できなくなった修道僧たちは、一計を案じて、生まれたばかりのウサギは肉ではないから食べてもいい、としてしまったというのだ。

日本でも獣の肉を食べることが禁じられていた頃、野ウサギの耳を鳥の羽に見立てて、あるいは、その肉が白っぽいので、鳥肉ということにしてよく食べていた。ウサギを一羽、二羽と数えるのは、その名残りとも言われている。

私たちも、ヨーロッパの修道僧をあまり批判できないか……。

フライドポテトは下品？

カエル、カタツムリ、ウナギ、タコなどは、食べない人からすれば、たしかに「ゲテモノ」であろう。

したがって、それを食べる人たちをつい特別な目で見てしまうことにもなる。ヨーロッパ内に限っても、こうした差別感情と結びついた食物はいくつもあるが、その一つが、意外なことに、フライドポテトだったのだ。

もともと南米アンデス原産のジャガイモが、ヨーロッパの食文化のなかで認められるまでには、長い長い年月がかかった。しかも、救荒作物として普及したジャガイモには、はじめから農民食というイメージがこびりついていた。ジャガイモそのものへの、こうした偏見はいまはすでに消えたが、かつてイギリスでは、フライドポテトというと、バカにしたような顔をする人がいたらしい。あんなものは、アイルランド人や労働者階級の食物ではないか、というのだ。

しかし、現在のイギリス人たちは老若男女を問わず、フィッシュ・アンド・チップスをよく食べるし、何にでもフライドポテトをつけあわせる。

フライドポテトが嫌われたのは、もともとヨーロッパでは、揚げもの一般が、貧しい人の料理だとされていたからかもしれない。揚げものは、たしかに、食材の鮮度をそれほど問わず時間もかからないものなので、ディナーなどで大切なお客をもてなすときに出すような料理ではない、というわけだ。

それは中国で、焼きギョーザを客に出してはいけないというのと、一脈通じるところがあるのかもしれない。中国人は、焼きギョーザは前日の水ギョーザの残りを焼いて食べるものと思っているので、そんなものはお客には出さないというのだ。ただしヒンドゥー社会では、油で揚げられたものは浄められた、と考えるという。

ちなみにベルギー人は、何かというとイギリス人に見下されがちだったが、そこには、ベルギー人の好物がフライドポテトで、しかもそれにさらに高カロリーのマヨネーズをつけて食べるという理由もあったのだという。ほんとうだろうか。

ところで、私たちにとってはふつうの飲物なのだが、ヨーロッパにはアイス・ティーも、アイス・コーヒーもない。中国人も、私たち日本人がウーロン茶に氷を入れて飲むというと、それでは毒を飲んでいるようなものだ、と言って驚く。そういえば、フランスにもスペインにも、私たちがあんなにおいしいと思うカキフライがない。

こうした違いは、いったいどのような理由によって選択されていくのだろうか。

ベジタリアンたち

最近のヨーロッパでは、長びく狂牛病と口蹄疫の影響から、ベジ（ベジタリアン）に転向する人が増えている。

ただ、もともと肉食を前提としたヨーロッパの食文化のなかにあっても、古代ギリシアの哲学者ピタゴラスをはじめ、古くから菜食を唱えた人は決して少なくなかったのである。

たとえば、『戦争と平和』を書いたロシアの文豪レフ・トルストイは道徳思想家でもあったが、六十歳頃から菜食に転じ、酒もタバコもやめた。また、イギリスの戯曲作家バーナード・ショウも、七十年間ベジタリアンとして生きた。意外なところでは、あのアドルフ・ヒトラーもベジタリアンだったという。現代では、ジョン・レノンやポール・マッカートニーをはじめマイケル・ジャクソン、マドンナなどがベジタリアンと言われている。ちなみに日本では、宮沢賢治が菜食主義者として知られている。

欧米のベジの多くは、ヒンドゥーの戒律に従うインドのベジとは違って、みずからの考えで菜食を選びとった人たちだ。今日、菜食主義は、フェミニズムや平和主義、動物愛護、環境保護などと結びつけて考えられることも多いが、いずれにしてもベジには、知的（でも少し変人）といったイメージがつきまとっている。

だが、一口にベジといっても、赤い肉（獣肉のことで、鶏肉などは別）は避ける、といった程度から、卵や乳製品まで口にしないという厳格派まで、食物の選別はさまざまなようだ。

日本で菜食といえば、魚も食べないということになるが、欧米では、流行のスシをつまむベジもいる。もし、食事に招く相手がベジかノン・ベジか分からないときには、直接訊いてみることだ。何が食べられないのかを尋ねることは、決して失礼ではないのだから。

一方、日本人はベジだ、と誤解している欧米人もいる。肉のない食事など考えられないという人たちにとっては、肉をあまり食べない人＝ベジと短絡してしまうのだろう。アメリカには、ベジを自認する人が一千万人いると言われるが、彼らが日本に来て驚くのは、ベジ用のレストランが少ないことだという。仏教徒はベジだろう、と誤解している欧米人はいまも大勢いるのだ。

しかし、歴史をさかのぼって見てゆけば、釈迦は肉食を禁じてはいないし、自分でも肉を食べていたらしい。

日本に大乗仏教を伝えた中国では、肉食の禁止が徹底されたことはほとんどない（ただし、庶民は野菜しか口にできないなど、身分によって食べ物が決められることはあった）。タイやカンボジアの国教である上座部（小乗）仏教も、肉食を罪とはしていない。チベット仏教も同様だ。

ところで、インドを独立に導いたガンディーは、信仰心の厚かった母親の影響で、肉を食べずに育ったという。ただ、長じてイギリスに留学した彼は、その地でベジタリアンの社会活動家らに出会い、宗教の戒律や伝統習慣からでなく、哲学的な信念によって菜食を選びとることにしたという。

トルストイとも文通して、その影響を受けていたガンディーが、のちに反イギリス闘争の手段とした「非暴力」は、サンスクリット語でアヒムサーと言うが、これは「（義務としての）不殺生」を意味する言葉でもあるのだ。

箸の文化圏

箸《はし》の文化は、日本のほか、本家の中国と朝鮮半島、ベトナムなどで継承されている。ただし日本の伝統食が、基本的には、箸だけですべてことたりてしまうのに対して、中国ではレンゲ、朝鮮半島では匙が、箸とともに常にワンセットで食卓に供されている。朝鮮半島ではむしろ匙の方がよく使われ、箸は補助的な道具と言ってもいい。

また、西洋では、皿をもち上げて食べたりするのはマナー違反とされているが、中国、朝鮮半島でも、基本的に食器はもち上げない、とされている。そのためにも、レンゲや匙は、なくてはならない道具なのだ。

日本の「椀」には、汁物などを直接口に運ぶ「運搬容器」としての機能があるが、食器をもち上げたり、そこから直接汁をすすったりするのは、世界的には、不作法とされることの方が多い。

箸使いも、地域によって違いがある。

たとえば、日本でタブーとされる「直箸《じかばし》」(大皿料理などに直接自分の箸をつけること)は、中国や朝鮮半島ではまったく問題ない。遠くの皿に箸を伸ばせるように、一尺近くもある箸が使われているほどだ。箸から箸へ食物を受け渡すのも日本ではタブーだが、朝鮮半島ではマナー違反とはされない。

箸のマナーについては、他の文化圏の人たちからの異議もある。外国人でも、スキヤキ、シャブシャブが好きだという人は多いが、何人もの人が一つの鍋に箸を入れるのだけは気持ちが悪いという。日本人は清潔好きなのに、なぜこういう食べ方が平気なのかと、本気で質問されることもあるのだ。

日本では、よく茶碗や皿に箸を渡すように置くが、これは中国でも朝鮮半島でも嫌われる（厳密には、日本でも渡し箸は行儀が悪いとされる）。シンガポールなどでこの渡し箸をすると、まだ食べたりないというサインになってしまうので、食事が終わったことを伝えたいのならば、箸置きや小皿の上に箸先を置くようにするという。

また朝鮮半島では、汁物を箸で食べてはいけない。汁が箸の間からこぼれると、幸福も一緒に逃げていってしまうというのだ。

「お父さんの箸」とか「お母さんの茶碗」といった食器の個人所有も、日本独特の考え方だと言えよう。ほかの国では、箸も茶碗も、洗ってしまえば次は誰が使うか分からない。使いまわしをするのが普通であり、気にするようなことではないのだ。割り箸が日本で発明され、普及したのは、日本人の潔癖性によるところが大きいのだろう。

ナイフとフォーク

ナイフとフォーク、そしてスプーンが何種類も並んだフルコースが苦手、という人は多い。しかし欧米人も、それぞれの国、それぞれの人によって勝手な食べ方をしているのだから、基本さ

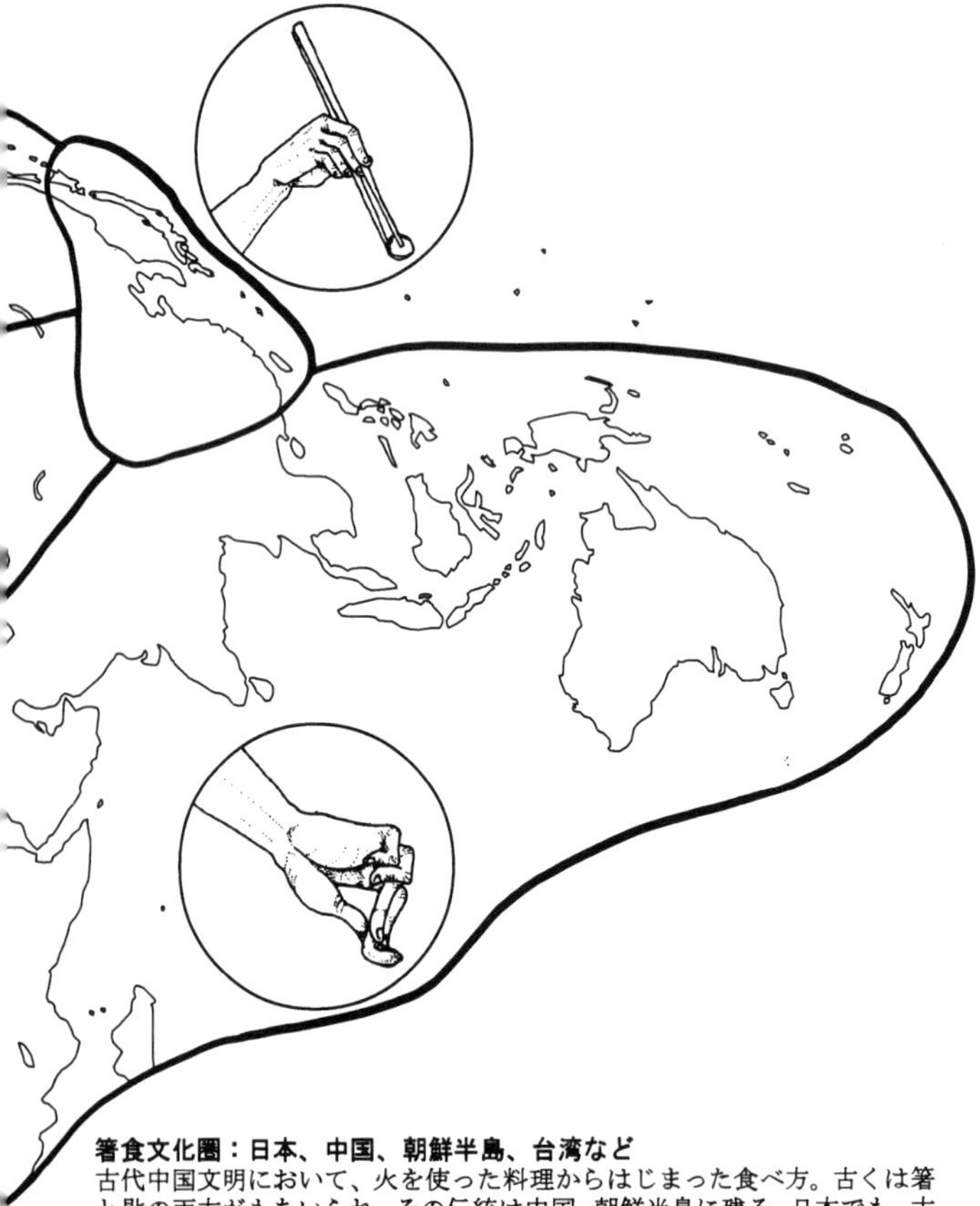

箸食文化圏：日本、中国、朝鮮半島、台湾など
古代中国文明において、火を使った料理からはじまった食べ方。古くは箸と匙の両方がもちいられ、その伝統は中国、朝鮮半島に残る。日本でも、古くから皇室に伝わる大嘗祭の料理などでは、箸と匙がセットで使われる。
［機能：切る、刺す、まぜる、はさむ、運ぶ］

手食文化圏：東南アジア、中近東、アフリカ、オセアニア、北極圏
太古からの食べ方だが、イスラーム、ヒンドゥー社会では、左手を使わずに食べるなど、そのマナーは厳格に決められている。
［機能：まぜる、つかむ、つまむ、運ぶ］

三大食文化圏

ナイフ・フォーク・スプーン食文化圏：ヨーロッパ、南・北アメリカ
17世紀、フランスの宮廷料理が確立していくなかで定着した。パンだけは手で食べる。
［機能：切る、刺す、すくう、運ぶ］

え知っておけば、神経質になることもないだろう。

たとえばフランスでは、左手にもったフォークをひっくり返して、フォークのくぼみに食物をのせたり、右手に持ち替えて食べたりする。だがイギリス人は、こうしたフォークの持ち方を嫌う。とくに、フォークを持ち替えて食べることを、「ジグザグ・イーティング」と言って軽蔑したりする。

そうかと思えば、アメリカなどでは、先に肉をすべて小さく切ってから、おもむろにフォークを右手に持ち替えて食べることが多い。

また、フォークの背を上に向けてセッティングするのがフランス式、くぼみを上にしてセッティングするのがイギリス式だ。それは、フランスでは古くから家の紋章をフォークの背に刻印し、イギリスでは内側に刻印したことによるという。

さらに、食べ終わって、皿の上にナイフとフォークを置くとき、先端を十二時の方向に向けるのがイギリス式、九時の方向がフランス式、日本のように斜めに置くのはアメリカ式だ。

ここであげたのは、それぞれの国のマナーの違いについての、ほんの数例だが、これくらいの違いは、それぞれの国の文化や習慣のささやかな差であって、深刻な文化摩擦になるようなことはないだろう。

アメリカ人などは、ファーストフードに慣れすぎてしまったために、肉をあらかじめ切っておくといった程度のナイフの使い方さえおぼつかない世代が増えてきたというくらいだ。

私たちが気をつけなくてはならないのは、むしろ、音を立てて食べたり、スープをすする癖、それに食後のゲップである。これは、ほとんどの欧米人に、生理的嫌悪を催させるという（しかし前述したように、中国では、ゲップは、たっぷり食べた、つまり「ごちそうさま」という意味になる）。また、日本の中高年の男性が平気でつまようじを使うのも、同席した欧米人には嫌なことのようだ。

手づかみで食べていた西洋人

西洋料理のレストランでは、きれいに折り畳まれたテーブル・ナプキンがセットされている。一見、テーブルマナーの長く厳しい歴史を感じさせるようなこのテーブル・ナプキンも、実は、フィンガーボウルとともに、ヨーロッパで十七世紀頃まで続いていた手づかみの食事に由来するものだという。

ビザンツ帝国からイタリアへはじめてフォークが伝わったのが十一世紀。カトリーヌ・ド・メディシスがイタリアからフランスにフォークを持ち込んだのが十六世紀半ば。日本に箸が普及したのが奈良時代（八世紀）だということを考えると、ヨーロッパ人は実に長い間、手づかみの食事を続けていたことになる。しかもフランスでは、その後もフォークで食べるという習慣が、なかなか根づかなかったというのだ。

現在でも、手で食べないと食事をした気になれないという人びとがいるが、当時のフランス人たちも、そんな感覚をもっていたのだろうか。フランス人も、最後には、フォーク文化に屈服してしまったわけだが、それでもパンだけは、辛うじて手づかみで食べる習慣が残った。手食文化の最後の抵抗だったのだろうか。

ちなみに、香水やシャーベットなど、カトリーヌがフランスにもたらしたものはいくつもあるが、「毒殺術」もその一つだったという。

西洋のテーブルマナーの一つに、食事中は、いつも、テーブルの上に両手を出しておくという決まりがあるが、これはもともとは毒を盛るようなことはしません、というしるしだったと言われている。また、ワインのテイスティングも、毒味に由来するという説があるなど、毒殺とテーブルマナーのかかわりは意外に深そうだ。

イギリスでは、十七世紀に入ってからも、なお、フォークへの抵抗を続けていた。世界ではじめて絹の靴下をはいたほどおしゃれに贅を尽したエリザベス一世も、食卓では、肉を手づかみで食べていたのだ。今日のテーブルマナーでは、果物でさえナイフとフォークを使うということを考えれば、隔世の感があるが、テーブルマナーをうるさくいう欧米も、ほんの二、三百年前はそんな状態だったのだ。

皿より葉の方が清潔

イスラーム教徒やヒンドゥー教徒は、それぞれの宗教の戒律によって、手による食事が基本である。神から与えられたものを食べるのに、道具など使うのは不敬だと考えるからだ。

ただし、いまではほとんどの国に、西洋式のナイフとフォークが普及しているので、観光客やビジネスマンが行くようなレストランでは、伝統的な手食を要求されることはまずない。

しかし、その国の家庭に招かれたときは、手食の作法をためしてみるのもおもしろい経験かもしれない。日本人が外国人に箸の使い方を教えるときと同じような、なごやかな笑いが生まれることもあるだろう。

手で食べるときには、イスラーム教徒もヒンドゥー教徒も、「不浄」でない方の右手を使う。イスラームでは、右手の親指、人差し指、中指の三本と、使う指まで決められている。ほかに気をつけることは、食前と食後に必ず手を洗うこと、それに指をしゃぶらないことだろうか。

ヒンドゥー文化では、浄・不浄の観念が、生活のなかにさまざまな形でしみこんでいるので、誰が使ったか分からない食器などは使わず、バナナの葉などを皿代わりにしていた。

現在でも、南インドなどではバナナの葉に、スリランカではバショウの葉に、食事を盛る。彼らにとっては、カーストの違う人間が使ったかもしれない食器よりは、植物の葉の方がよほど清潔なのだ。

彼らは、カレーのような食べ物も器用に手で食べるが、彼ら自身は「口で味わう前に手で味わう」と言って、手先の感覚も食事の楽しみの一つ、としているのだ。

手を使うのは、もっとも基本的な食べ方なので、宗教的な理由がなくても、この習慣をもつ人々は、アジアやアフリカ、オセアニアなど、世界中にいる。

ただ、宗教と無関係の手食文化圏、とくにフィリピンやインドネシアといった東南アジアの諸地域では、スプーンとフォークの組み合わせが生活のなかにどんどん浸透しているという。

料理を残すか、平らげるか

日本人には、食物を残すのはもったいないという考えがある。そのため、出されたものは、多少、無理をしてもきれいに食べるが、これがかえって非礼になるという文化も少なくない。

たとえば、中国や朝鮮半島で料理を全部食べてしまうと、場合によっては、もてなしが足りない、という意志表示ともとられかねない。もちろん、おいしかったと言って、全部食べてしまっても非礼にはならない。

だが中国の家庭などでは、客が残した分は翌日の家族の食事にすることを見込んで、たっぷりの料理をつくったりするので、客が無理して全部平らげたりすると、もてなした側が困ってしまうということもあるらしい。

また中国では、大皿の最後の一切れはとらない。皿に少し残すくらいがマナーだという国には、ほかに、インドネシアやタイ、香港、アラブ諸国などがあげられるだろう。

ヨーロッパのレストランでは、ナイフやフォークの置き方によって、皿をさげてほしいという意志表示ができるから、料理を少し残すかどうかといったマナーで悩むことはないが、家庭に招待された場合は、そうもいかないことがある。

たとえば、同じ東ヨーロッパでも、ハンガリーでは、出されたものは残さず食べるのが礼儀だが、ブルガリアでは、皿が空になるとおかわりの催促となってしまうというのだ。

ぶぶ漬けと食飽未《チャパーボエ》

京都で人を訪ねたとき、「ぶぶ漬けでも食べていかはりますか」と言われたら、引き上げる潮時だということである。ぶぶ漬けとは茶漬けのことだ。もちろん、実際に用意してあるのではない。よそものには分かりにくい、一種の退出勧告といえよう。

こうした本音とたてまえを逆にした言い方は、ほかの国にもある。

たとえばイランで食事に誘われたら、ほぼ社交辞令だと思った方がよい。食事に誘うことが、一種の儀礼的な挨拶になっているからだ。日本人が引越しの挨拶状に、「お近くまでおいでの節はお立ち寄りください」と書くようなものなのだ。ただ、断《ことわ》っても、三回以上繰り返し誘われたら、本当の招待だろうから、受けてもよいとされる。

アジアでは、「こんにちは」というようなフォーマルな挨拶はあまりなく、日本人が「元気？」と声をかけるような感覚で、台湾の人は「食飽未《チャパーボエ》」と言ったりする。これは、文字通り、「もう食事は済んだ？」という意味だが、実際には食事とはまったく関係がない。これがふだんの挨拶なのだ。

ラオスの人たちも、同じように、挨拶がわりに「ご飯を食べにおいで」と声をかけてくる。このような挨拶に対しては、「食べたよ」とか「おいしく食べてね」というような答えを返しておくのがよい。うっかり、一緒についていったりすると、乏しい食糧で精一杯のもてなしをしてくれたりすることがあるので、気をつけたい。

アルコールは薬物《ドラッグ》

日本は「酔っぱらい天国」だとよく言われる。立派な身なりをした男性が酔って立ち小便をしたり、若い女性が千鳥足で歩いているのにびっくりした、という外国人は多い。

それは、日本が、古くから、飲酒に寛容な文化をもつことにもよるが、犯罪率の低さにも関係があるのかもしれない。

同じアジアの韓国や中国も、飲酒を肯定的に考える文化をもっているが、中国では、酔っぱらいは軽蔑されるし、韓国でも、女性グループが居酒屋で気炎をあげるといった光景はあまり見られない。

飲酒に限っていえば、日本ほどタブーの少ない国はほかにないだろう。

よくコーカソイドとネグロイドはアルコールに強く、モンゴロイドは弱い、と言われる。これは日本人が、比較的少ない酒量でも酩酊しやすいということだが、逆に言うと、欧米人のような深刻なアルコール依存症患者が少ないことの理由ともなる。依存症になる前に、肝臓をこわしてしまうからだ。

欧米人は、パーティーなどで多少飲んでも、平気で車を運転して帰るし、そのことをとがめる人もあまりいない。しかし、酔っ払ったりすると、たちまち非難される。

ただし、ロシア人は、アルコールについては別の考えをもっているらしい。かつてはエリツィン前大統領が真っ赤な顔とおぼつかない足取りで飛行機のタラップから降りてくる姿は、テレビでも毎度おなじみだった。

エジプト産ブランデーのラベル　世界的に有名なスフィンクスがデザインされている。いくら有名でもモスクなどイスラーム教にかかわるものがネーミングにもちいられたり、デザインされたりすることはない。
旧ソ連に向けた輸出用のもの。現在は生産されていない。

一方、イスラーム社会では、よく知られているように、アルコール飲料が禁じられている。アルコール類はコーランで、「悪魔の業」とされているからだ。

しかし、アルコールの規制は、国によってかなり違う。たとえば、サウジアラビア、イラン、リビア、スーダンなどでは禁酒が徹底されており、外国人の飲酒も禁止されている。サウジアラビアなどでは、前夜のパーティーで

参考：『論集　酒と飲酒の文化』　石毛直道編　平凡社　1998

蒸留酒の消費量地図

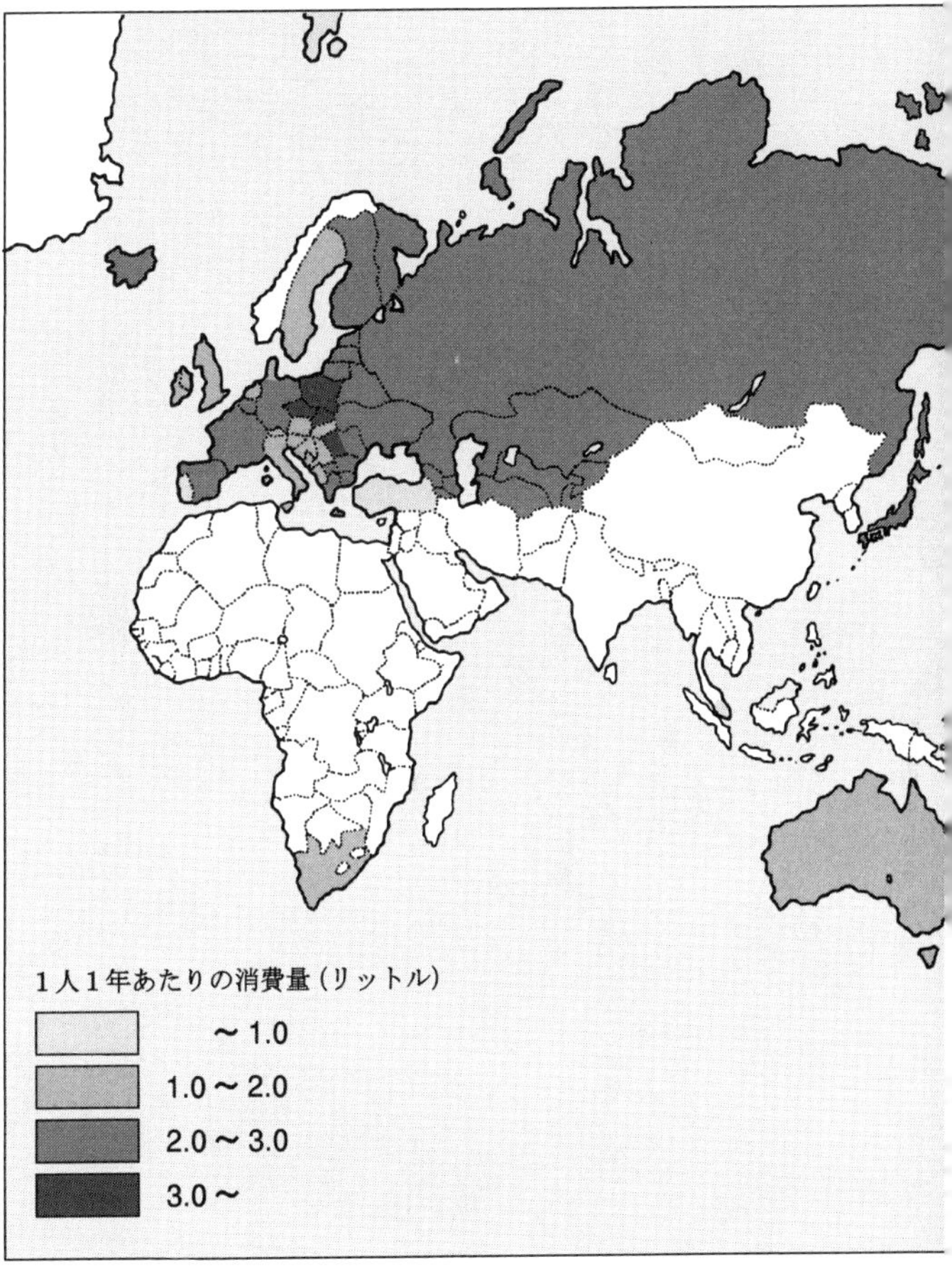
1人1年あたりの消費量（リットル）
～1.0
1.0～2.0
2.0～3.0
3.0～

飲んだアルコールの瓶を、イスラーム教徒の使用人に見とがめられないように、早朝、庭に穴を掘って埋めるという話もあるくらいなのだ。

ただし、エジプトやトルコ、シリアには国産のビールがあり、酒類の輸入、販売、消費が許されている。しかし、そうはいってもエジプトでは、イスラーム教徒は決してアルコールを口にしない。酒造工場も、アルコールの香りが漂うような場所ではイスラーム教徒は働かず、かわりにキリスト教徒がその仕事にあたるようになっている。ただその一方では、産油国の王族や石油成金の豪邸にはバーが設けられているなど、中東諸国でも、対応はまちまちだ。これがインドネシアまでくると、酒の規制はさらに緩くなる。

イスラーム社会以外では、ヒンドゥー社会も原則的には禁酒である。キリスト教社会では、モルモン教徒の禁酒がよく知られている。また、一般的に、プロテスタントはあまり飲酒を好まないというか、飲むことにうしろめたさを感じるようだ。

プロテスタントの多いアメリカは、とくに酔っぱらいには厳しい。

公共の場で泥酔していたりすれば、「パブリック・ドランクネス（公の場での酩酊）」という罪状で逮捕されることがあるし、酔っていなくても、飲んでいるのが見つかれば罰金というところもある。

飲み過ぎに対して日本人の多くは、「仕方がない」という感じで受けとめるが、欧米社会では、酔うまで飲むのは自制心のなさ、あるいは依存症だとみられるのがふつうだ。

日本人はあまり自覚していないが、アルコールはまぎれもない薬物《ドラッグ》なのである。

ヨーロッパの人々が世界各地にもちこんだアルコールは、さまざまな伝統社会に混乱を引き起こしてきた。オセアニアにはもともと飲酒の習慣がなかったが、アルコールによる問題が多発したトンガでは、警察が発行する酒類購入許可証がないとアルコール類を買えないようにしてしまった。また北アメリカのイヌイットなど、先住民の社会ではアルコールの害にむしばまれている人が急増し、問題となっている。

ビールがたどった四千年史

ビールといえばキン！と冷やして、というのが日本人の夏の楽しみの一つだが、世の中には、生ぬるいビールの方が好きだという人たちも大勢いる。

たとえば、イギリスのパブで飲む伝統的なエール（上面発酵のビールの総称）や、中央ヨーロッパのアルコール度の高い濃厚なビールは、もともと常温で飲むものだし、ロシアや中国でも、冷えたビールを手に入れるのは一苦労だ。また、山東省のように、わざわざビールをあたためて飲むところもある。南米のアンデス地域でも、冷たいビールはお腹に悪いといって、室温の状態で出される。

口の悪い日本人に言わせると、「生ぬるいビールなんかウマの小便みたいで飲めるか」ということになるが、何千年にもおよぶビールと冷蔵技術の歴史を考えれば、どちらが伝統的な飲み方

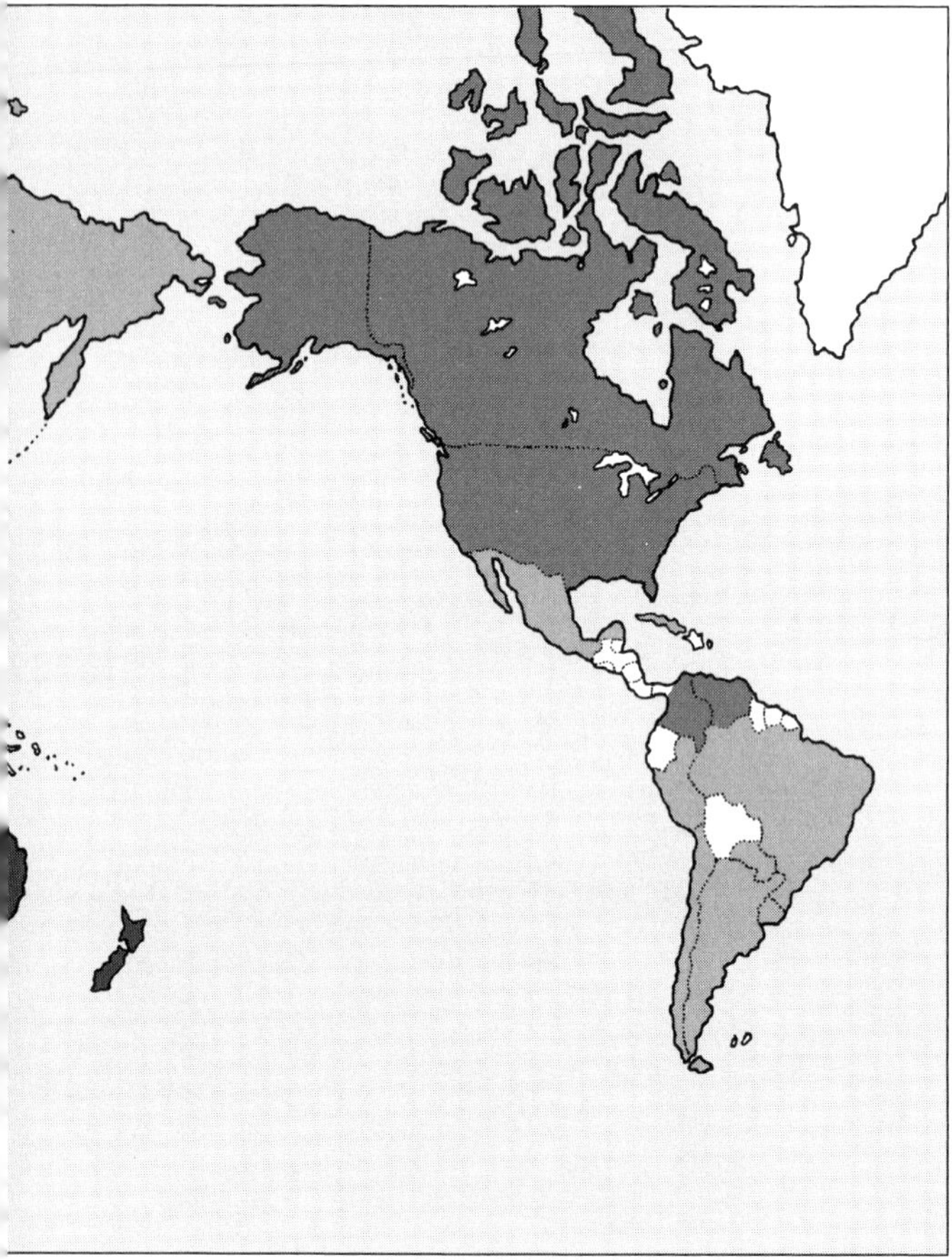

参考：『論集　酒と飲酒の文化』 石毛直道編　平凡社　1998

ビールの消費量地図

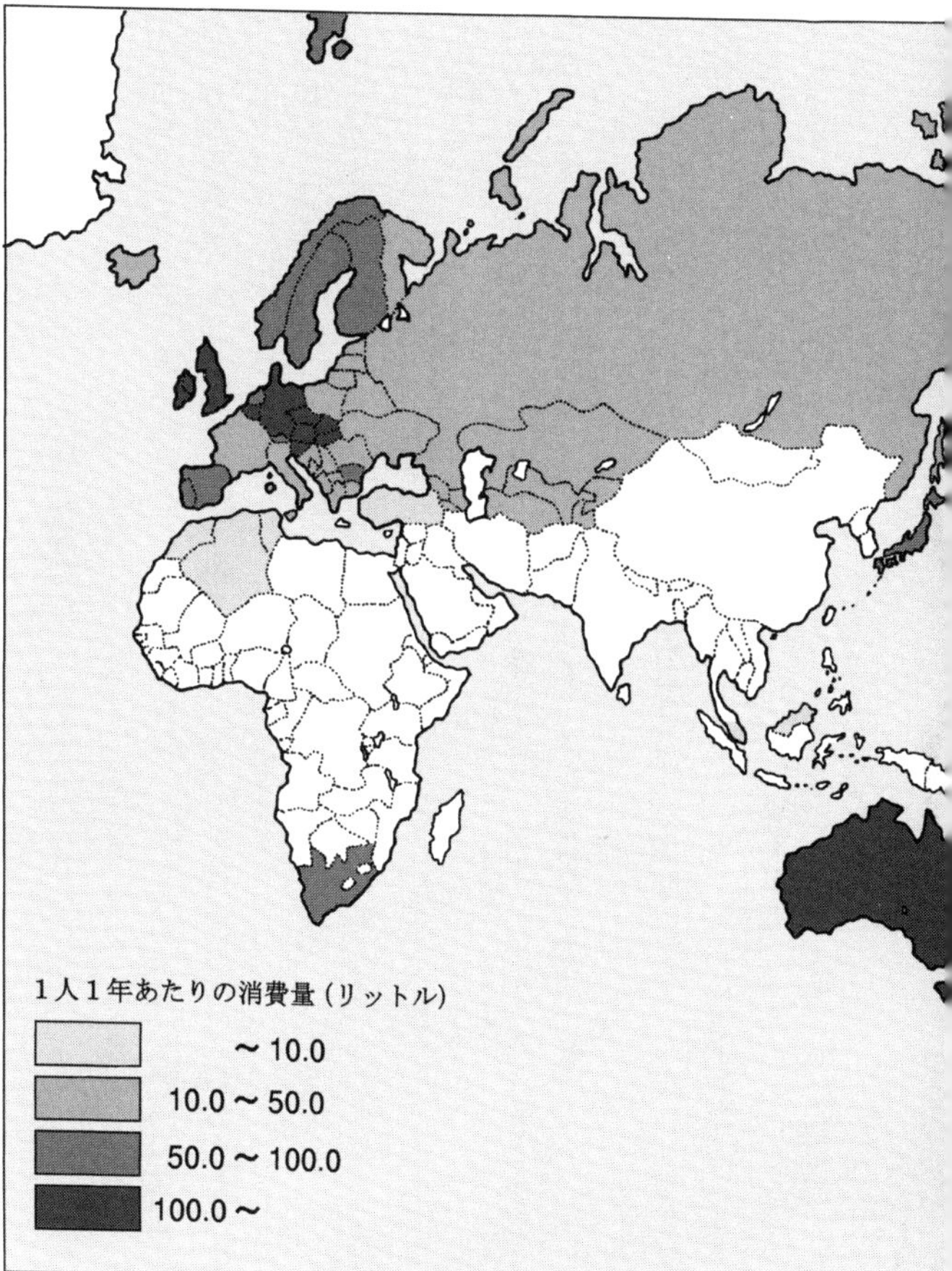
1人1年あたりの消費量（リットル）
～10.0
10.0～50.0
50.0～100.0
100.0～

かはおのずから明らかだろう。

古代メソポタミアやエジプトを発祥の地とするビールは、ヨーロッパではブドウの栽培に適さない土地、つまりワインの生産に向かない地方を中心に広まっていったという。

三千七百年あまり昔にまとめられたハムラビ法典に、「国を脅かす客の陰謀話を聞き逃すビール飲み屋の女主人は、死罪。ビールの水割り、混ぜ物をして売った者は、自分のビール樽で溺死の罪」とあるほど、ビールは昔から一般的な飲み物になっていたのだ。

とくにドイツでは、中世以来、本格的なビール醸造の技術が発展したことがよく知られている。ただ、ドイツ人があまりにビールを飲みすぎるので、一六三六年には、「教会の一日の最後の鐘とともにビール居酒屋はそのドアを閉じるべし」という法律が制定されたこともあった。最後の鐘は夜九時だった。

またドイツには、「ビール純粋法」という法律があり、ビールには大麦麦芽とホップ、酵母と水しか使ってはいけないとされている。米やスターチを入れたものは、ビールと表示してはいけないのだ。

アルコール度の低いビールは、ドイツでは朝の食事代わりにしたり、薬代わりにもなった。栄養価が高いといって、子どもに飲ませることもあったという。ビールは「液体のパン」とも言われていたのだ。現代でも、サンドイッチとビールの組み合わせは、イギリスのビジネスマンにとってはもっともありふれたランチで、昼間から一杯やることへのうしろめたさなどはみじんもない。

飲み方の流儀

いまやビールは、世界共通のアルコール飲料になりつつあるが、飲み方には、やはりそれぞれのお国柄があるようだ。日本ではガラスのジョッキや薄手のグラスが好まれるが、ヨーロッパでは厚手の陶器でふたつきのジョッキをよく見かける。

また、酸っぱい食物はビールのつまみには向かないとされるが、メキシコにはライムをかじり、塩をなめながらという飲み方がある。またドイツには、ショットグラスの火酒《シュナップス》をあおり、ビールを一気に飲みほすのが一日の労働のあとの楽しみ、という人たちもいる。ワインと違ってビールの飲み方にはこれといったルールがないところが庶民的で楽しいのかもしれない。ここでも、飲み方について日本の常識はあまり通用しない。

ところでビールに限らず、飲み方ということで言えば、欧米人は、酌をしないし、酌をされることも嫌がる。あくまでも自分のペースで、飲みたければ、自分でつぐ。ホーム・パーティーなどで客に飲み物をすすめるのは主人《ホスト》の役目だが、決して強要したりはしない。

一方、日本人は、お客につぐのが礼儀と考えているが、日本人以上に酒をすすめるのが韓国人だ。韓国では、酒は仲間で飲むものなので、杯を仲間うちで回しながら、ともに酔うまでとことんやろうということになる。日本で問題の一気飲みに近い悪習もあり、酒席が盛りあがった末の乱痴気騒ぎは、すさまじいものだという。

ただし、儒教精神のいきわたっている国なので、目上の人と同席したときには酔ってはいけない。また乾杯のときは、目下の者はグラスの位置を下にし、目上の人と顔を合わせないようにして控えめに飲むなどの心配りが必要とされるという。

さらには、酌をするときには両手でするとか、女性がすすんで酌をするのはよくない、などといったしきたりもあるらしい。

アフタヌーン・ティー

日本人もお茶が好きだが、イギリス人にはかなわないだろう。

平均的イギリス人が飲むお茶の量は、生涯に八万杯以上。朝起きぬけにまず一杯、朝食後に一杯、十一時頃オフィスで一休みして一杯。昼食後、午後の休憩にもまた一杯と続き、帰宅後にも一杯、夕食ももちろんお茶で終わる。

そして、休日ともなれば、かの有名な午後のお茶会、アフタヌーン・ティーがある。イギリス人は、人を招くときはレストランが多く、自宅ではあまりパーティーをしないと言われるが、あらかじめ招待状が届くようなアフタヌーン・ティーは、立派なパーティーと言ってもよいようなものだ。

このアフタヌーン・ティーは、午後四時くらいからはじまり、サンドイッチや、クリームを添えたスコーン、ケーキ、チョコレートなどを食べながら、紅茶を飲み、二時間くらいの歓談を楽しむ。おもに、生活に余裕のある中流層以上の習慣という。

また、紅茶へのミルクの入れ方については、上流階級はミルクがあと、下層階級はミルクが先などと言われたこともある。しかし、いまでは階級に関係なく、大ぶりのカップに好みの量のミルクを入れて、そこに濃い紅茶をそそぐ人が多い。日本ではミルク・ティーといえば、あたためたミルクが多いが、イギリスでは必ず冷たいミルクである。

アフタヌーン・ティーをハイ・ティーとよぶ人もいるが、この二つは、実は違うものらしい。ハイ・ティーは、古くは中流の中あるいは下層家庭の事実上の夕食で、肉料理などとともに出されるお茶のことだったという。

日本人の感覚からすれば「お茶つきの食事」といったようなもので、食事よりお茶の方が主であるかのような言い方は奇妙に思えるが、中国にも、点心をつまみながらお茶を飲む「飲茶《ヤムチャ》」という昼食がある。またモンゴル人も、「お茶に行く」と言えば、食事に行くことである。お茶＝食事という感覚は、案外、多くの文化に共通するもののようだ。

夕食を意味するハイ・ティーという言葉は、イングランドでは、もうほとんど使われていないという。だがスコットランドでは、ハイ・ティーといえば、午後三時から四時くらいなら、軽食つきの、イングランドでいうアフタヌーン・ティーになり、夕方なら夕食になる。また、オーストラリアでは、アフタヌーン・ティーは午後四時くらいの軽食で、ハイ・ティー、またはただテ

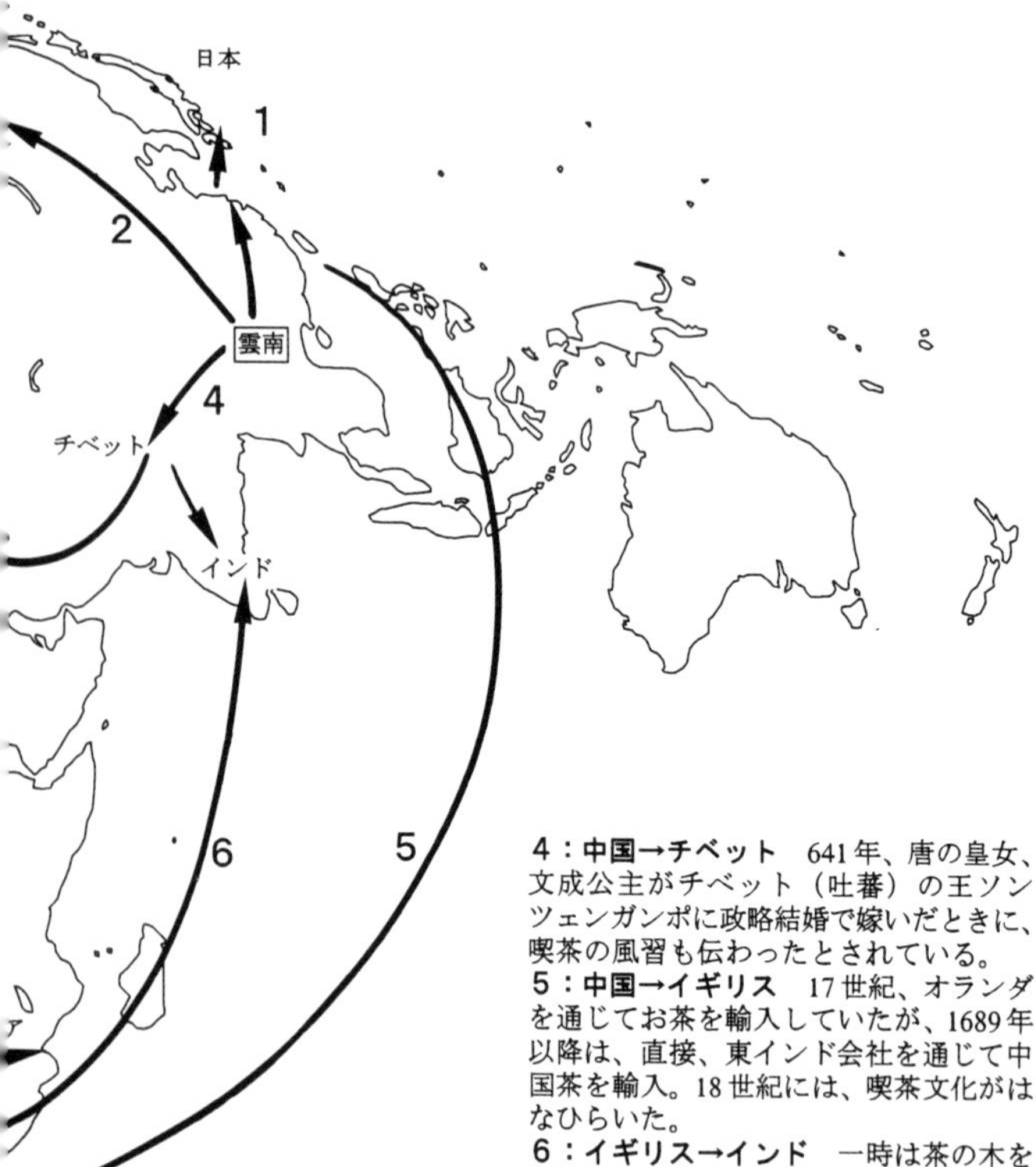

4：中国→チベット　641年、唐の皇女、文成公主がチベット（吐蕃）の王ソンツェンガンポに政略結婚で嫁いだときに、喫茶の風習も伝わったとされている。
5：中国→イギリス　17世紀、オランダを通じてお茶を輸入していたが、1689年以降は、直接、東インド会社を通じて中国茶を輸入。18世紀には、喫茶文化がはなひらいた。
6：イギリス→インド　一時は茶の木を自国に移植しようと試みたが、失敗。そのためイギリスは、インドでプランテーションを開始、インド、セイロン（スリランカ）で銘茶を生みだした。

7：イギリス→アメリカ　17世紀前半、オランダが植民地としていたニューアムステルダム（1664年以降はニューヨーク）に喫茶の習慣が伝わる。利権がイギリスに移ってからは、さらにさかんになった。
8：イギリス→ケニア　1895年にイギリス領。20世紀になって、茶の栽培に適していることが分かり、さかんに生産されるようになった。現在は、インド、スリランカに次ぐ、世界第3位の茶の生産国になっている。

［参考：GEO, November 1996, Vol.3, No.11, 同朋社出版］

お茶の伝播

1：中国→日本　9世紀初頭、遣唐使らによってもたらされたという説が有力だが、明確な伝播は不明。自生説もある。栽培は、12世紀、栄西が中国から持ち帰り、九州の背振山で根づかせたものを京都の栂尾、高山寺に移植したことからはじまったという。
2：中国→モンゴル　中国と北方の遊牧民との交流は古い。中国は優良な馬を、遊牧民はその交易品のひとつとしてお茶を求めた。
3：モンゴル→ロシア　13世紀、モンゴルが東ヨーロッパまで勢力を拡大するのにともなって、広まったと考えられている。

ィーといえば、午後六時過ぎの夕食という使い分けがいまでもされている。ちなみに「夕食」と訳されることの多いサパーは、軽いスナック程度の夜食のことだ。

余談だが、二十世紀の前半頃、いったんカップから受け皿にそそいだ紅茶を、受け皿に口をつけてすするという奇妙な風習が、労働者階級の間にみられたことがあった。中流以上のイギリス人は、この飲み方を軽蔑していたが、エリザベス女王は、若い頃、一度だけこうやって飲んだことがあるという。スコットランドのある農家で紅茶をふるまわれたとき、家の女主人が受け皿から紅茶を飲むのを見て、自分もそうしたというのだ。

受け皿から飲む習慣は、かつてはロシアにもあったが、その起源はよく分からない。いずれにせよ現在では、まったくすたれてしまった習慣なので、どんな味がしたのかは女王に聞いてみるほかはない。

トルココーヒーvsチャイ

トルコには、コーヒーの粉を漉《こ》さずに、粉ごと煎じて飲むという独特の飲み方がある。いわゆるトルココーヒーである。

トルコのコーヒーの歴史は古く、十六世紀中頃にできたカフヴェ(コーヒー、もしくはコーヒーを飲ませる店の意)という言葉がヨーロッパのカフェの語源になったほどだ。

ちなみにトルココーヒーでは、女性が占いをして楽しんでいるのをよく見ることがある。トルココーヒーは煮出してつくるので飲み終わったカップの底にはコーヒーの粉が残る。これを受け皿にひっくりかえし、その粉の形、流れ出た飲み残りのコーヒーが描く形を見て運命を判断するのだが、これ専門の占い師がいるほどなのだ。だがいまのトルコでは、チャイの方がはるかによく飲まれている。コーヒーはイスラームの戒律に反するからだとも言われるが、チャイが安価なことにもよるのだろう。

チャイは強発酵の紅茶と半発酵のウーロン茶の中間あたりのお茶で、シルクロード全域で愛飲されている。

トルコのチャイは、チューリップの花の形を模した小さなグラスで出される。ふつう角砂糖が二つ受け皿についてくる。これでじゅうぶんに甘いのだが、かつてはもっと甘くする方が好まれたという。一杯の量が少ないので、何杯もおかわりをすることがある。家庭や職場、そしてチャイエヴィとよばれる店で飲む量を合計すると、一日に十杯、二十杯という人もめずらしくない。

なお、チャイエヴィは「茶の家」という意味のトルコ語だが、いまでは、チャイハネという名前の方が、一般には、よく知られている。

いずれにしても、そこは男性のみの社交空間で、仕事が終わると三々五々集まってきた男たちがトランプやバックギャモンに興じながら、世間話に花を咲かせている。

また、これは余談だが、東欧の一部地域の人たちは、自分たちはコーヒーを飲むという悪い習慣をもっている、と半ば冗談、半ば自嘲的に言うことがある。これはトルコに支配されていた時代に、コーヒーを飲む習慣を受け入れ、それを捨てきれずにいることへの屈折した表現なのだという。

コーヒー一杯のなかにも、長い長い歴史の澱《おり》が隠されているらしい。

第4章 古い常識から新しい常識へ

サナア　伝説で、旧約聖書のノアの息子シェムが最初に住み着いたといわれるほど古い都市である。意味は「砦に守られた（場所）」。海抜2300メートルの高地にあるため、アラビア半島南部にありながら穏やかな気候だ。手前はイエメン独特の建築様式の建物。　イエメン

大陸（州）別人口、人口密度

世界の人口：58億4900万人（1997年）
人口密度の世界平均：43人
＊人口密度は1平方キロあたりの人口

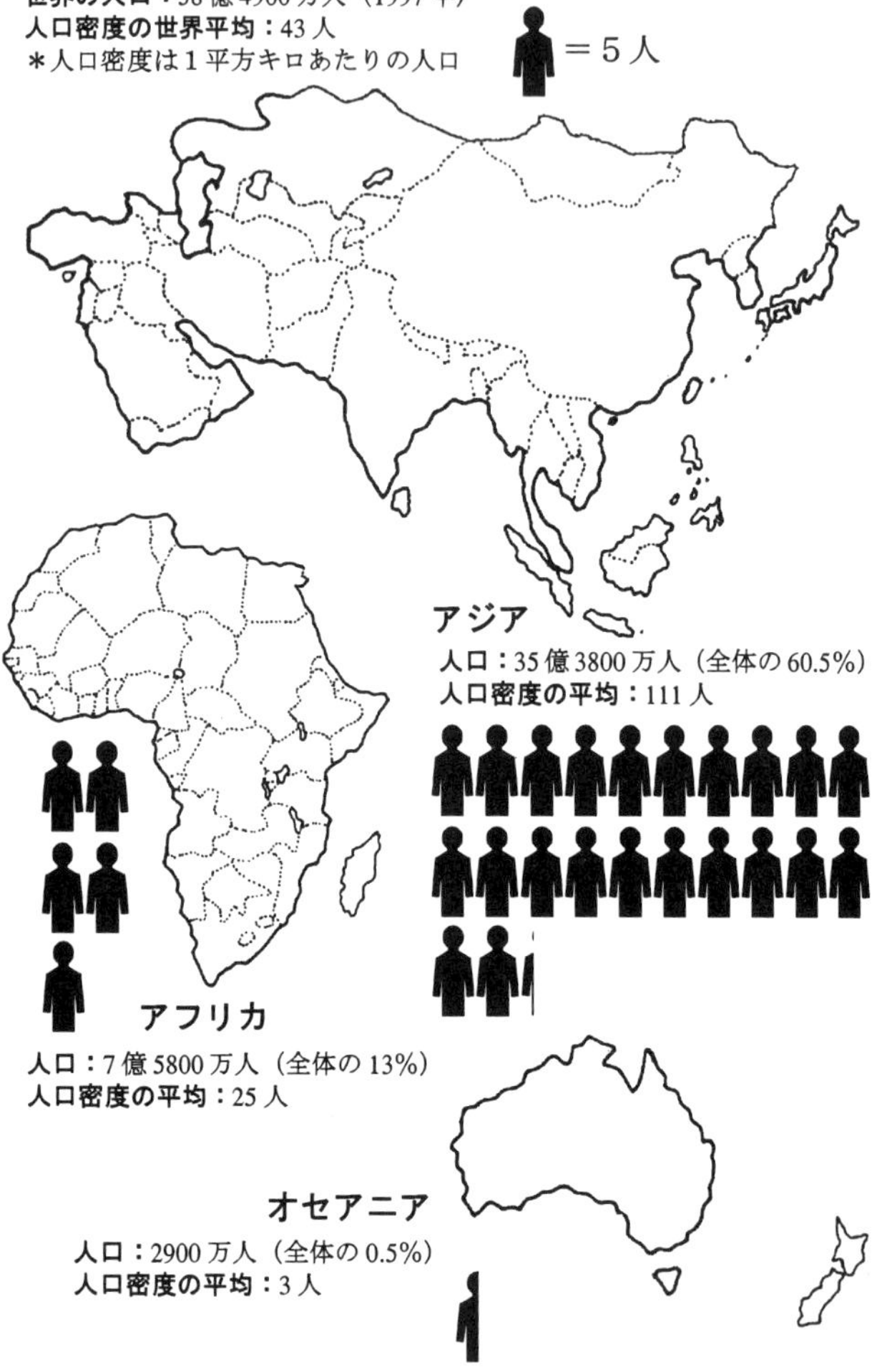

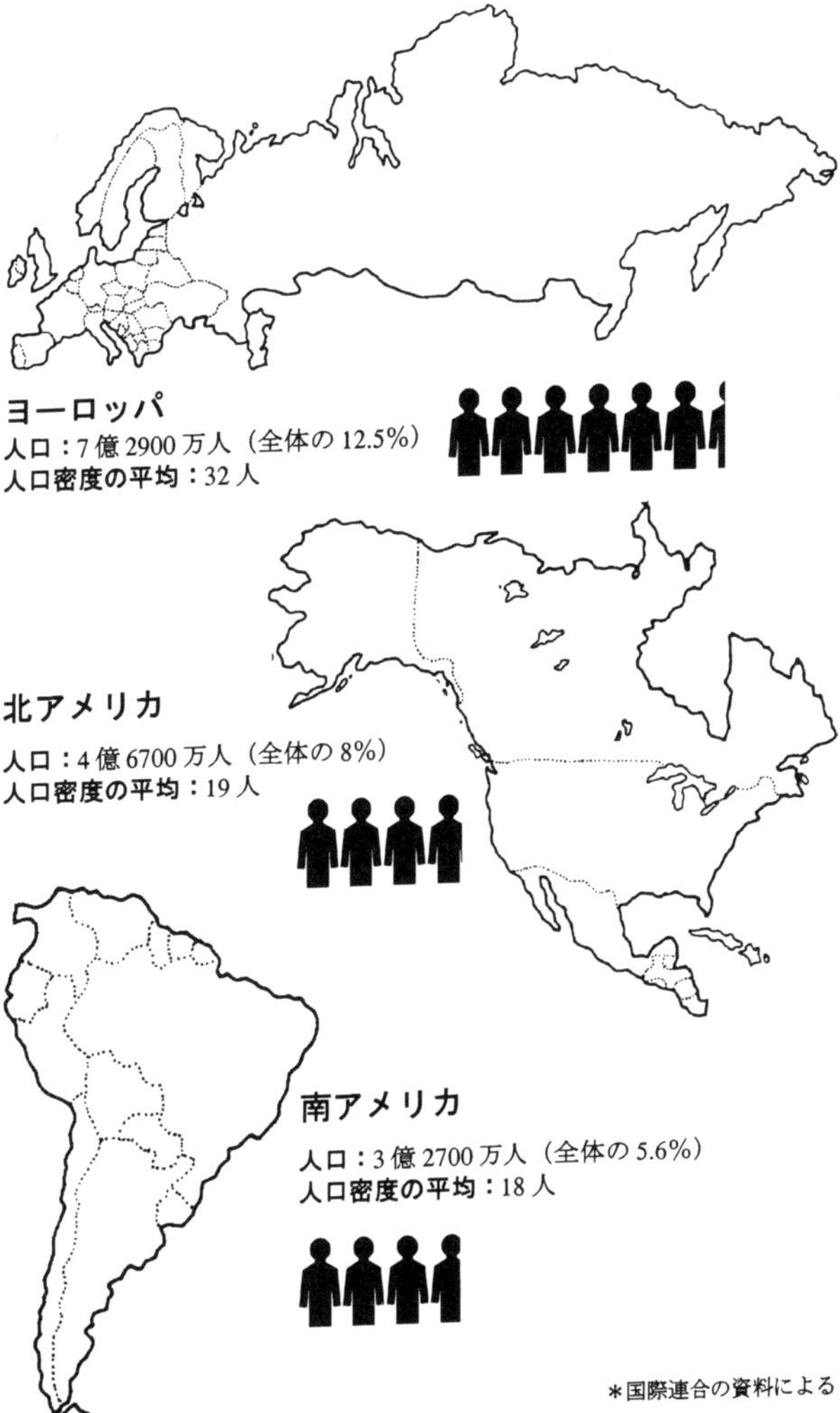
ヨーロッパ
人口：7億2900万人（全体の12.5%）
人口密度の平均：32人
北アメリカ
人口：4億6700万人（全体の8%）
人口密度の平均：19人
南アメリカ
人口：3億2700万人（全体の5.6%）
人口密度の平均：18人

＊国際連合の資料による

明日は来週、来週は来月

私たち日本人は、時間に対して、かたくるしいほど正確だ、とよく言われる。欧米社会もまたTime is money. という諺があるように、時間を守ることを前提として成り立っている。

ただし同じ西欧でも、時間についての意識が、国によって異なることはいうまでもない。

一方、アラブ人は、時間にルーズだ、と言われている。しかし、公式行事のようなことは時間どおりにきっちりやるし、自分の利益になることなら、必ず時間を守る。前日の夜、明日の朝六時に出かけるからホテルの前に来てくれ、とタクシーを頼めば、五時には来ていると思ってほぼ間違いない。

アラブ人が時間にルーズだというのは、気がすすまない約束については、と言いかえた方が正確かもしれない。たとえば、観光地で雇ったガイドに運転以外の仕事を頼んでも、時間通りにすることはない、と思った方が心の健康にはいいだろう。ただし、お金を払えば別、というわけだ。

エジプトでは、アラビア語のＩＢＭが有名である。

これはインシャアッラー（神の思し召しのままに）、ボクラ（明日）、マーリッシ（気にしない）の頭文字で、エジプト人が、「すべてはインシャアッラーだから、ボクラの約束はだめだったらマーリッシ」と言って約束を破ることを皮肉ったものだ。彼らにボクラと言われたら、どんなに固く約束しても、まず時間通りにはいかないと思った方がいい。

それはイスラエルでも同じで、「明日」と言われたら「来週」、「来週」なら「来月」、「来月」は「半年先」くらいの感覚でいなければ身がもたないという。仕事は日曜から金曜まで、朝は八時くらいから午後一時、運がよくて二時くらい。しかも、その間、目一杯仕事をしているわけでもない。

しかし外国人の目には、日本人の時間の正確さは、ときには異様に映るらしい。私たちには何でもないことなのだが、列車、バス、飛行機などが時間どおりに出発することに驚く人も多い。時間にルーズな国から来た人には、心が安まらない正確さだというのだ。イギリスなども、個人的には時間に正確だが、電車、バスなどの発着はかなりいいかげんだ。

食卓の文化

「郷に入りては郷に従え」という諺を守れば、旅先で起こりがちなトラブルは、ほとんど解決できるという人がいる。しかし、見えない部分で気をつけなければいけないこともある。たとえば、食事にかける時間である。もちろん私たちは、早食いを日常とも、美徳ともしているわけではないが、欧米人たちは、私たちが思う以上に食事に時間をかける。

もともとヨーロッパには、シンポジウムの伝統がある。いまは討論会などと訳されることが多いが、これはギリシア語のシュンポジオン（シュンは共に、ポジオンは飲む）から来た言葉だという。つまり一緒に食事をしながら話すという伝統がヨーロッパには、古くからあるのだ。

アメリカのビジネス街の食事ならともかく、スペインやフランスでは、食事の時間を大切にして、最低でも二時間はかける。そうした場での相手のペースに合わせない早食いは、失礼ではないか、と彼らは言うのだ。

また食事中は、相手から言い出さない限りは、食後のコーヒーまで仕事の話はしないことだ。たとえビジネス・ランチであっても、昼食を重視する傾向は、ベルギーやブラジルにもみられるようだ。

しかし、イタリア人は、食事をもっとビジネスライクに考えているという。よほどのことがない限り、招待は断らない。それに、イタリアでの仕事は、ほとんどテーブルの上で決まることが多いので、こちらも大いに楽しむことだろう。

東南アジアの国々、香港などで活躍する中国系の人びととも、食事による友好は欠かせない。彼らの社交辞令は、「食事はすまされましたか」である。

またトルコ人のように、ビジネスでも何でも、食事の席を親睦の場とする人びともいる。お客好きな人びとが多いので、トルコ料理を思い切り楽しむことがよい関係を築くきっかけともなるだろう。ただ、エジプトなどのように、外国人に対してある程度寛容な国は別にして、ほとんどのイスラーム圏はアルコールなしの食事なので、お酒が好きな人にはつらい時間かもしれない。

乾杯、そして乾杯

これに対して、ハンガリーやカナダなどでは、食事の場では仕事の話を嫌う。イギリス人や、イギリス文化の影響が強いニュージーランド、オーストラリアなどでは、仕事の話は軽い昼食を食べながらのときくらいで、ディナーなどでは仕事の話はしないという。ただしアメリカやイギリスでは、ブレクファスト・ミーティングという朝八時頃からのビジネス朝食がある。ギリシア人も、仕事の話は、コーヒー・ショップやタベルナという軽食堂でコーヒーを飲みながら、というスタイルを好むようだ。

東南アジアの中国系と違って、中国大陸の人びとは、宴会に迎えてくれるものの仕事の話はあまりしない。また食事は、出てきたものには必ず箸をつけるのが礼儀ということになっている。日本人がふだん食べなさそうな珍味を出してきて、こちらのようすをうかがっているようなところがある。また、酒席ともなると、小さな杯で幾度となく乾杯を繰り返すので、とくに地方へ商談に行った日本人などは、ホテルまでたどり着けないなどという話さえあるほどだ。

オランダ人は、食事も重要なビジネスの場と考えているが、他人の勘定までは払わない。彼らは、ほんのわずかなことでも損得だけが何より大事なのだ、と罵るヨーロッパ人も多い。

ただしここで紹介したことは、ごく一般的な傾向であり、そのときどきの状況や相手の性格によってもまったく異なる。また、政情不安な場所では、食事のときも、デリケートな政治問題についてはふれないようにするなど、その国の文化、国情について、あらかじめ知っておくことが大切だろう。

日本の履歴書は非常識？

大企業の求人から取材旅行のアシスタントの募集まで、現地で人を雇うときに気をつけなければならないことがある。

それは、日本式の履歴書の提出を求めてはならない、ということだ。もちろん、採用する側としては、事前に知っておきたいことは山ほどある。

しかし、人権問題に厳しいアメリカであれば、まず基本的に、年齢を書かせてはいけない。さらに、性別もいけない。思想を判断するものとして、宗教も聞いてはいけない。そして、そうした情報を知りうることになる写真を貼らせることも違法である。写真によって、性別、年齢はもとより、人種、身体的な特徴、障害の有無まで分かってしまうからだ。

性差については、仕事がハードだから女性には無理と決めつけるのは違法とされている。相手がその仕事について納得しているのであれば、一度体験させて、できるかどうかを本人に確認させなければならないのだ。

年齢について尋ねてはいけないのは、アメリカが能力主義の社会だからだという。性差と同じように、能力も年齢とは無関係なので、仕事と年齢を結びつけて考えてはいけないというのだ。また、「若い人の意見も聞きたい」という言い方も、年齢による差別とされるため、よくないということになっている。

そのほか、性格を判断するような質問や趣味など仕事に関係のないことを聞いて、採用の基準にしてはいけない。

こうしてみてゆくと、日本式の履歴書で書かせることができる部分は、経歴と資格くらいしかないことになってしまう。海外で人を採用する場合は、面接して、仕事の能力をみきわめる目をきたえるか、信頼できる知人のつてに頼るほかはないようだ。

契約書を透かして見るドイツ人

国際的なビジネスの場では、思わぬところで常識の違いに出会うことがある。アポイントメントのとり方や時間の観念、本当の交渉相手、本題の持ち出し方や交渉の進め方はもちろんだが、ビジネス・ランチやアフターファイヴの習慣まで、相手側の常識が日本人とは違うことをまず前提としなければならない。

ここでは、そうしたことの一例として、「契約」についての考え方の差を紹介しておこう。契約をする前の徹底的な調査、検討と、契約書にサインする際のチェックの厳しさでは、おそらくドイツ人の右にでるものはないだろう。

商談は、しばしば非常に時間がかかるが、これはアラブ人やラテン・アメリカ人との交渉で話が進まないのとは意味が違う。ドイツでは、一つの案件に何人ものエグゼクティヴがさまざまな検討を加えるので、意志決定までに、とにかく時間がかかるのだ。また、ドイツ人相手にビジネスをするときは、はったりやイメージ戦略で臨まず、客観的な評価に耐えるデータ、具体的な数字をとりそろえておくことが必要だとされている。

そして、ようやく契約にこぎつけた段階でも、ドイツ的な慎重さとは何かがよく分かる象徴的な場面にでくわすことがある。本物の契約書にサインする前に、これまで検討を重ねて最終的に合意した契約書案と違う点がないかどうか、一字一句をチェックするために、両方の書類を一枚ずつ重ねて透かして確かめるのだ。そうやって一枚一枚にサインした契約書は、日本人が思うような契約書とは、重みがまったく違う。

ドイツ人ほどではないにしても、欧米人は、契約書にサインするときは、非常な慎重さをみせる。社印や収入印紙だけでなぜか安心してしまう日本人は、この点は、徹底して見習うべきだろう。アメリカ人は、ドイツ人と違って、交渉は個人の裁量で行なわれることも多く、ハイテンポでことが運ぶ。ただし、訴訟社会であること、またそれぞれの分野に専門の弁護士が大勢いるので、契約書の詰めはかなり厳しい。アメリカ社会でも、とくにユダヤ系の人は契約にシビアだと言われている。

イタリア人は、時間をかけて検討するとかで、交渉の運びはゆっくりとしている。ところが、ようやく契約書にサインという段階になって、突然、担当者が休暇に出かけてしまったりする。イタリア人は、よく、土壇場での変更を持ち出して、少しでも有利な条件を引き出そうとするそうだが、突然の休暇がそうした計算によるものなのか、ただ単にその担当者が無責任なのかは、その場で呆然としている日本人には分かる由もない。

中国人相手の交渉は、もっとたいへんだ。「慢慢的《マンマンデー》（ゆっくり、ゆっくり）」と言われた、かつての中国とはうってかわって、いまの中国人は時間に厳しく、ミーティングや宴席などに遅刻することをとても嫌う。

このあたりは日本人の感覚とあまり変わらないのだが、いざ交渉となると、徹底的に引き延ばしたり、粘ったりする。交渉期限を越えても、まったくまとまる気配がないということすらめずらしくはない。また、契約書にサインした後にも、まだいろいろと言ってくることがある。

ただ、かつては納期が遅れたりしても、契約書の免責事項を最大限に利用して、ペナルティを逃れようとすることがあったが、さすがに近年はめざましい経済成長とあいまって、国際感覚が定着してきたようだ。

割り勘と国民性

韓国の辞書には「割り勘」という単語はない。何人かで食事に行ったときには、そのなかの一番の年長者が支払うのがあたりまえなのだ。同僚と行ったときには、その日、一番懐具合のよい者が払うことになっている。もちろん、年長だからといっても、年をとって働かなくなった人も払わない。つまり、払える立場にあって、その場でもっとも優位と思われる人が全員におごる、ということだ。

日本で生まれ育ったある若い韓国人が母国へ行ったとき、友人となった仲間たちと飲み会を計画した。彼は日本式の学生コンパのつもりで、一人いくらと予算を考え、飲み会を開いたつもりだったのだが、いざ会計となったら、全員が礼を言うだけで、誰も払おうとしない。一番親しい友人に「割り勘のはずじゃないのか」と尋ねたら、そんな言葉は韓国にはない、と言われたというのだ。「飲み会でもやろう」と声をかけた時点で、その人が主催者となり、全額を支払うべき立場になっていたのだ。

ここで、もし強引に会費を求めたりしたら、韓国では「ケチ」どころか、「とんでもない非常識人間」と思われてしまうらしい。

これは韓国の人びとに「割り勘」の意識がないというよりは、韓国人の生活の根底にある儒教の教えが「割り勘」をよい行ないとはしていない、ということによるらしい。目上の者やわずかでも優位にある者が、他人をもてなすことが美徳なのである。ご馳走になったら、今度は自分が目下の者にご馳走すればよい。そう思えば、ご馳走してくれた人に借りをつくった、とは思わなくてもよいのだ。

Dutchという悪口

これは韓国ばかりではない。イギリス人もかつては割り勘を非常識な行為として軽蔑していた。

いまでは「軽蔑」とまではいかなくても、いわゆるDutch（オランダの、あるいはオランダ人の）を使ったいくつもの言葉に、そうしたことへの蔑視の歴史が刻まれている。

十七世紀の半ば、対スペインの独立戦争に勝利したオランダは、積極的に海外に乗り出し、東インド、南アフリカ、新大陸で大規模な植民地を獲得した。その頃、いまのニューヨークはニューアムステルダムという名前だったのである。

それから一世紀にわたって、イギリスとオランダは、植民地をめぐっての紛争を繰り返し、ときには、イギリスがオランダの攻勢に危機感をもつことさえあった。イギリスにもそうした長い忍従の時代があったのだ。

その不満を、せめて「悪口」で解消しようとしたのだろうか、この頃に、オランダ人の習慣を中傷するさまざまな表現が生まれている。

そのなかでも、代表的なのが、意訳すればすべて「割り勘」となるDutch treat、Dutch lunch、Dutch partyなのだ。オランダ人にしてみれば、貸し借りのない関係を保つための習慣であって、決してケチっているわけではないというのだが、イギリス人とはまったく相容れない考え方だったために、やり玉にあげられてしまった感じだ。（もっともDutch accountはどうも和製英語らしい）

このほかにも、Dutch courage（空元気）、Dutch concert（まとまりのない演奏、騒々しい）などなど、いい意味の言葉はほとんどない。しかし現在のイギリスでは、こうした言葉はほとんど使われていないという。

ちなみに、イギリス人が人を食事に誘うときは、Please, be my guest, tonight.（今夜は、君は僕のゲストだよ）といった言い方をするようだ。

イギリス人の衣裳哲学

私たち日本人にとって、スーツは、すでに日常の服装になっている。しかし紳士服が生まれた国の人たちから見ると、何だかちょっと着方の基本が違うのではないかという思いがあるらしい。

イギリスではもちろんだが、初対面の人と会うときには、イタリアやフランスの、いわゆるデザイナーズ・ブランドによるカジュアル・スーツは着ない方がいいという。欧米社会では、いわゆる定番のものが好まれる。また、背の高さや足の長さを考えずにアルマーニのスーツを着ているのを見ると、なぜこんな服をわざわざ選ぶのか、とびっくりするという。

もちろん私たち日本人にも言い分はある。スーツも、それが生まれた国を離れてしまえば、それぞれの国の解釈、着方のルールができるのは当然だ。何も伝統にのみ固執することもないではないか、と。

ただここでは、とにかく、彼らイギリス人たちの着方の基本をみておこう。

まず、どのスーツを選ぶかはともかくとしても、基本的な決まりとして、背広のボタンは必ず留めなくてはならない。はずしていいのは腰掛けるときだけだ。ということは、スーツは人前で脱ぐものではないということだ。そして、三つボタンのスーツは中ボタン、二つボタンのものは上が掛けボタンになっている。

上着の丈も決まっている。普通に立って、両手を下げたときに、親指が出るくらいがよい。長すぎても短すぎても、みっともなく見える。

ズボンは、ベルトよりサスペンダーで吊る方がよい。

ありがちな光景……

ベルトは、兵士が武器を携帯するためにつくられた実用本位のものなので、あらたまった席には、ベルト通しのないズボンで行った方がいい。ベルトのような無粋なものは身につけない、というわけだ。

同じ理由で、ヒップ・ポケットも、起源はアメリカ人が拳銃を入れるために考案したものだから、ポケットのないもの、目立たないものがフォーマルなときにはいい、ということになっている。当然、このポケットには何も入れない。

そして靴下は黒か紺。もっとも気をつけなくてはいけないのが、ソファーに腰掛けたとき、ズボンの裾があがっても、すね毛が見えないようにすることだ。また、靴下のロゴ・マークが見えるようなものも避ける。

ところが、二〇〇一年七月に小泉首相が訪英したとき、ブレア首相のズボンがずりあがって、すね毛が見えてしまったことがあった。これをテレビで見たイギリスの服飾評論家が、「決してあってはならないミス」と、厳しいコメントを加えていた。

以上がイギリス人の衣裳哲学だが、最近は、アメリカ発のＩＴ企業の影響を受けてか、服装についての感覚もだいぶ変わってきたようだ。

イギリスと同様、服装に保守的なドイツでも、最近では、カジュアル・シャツに半ズボンというスタイルで外国人をまじえたビジネス・ミーティングにあらわれるソフトウェア・エンジニアもいる。そうかと思えば、フランスでは、職場にバミューダ・パンツをはいていった工場労働者が解雇されたこともあった。

スーツの基本的な着こなしが多少違うと指摘される日本人としては、とりあえずは欧米のスーツの常識を知っておくことも必要だろう。背広という異文化の風習に倣っている私たちは、外国に行く場合はとくにオーソドックスにまとめておいた方が無難である。

ちなみに、私たちの感覚では、スーツというと、上着とズボンが一組になったいわゆる「背広」である。この語源は civil clothes（市民の服）であるとか、これを売り出した Savile Row の名によるなど、諸説あるが、そのあたりの歴史については、『スーツの神話』（中野香織　文春新書）にくわしい。

トレンチコートの肩飾りの謎

いまでは伝統的なデザインとして定着しているものも、もとはと言えば、実用品だったものが多い。英国軍が塹壕《ざんごう》で着ていたトレンチコートの肩飾りなども、かつては肩章をつけるためのものだったし、ボタンダウンのシャツも、前襟の左右、後ろの三カ所をボタンでとめるものは、ポロ競技のときに、襟がひらひらするのを抑えるためだったという。

そのような歴史を考えると、やはり、こうしたものをスーツに合わせるのはおかしいということになる。つまり、イギリス人から見ると、ボタンダウンのシャツにスーツというコーディネートは何ともちぐはぐなものにうつるらしい。

そうしたルーツを知っていれば、ボタンダウンのときの上着は、当然、スポーティーなものということになるというのだ。したがって、狩猟のときに着たツイードのジャケットが、このボタンダウンのシャツにマッチした服装となるらしい。

シャツについて、イギリス人が感じていることをもうひとつ。

それは、スーツの袖口とシャツの袖についてである。日本のビジネスマンのスーツ姿を見ると、スーツの袖のなかにシャツが隠れていることが多い。これでは、サイズ違いのシャツと服を無神経に着ていると思われかねない、というのだ。

確かに、テレビなどを注意して見ていると、チャールズ皇太子やブレア首相のスーツの袖口からは、シャツの袖がしっかりとのぞいている。スーツの袖口から一・五〜二センチほど見せることが本来の着方なのだそうだ。

もっとも、私たち日本人が驚くのは、まず、イギリス人があたりはばからずに大きな音を立てて鼻をかむこと、そして、何とそのハンカチを大切だというその袖口に平気でしまいこんでいることだ。

ところで、半袖シャツは、略式なので、スーツの下には着ない。東南アジアなどのように、蒸し暑いところでは、半袖シャツのイメージが強いが、ほとんどの国では、初対面のビジネスやフォーマルな席では、長袖シャツが当然だとされる。

そして、胸ポケットのないものを着る。この胸ポケットも、アメリカ軍の兵士が物を入れる必要から考案されたものだ。こうした背景があるので、ポケットのあるシャツを着ても、そこには、ペンなど、物は入れないのだという。

レジメンタル・タイとは

服装のなかで、私たちが意外と知らないものに、ネクタイについての常識、非常識がある。日本ではネクタイは、冠婚葬祭のときの黒か白以外は、ほとんどの人が自分の好みに応じて選んでいるのではないか。

しかし、ネクタイもまた、時と場所によって選ぶものだという。

ネクタイとスーツの組合せについてのこまかい約束事は、専門書にまかせるとして、ここでは海外、とくにイギリスではしない方がいいストライプのネクタイについて見ておこう。

そもそも、ネクタイの起源は、十七世紀の半ば、フランス王ルイ十四世の警護にあたったクロアチア（クラヴァト）の軽騎兵が、布を首に巻きつけたことからはじまった。それが、現代のような形になったのは、十九世紀の終わりになってからだが、フランス語では、その歴史を受けて、いまでもネクタイをクラヴァトとよぶ。

ストライプのネクタイはトラブルを招くこともある

つまり、クロアチア人の軽騎兵のネッカチーフは彼らのアイデンティティのしるしであり、単なる装身具ではなかったわけだ。こうした考え方はイギリスにも受けつがれ、ある種のネクタイのデザインは、特定の集団を象徴するものとして定着していった。

そのなかでも、レジメンタル・タイとして知られるストライプのネクタイは、十六世紀のイギリスの連隊旗（the regimental colors）に起源をもつものだ。いまでも、そうしたストライプは、イギリスの各グループのアイデンティティを示すものとして、さまざまにもちいられている。

たとえば、イギリス空軍のタイは、紺、白、えんじ、海兵隊は紺、赤、黄、オックスフォード大学は黒地に黄の組合せといったように、一目でその人の所属が分かるようになっている。

軍隊や大学だけでなく、州、OB同窓会、植民地などに、それぞれ独自のストライプ柄がもちいられているので、部外者が、それを締めていると、その団体の人間たちにとってはあまり愉快なことではない、というのだ。

縞模様の服

縞模様の服については、さらに意味深長である。

日本語でも、縞物（または島物）という言葉には、得体の知れないもの、何か自分たちとは違うものという意味があるが、英語でも、a person of a quite different stripe（まったく別の種類の人＝部外者、価値観や意見が合わない人）というように、縞（stripe＝ストライプ）が人の区別に使われていたことが分かる。

縞の服で、私たちがすぐに思い浮かべるのは、一昔前のアメリカの囚人服だろうか。そのほかにも、中世ヨーロッパでは、迫害の対象であったユダヤ人や罪人、道化師や旅芸人、隔離を必要とした病人、死刑執行人、売春婦、裏切り者のユダなどが縞模様の服と結びつけられていた。つまり、反社会的な人びとの模様として、長い間、意識されてきたのである。日本でも一時期は、ヤクザの制服と考えられていたようなこともあった。

その起源は、一説では、旧約聖書のレビ記に「二種の糸で織った衣服を身に着けてはならない」とあるので、これを縞模様と解釈したのだと言われている。

しかしいまでは、逆にその異和感をいかして、危険をしめす交通標識、横断歩道、スポーツウェア、制服、国旗などに使われている。縞模様のスポーツウェアのチームは手強《てごわ》いというイメージを相手に与えることができるというので採用されることも多いという。

また、先に述べたレジメンタル・タイほどではないが、タータン・チェックはスコットランドの氏族を象徴するものだったし、イギリス北部やアイルランド、北欧などの漁師たちの防寒具だったフィッシャーマンズ・セーターの編目模様も、家や地域などの特定集団を象徴するものだった。水夫たちは、その柄によって、流れついた水死人がどこの出身者かを見分けたのだ。

とにかく、服装には相手にはっきりとメッセージを伝えるという役割があるのだと考えておいた方がよいだろう。自分の好みというだけではすまされないときもあるのだ。

ウィンブルドン・テニスで五連覇したスウェーデンのビヨルン・ボルグは、あるとき、自分ではは何の悪気もなしにイスラエルの軍服を着たことがあった。しかし、その写真が新聞に掲載されてからほどなくして、アラブの過激派から死刑宣告《デス・センテンス》が、彼のもとに届けられたのだ。このときは、懸命な裏工作によって、難を逃れたのだが。

靴にも歴史あり

欧米人の感覚では、靴はベッドに入るまではいているものだ。

しかしこう書いてしまうと、彼らがまるで一日中同じ靴をはいているように思ってしまうが、ここでいう靴とは、履き物の総称としての靴 shoes である。彼らは、通勤には、歩きやすく疲れにくいもの、たとえばスニーカー、ウォーキング・シューズのようなものをはく。そして、オフィスでは、スーツに合わせた高級な靴をはく。そして自宅に戻ったら、室内履きにはき替える。オフのとき、パーティーのときなど、出向く場所によっても、はく靴を替える。

こうした感覚は、日本では、ほとんど意識されていないかもしれない。

日本の靴店には、実にさまざまなデザインの靴が並んでいる。専門店やデパートなどでは、最近は、かなり分類されているが、それでも、靴文化の国の人たちからみると、きわめて雑多に何でもかんでもが並べられているように見えるという。彼らの目には、私たちの感覚でいえば、ハイヒール、下駄、草履、雪駄、スリッパ、かんじきなどがごちゃ混ぜに置いてあるように見えるのだろうか。

一九四〇年代にアメリカで生まれたローファーの靴は、一九五〇年代のアイビー・ブームとともに人気をよび、いまではすっかり定着している。

しかしローファーには、不精者、怠け者という意味があるように、靴の種類としては、あくまでも slip-on または step-in（つっかけ靴）なのである。

だから、どこのブランドのものだろうが、スーツのときにははかない。

スーツを着るときには、紐つきの靴（オックスフォード）を選ぶ。それも、シンプルな飾りのないもの（プレイントウ）よりは、甲の部分に横一文字の飾り紐がついたストレートチップのものがフォーマルな場では好まれるようだ。そしてその飾り紐には、飾り穴などがない方がよりフォーマルだという。

紐つきの靴のなかには、甲の部分に、小さな飾り穴がたくさんついた靴（ウィングチップ）がある。

ローファー

オックスフォードの
ストレートチップ

ウィングチップ

モンクストラップ

靴にこうした穴を開けたのは、雨の多いイギリスの風土にその起源がある。また、穴飾りの模様は、ヨーロッパでは、貴族の紋章などをモチーフにしたものが多いが、アメリカ製、日本製のものはほとんど自由にデザインされたものだ。

口ひげとあごひげ

中東のアラブ諸国へ赴任する人びとがよく受けるアドバイスに、「向こうで仕事をうまくこなしたいなら、ひげをはやし、太ること」というのがある。

私たちにとっても、アラブの男のイメージは、ひげをたくわえた、褐色の顔であろう。しかも、ひげがないのは女性と宦官だとされてきたところがあるので、ひげがあるだけで何となく男らしさを表現することができる。また、太った人は、度量があるという印象を与えるものらしい。

しかし、彼らがひげと立派な体格を重んじることには、もう一つの理由がある。

彼らは、預言者ムハンマドの言行を重んじ、彼の伝承を生きた手本とするのだが、ひげや立派な体格は、ムハンマドがそうだったからだ、と言うのだ。

太っていることはさておき、ひげについて、もう少し見てみよう。

ただ、一口に「ひげ」と言っても、ムハンマドがたくわえていたのはあごひげだったと言われている。彼は、その言行の記録ハディースのなかで、「口ひげは刈り、あごひげは伸ばせ」と語ったとされている。

現代の典型的なエジプト人男性　口ひげが一般的。伝統的な長い貫頭衣ガラビーヤは都市部ではめずらしくなってきた。

ムハンマド・アリー　19世紀前半のオスマン帝国支配下のエジプト総督。豊かなあごひげをたくわえている。

イスラーム原理主義者を逮捕　口ひげの警官、あごひげの原理主義者をあらわしたエジプトの風刺画。　アル＝アハラーム新聞、1981年9月10日

しかし、あごひげのあるなしが、宗教上とくに大きな意味をもっているわけではないので、どちらのひげをのばそうと、あまり問題にはされないようだ。イラクのフセイン元大統領も、口ひげはあっても、あごひげはない。

だが、エジプトでは、ムハンマドにならってあごひげをたくわえた人物には、イスラーム原理主義者が多いとされている。革命時のイランでも、口ひげとあごひげの両方をたくわえるのが革命派のしるしだった。

最近のエジプトでは、ひげを剃る男性が増えてきている。

サダト大統領には口ひげがあったが、ムバラク大統領は口ひげもあごひげもはやしていない。彼の人気もあるのだろうか、ひげ面の役人も少なくなってきたし、カイロ市内では、若者の多くがひげをきちんと剃るようになった。彼らにひげのことを尋ねてみると、「最近はカイロでもいい電気かみそりが安く出回るようになってきたからね」と、屈託のない返事が返ってきた。

肥大化するダイエット産業

アメリカの理想のカップルは、よくアメリカン・フットボールのクォーター・バックとチア・リーダーにたとえられる。ともに、若くて健康で、男性は強くたくましく、女性は美しくということだろう。

また、アメリカの白人社会の価値観でいえば、背が高くやせた白人男性がエスタブリッシュメントを形成すべきだ、ということになるらしい。この、背が高くやせているという理想的体型にこだわるアメリカ人は非常に多い。背が高い男性の方が、離婚した後も若い女性と再婚する確率が高いという統計さえあるほどだ。

社会的地位の高い男性は常に自己管理能力を問われるために、体型維持を意識せざるをえない。引き締まった腹筋は、タバコをすわないこととともに、いまやエグゼクティヴの条件だといってもよい。

女性の場合も、スーパーモデルの体型が理想とされることはいうまでもない。強迫観念めいた信念をもって痩身に励む女性が多いのは日本と同じだ。

しかし実際には、男女ともに、肥満に分類される人の割合は、日本よりはるかに高い。アメリカのダイエット産業は、太っている人たちから、そして太るのを恐れる人たちから、莫大な利益を吸い上げている。

だからアメリカでは、久しぶりにあった人に、日本的な感覚で、「ちょっと太ったんじゃない？」などと言うことは、冗談にもならないので口にしてはいけないという。

ダイエットやエクササイズへの関心はイギリスでも高いが、ヨーロッパも南の方に行くと、食の楽しみが優先され、ダイエットに血道をあげる人たちはぐんと少なくなる。成人病の予防についても、フランス人は「赤ワインを飲んでいるから大丈夫だ」と言い、イタリア人は「オリーブ・オイルをたくさん使うから心配ないよ」と言って、すましている。

体毛と歯並び

アメリカ人は、体型にはこだわるが、ヨーロッパ人ほど伝統的な服装にはこだわらない。そのかわりというわけでもないだろうが、彼らは自分の肉体や態度が人の目にどううつるかを非常に気にする。背が高くて痩せているということのほかに、髪が豊かできちんとセットされているかとか、歯並びがよいか、体臭がしないかなど、若くて健康に見えることに、男女ともに気を使う。若くて健康で、金持ちであることだけがアメリカ人の究極の幸せなのだ、とよく皮肉られるが、これはけっこう当たっているのではないか。

若さと美しさへの執着は、程度の差こそあれ、ほぼすべてのアメリカ人女性を支配しているようで、二〇〇〇年の一年間だけで、国民の約二パーセントにあたる五百万件の美容外科手術がなされたという。

脱毛にも熱心で、すね毛をそらないと同性愛者《レズビアン》ではないか、と勘ぐられることすらあるという。脱毛は、日本でも女性の身だしなみとなっているが、女性の体毛をタブーとするのはごく最近の英米の風潮で、ラテン諸国やスラブ諸国の女性は、いまも体毛をあまり気にしないようだ。それどころか、フランスなどでは、体毛が豊かな女性はむしろエロティックだとみなされるようだ。スペインやイタリアでも、腕や脚をつるつるにした女性はあまり見かけない。

またアメリカでは、きれいな歯並びは生まれ育ちがよいことのしるしだとされている。

長年にわたる歯列矯正にはかなりの費用がかかるが、親たちは多少無理をしても、必ず子どもを矯正歯科に連れていく。そうしないと、子どもが大きくなったときに、暮らし向きに余裕のない家庭に育ったと思われてしまうからだ。ヨーロッパでも最近は、この傾向が強くなってきたという。

八重歯がかわいいと言われた時代に育ったある日本人が、中米に赴任していたとき、親しい友人から「あなたは大学出なのに、なぜ歯列矯正をしなかったのか」と聞かれたり、パーティーで知り合った歯科医に「すぐに矯正してあげるから、ぜひ、僕のところへ来るように」と言われて、閉口したという。

レディーファーストとセクハラ

かつて欧米は一様に、「レディーファーストの国」とよばれていたが、いまでは、それも共通の常識とはなっていないようだ。

たとえば、アメリカやオーストラリアなどでは、レディーファーストをあまり意識しなくてもよくなりつつある。しかし、フランスやイタリア、スペインやラテン・アメリカの白人社会では、この習慣はまだ生き残っているようだ。

アメリカなどでは、フェミニズムの激しい流れのなかで、レディーファーストは、むしろ悪しき因習と考える女性もあらわれてきた。書類の山を抱えた女性に「自分が持とうか」と声をかけても、断わられることさえある。とくに専門職についているようなプライドの高い女性は、芝居がかったレディーファーストを嫌うらしい。古い常識はどんどん変わってゆく。

レディーファーストが美風か悪習かはともかくとして、それを拒む女性が多い国ほど、セクシャル・ハラスメントには敏感なように思える。

こちらは、いまや、レディーファーストよりはるかに深刻な問題で、何もかもがすぐ訴訟につながるアメリカでは、日本企業を震撼させる事件がいくつも起こっている。職場での上司という立場を利用して言い寄ったり、相手の身体に触るというような単純な事件はさすがになくなったが、「週末はどうしてたの?」という挨拶さえ、場合によっては、セクハラとされるようになってきたのだ。

しかし、イタリアやスペインなどでは、この問題に、それほど神経質になる必要はない、と言われている。

もちろん、立場を利用して無理に女性を誘うなどというのは論外だが、親しみを込めた冗談がセクハラととられる可能性は、英米よりはるかに少ない。とにかく、女性には誘いをかけるのが礼儀と思っている男がいまも多く、日本人が聞いたらうんざりするようなほめ言葉を平気で連発する。また女性の方も、相手をじらしながら気をそらさないテクニックを駆使して、たがいに恋愛遊戯を楽しんでいるようなところがある。

ただしこうした地域では、セクハラをさほど気にしなくてもよいかわりに、レディーファーストは健在、と考えておいた方がいいだろう。

中東のイスラーム圏では、女性が表に出てこない男性社会と思われがちだが、レディーファーストの国と言った方がいいようだ。外国人に対して比較的オープンなエジプトやトルコでは、日本での習慣のまま男性が先に先にと行動すると、やさしくない人ですね、と注意されることもある。

スポーツのなかの階級差

二〇〇二年開催のサッカー・ワールドカップの際、フーリガン保険なるものが、日本でもつくられた。フーリガンという言葉は、あるアイルランド人の名前に由来すると言われるが、荒っぽいファンの存在は別にしても、もともとサッカーはイギリスでは、庶民のスポーツとされてきた。つい最近までは、大学卒のサッカー選手などはいなかったのだ。

富裕層の子どもが進学するパブリック・スクールでは、サッカーがスポーツ教科にとりいれられてはいるものの、上流階級の人間は、元来、サッカーやホッケーなどにはあまり夢中にならないものだとされてきた。

今日、世界中で人気の高いスポーツ、つまりサッカー、テニス、ゴルフ、卓球などは、すべてイギリスで発展した。また、いまでは、有閑階級のスポーツとされているクリケットは、もともとはイギリス南部の農民の遊びだったが、その頃、貴族はむしろ農民たちのパトロンとしてその発展を支えたのだった。

マナーにうるさく、費用がかかるというイギリス的なスポーツの特徴を備えているゴルフだが、これもまたイギリスでは、どちらかといえば中流階級のスポーツだ。貴族に言わせれば、「広大な領地があるのに、なぜ、わざわざゴルフコースにまで行かなければならないのか」ということになるらしい。

では、イギリスの貴族が好むスポーツは何かというと、狩猟、射撃、釣りである。

また競馬は、馬を育て、賭けて楽しむ「スポーツの王様」だ。エリザベス女王やアラブの王族たちも出席するロイヤル・アスコット競馬は、上流の人々が華やかに着飾って集う社交の場としても名高い。

大リーグのルールブックにないルール

野茂にはじまり、イチロー、松井秀喜と、野球の本場アメリカでの日本人選手の活躍は、連日のようにニュースを賑わせている。日本の野球が本場でも通じることが分かり、日本人としては喜ばしい限りだが、どうも大リーグには、日本の野球とは違う常識があるようだ。

野球は、イギリスのクリケットがラウンダーズという球戯に変わり、そこから生まれたという説が有力視されている。一八四五年には、ニューヨークにニッカーボッカー野球協会という最初の野球チームができ、新しい規則の制定も行なわれた。そして一八六九年、プロ野球チームが結成されて以来、野球はアメリカ各地でさかんに行なわれるようになった。

日本へは、一八七三年、大学南校（のちの東京大学の一翼を担う）の生徒がアメリカ人教師らに教わったことにはじまるという。そして一八七八年、アメリカから戻った平岡熙《ひろし》が、日本ではじめて新橋倶楽部という野球チームを結成した。

野球は、日本の歴史では武士の時代が終わり、西欧化が進められるなかで導入されたスポーツである。しかし、一七八三年にイギリスから独立が承認され、開拓時代がはじまったアメリカでは、野球は国の歩みとともにあった。日本でもしばしば、勝負事は武士道に通じるものとして語られたりするが、アメリカ人にとっても野球は、開拓時代の銃をバットとボールに持ち替えただけで、決闘の精神そのものだという。だから、ルールがどうであれ、瀕死の相手に追い討ちをかけるのは卑怯な行為とみなされるのだ。

全米のスポーツ・ネットワーク「ＥＳＰＮ」は、二〇〇一年七月三十日と三十一日の両日、「スポーツセンター」という番組のなかで、このことに触れていた。きっかけは、七月二十九日のサンディエゴ・パドレス対ミルウォーキー・ブリュワーズの試合で、パドレスが十二対五と大きくリードしての七回、パドレスの攻撃でリッキー・ヘンダーソンが出塁、すかさず盗塁を成功させた。

しかしこの盗塁に対して、ブリュワーズのロペス監督が「記録のためとはいえ、こんなことをすべきじゃない。選手生命にかかわるぞ！」と痛烈に批判したというのだ。

一般的な盗塁は、投手が捕手に球を投げたときにするものだが、この場合は、投手の投げた球を捕手が受け、この球をゆっくり投手に返球したので、そのすきに盗塁したのである。イチローも二度ほどこうしたプレーをして相手チームの反感をかい、意図的ともとれる死球を受けた。盗塁ではないが、新庄もメッツ時代に、味方が大量リードしているときに、スリー・ボールから打って出たことで、死球の洗礼を受けている。それは、ときにはチーム・メートからも批判されるようなことだという。

もちろん、こうしたプレーは、ルール上は何の問題もない。本来なら作戦成功ということなのだが、よほどの接戦でもない限りこういうことはしないというのが、アメリカでは、少年野球の頃からの常識なのだ。チープ・プレー（せこいプレー）として軽蔑されてしまうからだ。

勝負がすでについているような試合で、勝っているチームの選手が盗塁をしても、一塁手がベースから離れて守っていたり、誰も二塁ベースのカバーに入らなかったりしたら、それは盗塁として記録されないこともある。

この点、日本の高校野球では、どんなに点差があっても、最後まで死力を尽くすことが求められ、これに対して手抜きのプレーをすることは失礼だとされているのだから、日米では学校教育の段階から教えられることがすでに違っている。

ノーヒット・ノーラン、完全試合を阻止するためにバントをして動揺させるようなこともしてはいけない。このあたりは、私たちにも共感できる。松井秀喜選手も高校時代、甲子園で連続して敬遠され、大きな社会問題となったこともあった。

　このほか、大リーグの常識としてやってはいけないことに、ホームランを打ったあとに白い歯を見せながら走ったり、ガッツ・ポーズをしたりすることがある。これは、相手の投手を侮辱したと受け取られる。巨人軍にきていたクロマティなどは、日本ではホームランを打ったときのパフォーマンスが有名だったが、本国では決してしなかったという。

　反対に、しなくてはならないのは乱闘に参加すること。味方を見捨てるな、である。

　番外編としては、アメリカの野球を見ていて、彼らが噛み タバコをクチャクチャとやり、やたらとつばを吐く姿が気になっている方も多いと思うが、これも彼らが戦う者として、自分の強さをアピールするためのパフォーマンスなのだそうだ。グラウンドのなかだけで見られる姿だ。

　日本人選手がメジャー・リーグに進出しはじめたことで、アメリカ人の考え方の一面も見えてきた。ここで紹介したようなことは、野球のルールが明文化される以前のアメリカ人のプライドにかかわる常識だったのである。

平均寿命の国際比較

2001年8月現在、厚生労働省から発表されている資料による。

	国または地域	作成基礎期間	男	女	人口
アジア	日本	2000	77.64	84.62	1億2558万人
	イスラエル	1998	76.1	80.3	596万人
	インド	1991-1995	59.7	60.9	9億7093万人
	インドネシア	1995-2000	63.3	67.0	2億291万人
	韓国	1997	70.56	78.12	4643万人
	シンガポール	1998	75.2	79.3	387万人
	タイ	1995-2000	65.8	72.0	6120万人
	中国	1990-1995	66.7	70.5	12億5570万人
	(香港)	1999	77.2	82.4	669万人
ヨーロッパ	アイスランド	1998-1999	77.5	81.4	27万人
	イタリア	1999	75.8	82.0	5737万人
	イギリス	1997-1999	74.84	79.77	5865万人
	オーストリア	1997	74.3	80.6	808万人
	オランダ	1995-1996	74.5	80.2	1569万人
	スイス	1998	76.5	82.5	711万人
	スウェーデン	2000	77.38	82.03	885万人
	チェコ	1998-1999	71.24	77.93	1029万人
	デンマーク	1996-1997	73.3	78.4	530万人
	ドイツ	1997-1999	74.44	80.57	8202万人
	ノルウェー	1999	75.62	81.13	443万人
	フィンランド	1999	73.7	81.0	515万人
	フランス	1998	74.6	82.2	5885万人
	ロシア	1995	58.3	71.7	1億4711万人
北・南アメリカ	アメリカ合衆国	1998	73.8	79.5	2億7056万人
	カナダ	1998	76.1	81.5	3025万人
	プエルトリコ	1990-1992	69.6	78.5	386万人
	メキシコ	1995-2000	69.5	75.5	9583万人
	アルゼンチン	1990-1992	68.4	75.6	3567万人
	ブラジル	1997	64.7	70.9	1億6179万人
その他	エジプト	1996	65.1	69.0	6598万人
	ナイジェリア	1995-2000	48.7	51.5	1億641万人
	オーストラリア	1998	75.9	81.5	1875万人
	ニュージーランド	1995-1997	74.3	79.6	379万人

＊日本については平成12年10月1日現在推計人口

第5章 子どもと大人の境界線

チェスケー・ブデイヨヴィツェ 1265年、ボヘミア王国のプジェミスル・オタカル2世が建設。16世紀には塩、銀の取引で繁栄。醸造業もさかんで、町の名にちなんだビール、ブジェヨヴィツェのドイツ語名はブドヴァイザー。有名なアメリカのバドワイザー・ビールの名はここに由来する。 チェコ

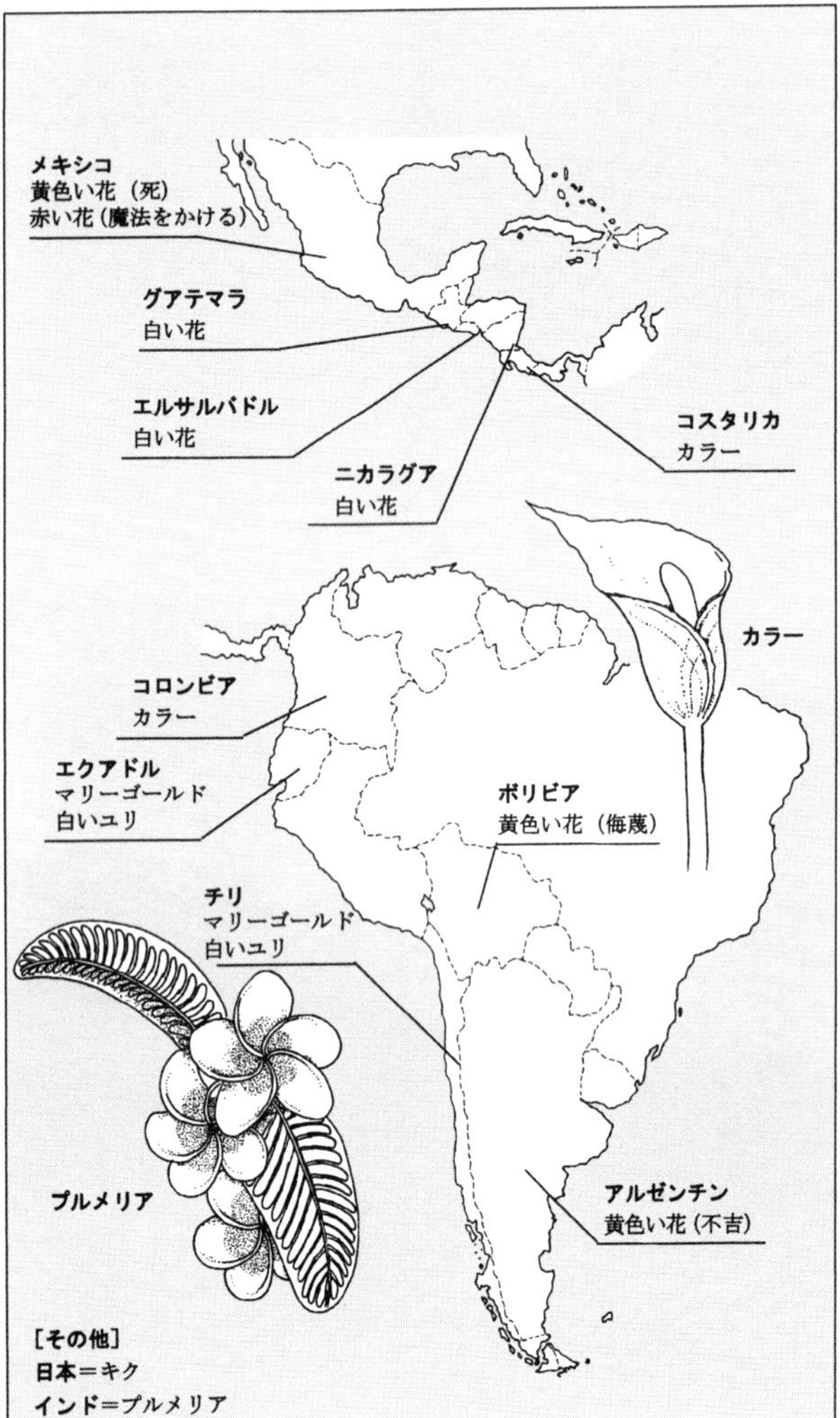
メキシコ
黄色い花（死）
赤い花（魔法をかける）
グアテマラ
白い花
エルサルバドル
白い花
ニカラグア
白い花
コスタリカ
カラー
カラー
コロンビア
カラー
エクアドル
マリーゴールド
白いユリ
ボリビア
黄色い花（侮蔑）
チリ
マリーゴールド
白いユリ
プルメリア
アルゼンチン
黄色い花（不吉）
［その他］
日本＝キク
インド＝プルメリア

贈り物には適さない花

ヨーロッパやラテン・アメリカでは、一般に、紫や白い花、白いユリ、カラー、キクやマリーゴールド、ダリアは葬式の花である。また黄色い花は侮蔑、不貞をあらわすとして、嫌う地域も多い。赤いバラは、ほぼ世界中で愛情をあらわす花として知られているので、贈る相手を間違えてはいけない。

とくにコメントのないものは、葬式用の献花に使われるので、贈り物には適さない花である。

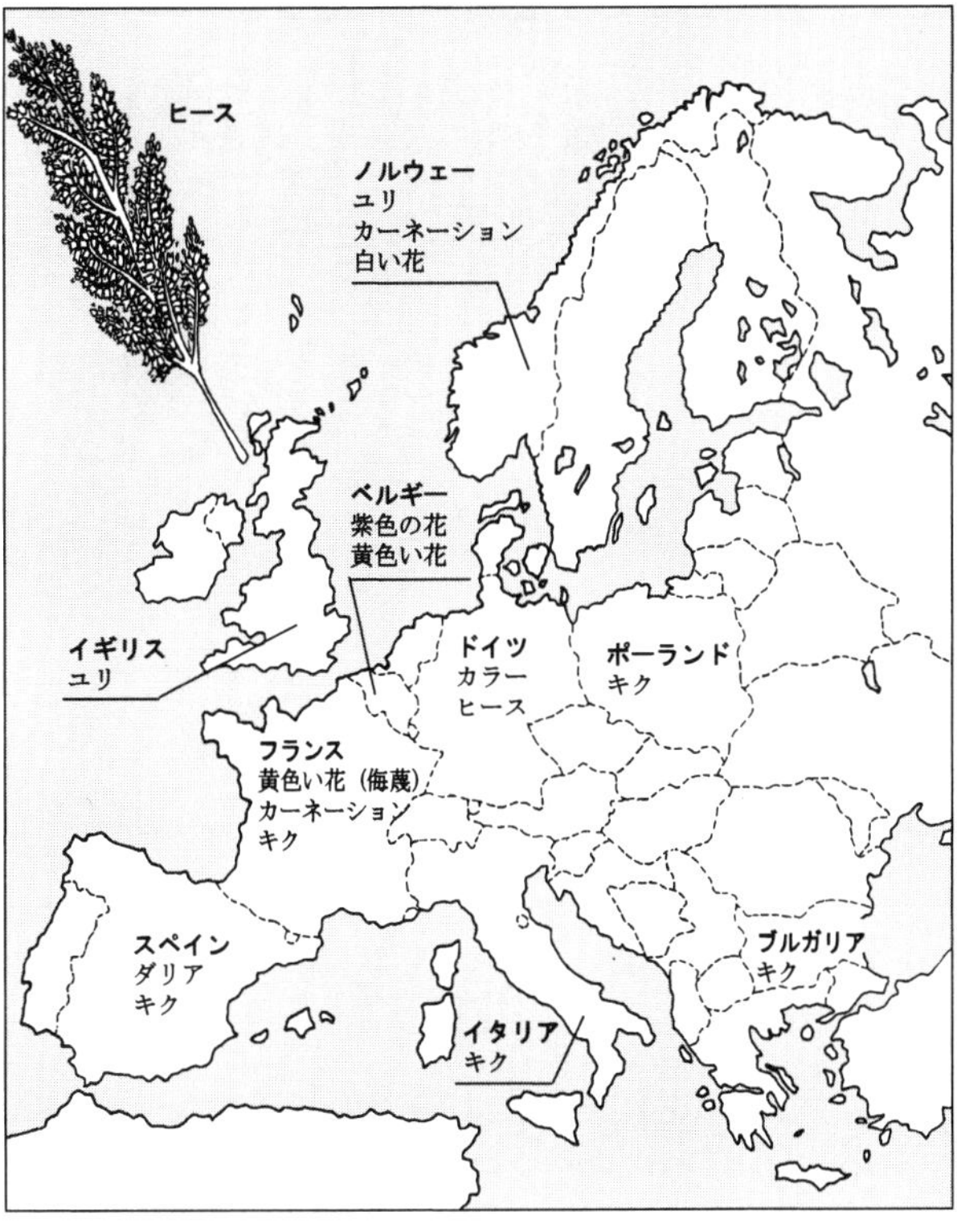

大人への道

欧米人の子どもは、ときどき、驚くほど成熟が早いように見えることがある。

日本では、高校を卒業する十八歳、あるいは、二十歳あたりを大人へのスタートラインとしているが、ほかの国では、大人と子どもはどこで分かれるのだろうか。

アメリカでは十六歳の誕生日が大きな節目となる。この日には、友達を大勢招いてパーティーを催すことが多いし、女の子の十六歳の誕生日は「スウィート・シックスティーン」とよばれ、その日を境にデートの門限をなくす家庭も少なくない。

多くの州で、十六歳で車の免許が取れることも、彼らの「一人前」意識を大いに刺激するようだ。公共の交通機関が少ないアメリカでは、車は第一の生活必需品で、自分で運転できるようになるまでは、どこへ行くにも母親かまわりの大人の世話にならなければならない。だから、免許をとって一人で好きなところへ行けるというのは、自立への大きな一里塚《マイルストーン》なのだ。

またアメリカには、高校や大学で催されるプロムというダンスパーティーがある。これはヨーロッパの社交界デビューといったようなものだ。

ただヨーロッパのデビュタント（社交界デビュー）が、上流階級の子女に限られるのに対して、アメリカのダンスパーティーは、正装さえ用意できれば、誰でも参加できる。高校二年生のための「ジュニア・プロム」や卒業生のための「シニア・プロム」は、男子はふつうタキシード、女子はロングドレス着用で、大人としてのマナーを試される場だ。そういえば、映画「バック・トゥ・ザ・フューチャー」や「ウエスト・サイド・ストーリー」では、ダンスパーティーがティーンエイジャーにとっての最大のイベントであることを印象づけるような場面があった。

結婚という形式への疑問や抵抗も出てきたというが、欧米社会の大勢は、いまも男女のカップルを基本の単位とする。

たとえ形だけでもパートナーを得て、それ相応のマナーでふるまえるかどうかは、日本人が想像する以上に、大人としての重要な条件とされているようだ。それでも、子どもと大人の境目がはっきりしなくなってきたのは、欧米諸国も日本と同じだという。

しかし、大学生の自立度ということになると、やはり差がでてくる。

アメリカの大学生は、たとえ家から通える大学があったとしても、わざわざ家から遠く離れた大学を選んで、入学と同時に家を出るのがふつうだ。大学どころか就職後も家にいて、結婚するまで「パラサイト・シングル」を続ける若者の多い日本とは、だいぶ事情が異なる。

イギリスでも、大学への入学、就職は自立の時期と考えられているので、たとえ同じ町に住んでいても、離れて暮らすのが常識とされている。

ただイタリアなどでは、男の子は母親への依存度が非常に高く、心理的にも、なかなか離れられないらしい。スキー選手のトンバなども、母親が危いからというので、回転・大回転よりスピードの出る滑降には参加しなかったのだという。

ラテン・アメリカ諸国では、女子が十五歳の誕生日を迎えると、教会でのミサの後、「キンセアーニョス」という大規模なパーティーを催す習慣がある。

これは事実上の成女式で、上流階級の子女にとっては、社交界へのデビューの意味もある。そのため、新聞の社交欄にとりあげられることもある。

結婚披露宴のような豪華なパーティーが催されることもあるので、もしこうしたパーティーに招かれたら金のアクセサリーや花束などたずさえてお祝いに参加するのが常識だ。

なお、余談だが、誕生日を祝うというのは西洋的な習慣にすぎない。日本もかつてはそうだったように、生まれた日が特別な意味をもたないという人々は、世界中に大勢いる。

また、女性の場合、結婚や出産を機にようやく一人前とみなされる社会も多い。ヒンドゥーの女性は結婚が宗教的義務であり、アラブの女性は子どもを産んで、はじめてハリーム（既婚女性）の一員として認められるのである。

バンジージャンプ

どこの社会でも、誕生、成年、結婚、死といった人生の節目には「通過儀礼」とよばれる何らかの儀礼的習慣が行なわれる。なかでも、成年式や宗教集団への加入式などでは、とくに、死と再生を象徴する儀式が行なわれたり、新しい服や名前が与えられるなど、多くの社会にかなりの共通性がみられるという。

割礼や抜歯、入れ墨など、肉体的苦痛や精神的緊張をともなうこの種の儀式は、世界中にある。たとえば、バンジージャンプというスリル満点のレジャーがあるが、その起源はメラネシアのバヌアツ北部のある島の、豊饒祈願と成年式をかねたような伝統的儀礼にある。この村の男子は、小さい頃から飛び降りる訓練を重ねる。そして高さ二十メートルから三十メートルもあるやぐらの頂上から、足首につるを巻きつけて宙に身を躍らせるという試練を達成したときに、大人の仲間入りをするのだ。

現代社会のほとんどの地域では、このような危険や苦痛をともなう成年式はほとんど認められず、さきにも記したように、ダンス・パーティーや大学への入学、特定の年齢の誕生日などが成年式の代わりとなっているわけだが、宗教集団への加入式の方はさまざまな宗教、宗派で行なわれている。

キリスト教社会で言えば、堅信礼がそれにあたる。キリスト教徒の子どもは生まれるとすぐに、幼児洗礼という最初の儀式（秘蹟）でキリスト教社会の一員となり、同時に洗礼名が与えられる。その後、カトリックでは子どもが七歳頃になると、第二の秘蹟である「堅信礼」を受けさせる。この儀式によって子どもには、聖体拝領を受ける資格ができる。つまりミサのとき、キリストの「体」である丸い小さな「聖なるパン」をもらえるわけだ。

男子なら蝶ネクタイ、女子なら白いドレスなどで着飾った子どもたちの晴れがましい姿は、ちょうど日本の七五三を思わせる。堅信礼のあと、おおがかりなパーティーを催すことも多く、両親にとってはこのための出費はばかにならない。

ちなみにプロテスタントの諸教会では、一般的に、子どもが自分の意志で信仰を表明できるくらいに成長してから、堅信礼、もしくは信仰告白式が行なわれる。

またユダヤ教では、十三歳に達した男子のための「バルミツヴァ」という儀式と、十二、三歳の女子を成年会員として認める「バスミツヴァ」という儀式がある。アメリカのユダヤ系の家庭などでは、バルミツヴァにともなって盛大なパーティーを催すことがある。こうしたパーティーの招待を受けたら、相当な額のお祝いを用意しなければならない。また、お祝いはあらかじめ送り届けておくのが礼儀にかなうともいう。

もし子どもの頭をなでたら

日本では、小さい子どもに「いい子だね」などと言いながら、頭をなでることがある。しかし、これが許されない社会もある。たとえば、イスラーム教徒にとっては、頭は神聖な場所とされているので、他人がなでるなど、とんでもない行為なのだ。うっかり現地の子どもの頭に手を触れようものなら、母親が血相を変えてとんでくる。

イスラームを国教とするマレーシアでは、外国人が不浄な左手で子どもの頭をなでたために訴えられた、ということさえあるのだ。マレーシアでは、頭をなでるかわりに、優しくほっぺたをつねってかわいいという表現をするが、いずれにせよ外国では、子どもにはむやみに触れたりしない方が無難である。

同じイスラーム圏のインドネシアやアラブ諸国でもそうだが、タイの仏教徒やインドのヒンドゥー教徒にとっても、頭はやはり神聖なところとされている。東南アジア、南アジアの多くの国でも、頭は、他人が手を触れるようなところではないのだ。またインド人にとっては、耳も神聖な場所なので、冗談半分にせよ、子どもの耳を引っぱったりしてはいけない。

さて西洋社会では、子どもは、かなり早い時期から親との分離独立をうながされるような環境で育つ。そこでは、大人文化と子ども文化がはっきりと線引きされている。

ヨーロッパ人の多くは、徹底して、大人の社交の場を守る。

ドイツやフランスはこのあたりがとくに厳しく、子どもが大人のパーティーに連れていってもらえることはまずあり得ない。またオペラなどは、子どもは騒ぐからという理由ではなく、単に子どもだからという理由で、入場できない。格式のあるレストランなども、子ども連れではほとんど入れないし、公共の場で、子どもが大声でも出そうものなら、とたんに非難の集中砲火を浴びる。

もっともスペインのように、ホームパーティーでは、子どもも夜更けまで続く大騒ぎに参加するのがあたりまえといったような国もある。またイギリスでも、最近は、子ども連れでも入れるパブが普及しているので、ヨーロッパではと、一言で片づけるわけにはいかないのだが……。

アメリカ人は、大人の社交に子どもを参加させるのはおかしいと考えているので、ホームパーティーに招かれたら、子どもの世話をベビーシッターにまかせて、夫婦二人で出かけるというのが常識だった。だが最近は、友人同士の気軽なパーティーなら、子どもたちがちょこちょこ顔を出すことも珍しくない。ちなみにアメリカでは、子どもに一人で留守番させると、幼児虐待とみなされる。

プレゼントには向かない花

日本では、人の家を訪問するときには菓子折りなどを手みやげにすることがあるが、他の国ではどうだろう。もともと、手みやげをもっていく習慣がない国も多いが、もし何かもっていきたいのだとしたら、たぶん、花がもっとも無難だろう。

ただし、国によっては、贈り物に適さない花もある。

たとえば日本では、キクは仏前に供えられる花だが、欧米諸国の多くも同じで、キクのほか、キク科のマリーゴールドやダリアも、葬式の花とされている。また白いユリも、葬式の献花に使われるために、贈り物には向かない。

色でいえば、紫の花が葬式用とされる国がかなり多い。また黄色の花は侮蔑や不貞をあらわすとされて、嫌われる地方もある。赤いバラは、どこでも最高の贈り物と考えられがちだが、これは特別な人への愛情表現だったりするので、贈る相手を間違えないことだ。

欧米では、花束は、十三本以外の奇数にするのが基本だ。豪華な花束は、パーティーのときなどにもっていくと、花瓶に活けるのに時間がかかるので、事前に送っておいた方が喜ばれることもある。

こうして、花についての決まり事を列挙してゆくと、ずいぶん面倒くさそうにも思えるが、花屋に目的と予算を言ってまかせておけば、まず間違いはないだろう。たとえばフランスで、「知人に男の子が生まれたのでお祝いに」と言えば、たいていの花屋は淡いブルーの小さな花束をこしらえてくれるはずだ。

「旅する本」とは?

花の次に、誰にでも喜ばれるのは、チョコレートだという。とくに、ベルギー産の高級チョコレートなら、ちょっとした贈り物としても申し分ないし、相手を選ぶこともない。

ところで、もし日本にいる外国人が羊羹《ようかん》をもって来たら、私たちはちょっと妙な感じがしないだろうか。

それと同じで、牛革製品が山ほどあるアルゼンチンの人に牛革の財布などを贈ったりしたら、それこそ間が抜けたプレゼントということになってしまう。またフランス人は、自分たちは世界一のワイン通だと思っているから、生半可な知識でワインを贈ったりしない方がよい（しかも、それがカリフォルニア・ワインだったりしたら、著しく心証を害することになるだろう）。

しかしベルギー人に対して、ベルギー産のチョコレートを贈ることは、不自然でないどころか、かなり喜ばれる。

フランスの場合は、その他の贈り物として、本やCD、画集など、知的好奇心をくすぐるものが歓迎されるらしい。

ドイツ人もベストセラーの本をよく贈り物にする。以前、誰かに贈ったのと同じ本が、別の人からプレゼントされたりすると、ドイツ人は、これを「旅する本」と言ったりするという。

置き時計を贈って怒られた

では逆に、贈り物にしない方がいいものは何だろう。まず、各地で共通して嫌われるのが刃物である。刃物は、友情を断ち切る、とされるからだ。たとえば、ラテン・アメリカやインドネシアでは、ナイフは贈り物にしてはいけない、と考えられている。

ウシを聖獣としているヒンドゥー教徒へは、カバン、ベルト、靴、キーホルダーなど、種類を問わず、牛革製品を贈ってはいけない。それどころか、彼らと会うときは、これらの品を身につけて行かない方がいいとさえいう。

中国では、置き時計や掛け時計を意味する「鐘」の発音が「終」に通じ、これを贈ることは臨終をみとるという意味にとられかねないので、贈り物にはしないことになっているという（腕時計は「表」なので問題ない）。傘にも同じような理由があるのでやはりだめ、ハンカチも葬式を連想させるので、贈り物にはしないようだ。

しかし現在は、こうした縁起かつぎにはあまりこだわらない世代が増えてきている。

それなら、日本らしい土産物は喜ばれるかというと、必ずしもそうとはいえない。

一般に、ちょっとした和風の小物などは女性には評判がよいが、日本人形や羽子板、こけし、浮世絵の複製のようなものは、飾り場所に困ってしまうというのだ。とくにヨーロッパの人は家を自分の城と考えているので、インテリアにこだわる傾向が強い。趣味に合わないものをもらっても、かえって迷惑なのだ。また韓国人は、高麗人参をどこの国の人にもよくおみやげにするが、ほとんどの人が使わずにしまいこんだままで終わってしまうという。

なおアジアでは、贈り物をその場であけるのは慎みがないとされるが、欧米社会ではすぐにあける。アメリカ人は、包装紙をバリバリと派手に破ってむしりとるが、これは彼らにとっては、別に不作法なことではない。ただ、少々荒っぽいだけなのだ、文化的に。

ちなみに多くの国では、デパートや店が独自の包装紙をもつという習慣があまりないので、日本のオリジナルな包装は素晴らしいという人も多い。

偶像崇拝と日本人形

イスラームの国では、招かれたら招き返すことが礼儀とされている。

だから、その感謝の気持ちとしての手みやげも、それほど堅苦しくは考えなくてもいいようだ。

ただもってゆくにしても、やはり、これは避けた方がいいというものはある。

まずブタ肉と酒は、決してもっていってはいけない。つい忘れがちだが、ハムやソーセージなども、豚肉なのだ。また気をつけなくてはいけないのは、その成分が少しでも使われていてはいけない、ということだ。肉類は、イスラームの規定にのっとって屠《ほふ》ったもの以外は食べてはならないことになっているので、基本的に、肉類は避けた方がいい。

また手作りの料理をもっていくときも、ラードを使ったものや、酒、ワイン、味醂、醤油を使ったものは嫌がられることがある。海草は習慣として食べないので海苔、昆布を材料にしたものも避けた方がいいだろう。

洋菓子も、チョコレートは人気があるが、ボンボンのようなものはだめだ。また、ブランデー・ケーキ、マロン・グラッセのようなものもアルコールが入っているので避ける。その点、和菓子は問題ないのだが、味の点からいうと、あんこのお菓子はあまり好まれない。

また、イスラームでは偶像崇拝が禁じられているので、厳格なアラビア半島の国々では、日本人形なども嫌がられる。はなはだしいときには、幼児用のものであろうと、バービーなどの玩具の人形、アニメのキャラクターがプリントしてある文具も、空港で没収されることがある。

中東の人たちが、日本からのみやげ物でもっとも期待するのは、実は、電化製品だ。彼らがイメージする日本と私たちが描く自画像とでは、ちょっと違うところがあるのかもしれない。最近は、韓国製品も品質を高め、その上安いというので市場を席巻しつつあるが、それでもまだ、日本製の電化製品は一ランク上に置かれている。とくに、カメラ、ビデオは相変わらず人気が高いが、こうなってくると、贈る側の予算の問題ともなってくる。

また、受け取る側の問題もある。ＣＤやＭＤ、ＤＶＤといった最先端の製品をもっていっても、規格の問題もあるし、現地にハードやソフトがなければ、無用の長物になってしまうのだ。その点も、あらかじめ調べておく方が無難である。

ポケモン禁止令

厳格にイスラームが信仰されているアラビア半島の国々で、イスラームの教えに反するということから目の敵にされているのが、実は、世界的に人気のあるポケモン（ポケット・モンスター）である。

二〇〇一年三月下旬、サウジアラビアの宗教指導者が、ポケモン関連の商品の差押《さしおさえ》と没収、輸入、持ち込み禁止のファトワ（法学の権威者による意見書）を出した。このファトワは、後述するように、イスラームを冒瀆した書として問題視された『悪魔の詩《うた》』を書いた者に死刑の宣告をし、実際に関係者のなかから死者が出たというほど効力のあるものなのだ。

四月にはカタールでもファトワが出された。

その理由は、ポケモンが偶像崇拝を禁じる教えに反するというだけでなく、人気のポケモン・カードを交換する行為がギャンブルの一種と考えられること、登場するキャラクターが進化する、つまりイスラームで禁じられている進化論にもとづくものだということだ。そして、カードに描かれた星がイスラエルの「ダビデの星」を連想させること、同じくキリスト教の十字架を連想させるものがあるというのがその理由である。

ポケモン人気は中東では通じないばかりか、没収され、場所によっては面倒な身体チェックをされることさえある。

ポトラック・パーティーとシャワー・パーティー

アメリカ人は、実によくパーティーをひらく。それも、個人的に親しい友人ばかりでなく、会社の同僚、上司や部下、取引先などまで招く。日本人なら、外で別々に一席もうけるような関係者を自宅に招き、そこに隣人、知人が加わる。

日本人の集まりであれば、仕事ならその関係者だけ、趣味のサークルならそのメンバーだけと、参加者がだいたい固定しているのに対して、アメリカのパーティーでは、参加するたびにどんどん知人が増えてゆくことになる。また原則的に、夫婦での参加が前提になっているのも、日本とは違うところだ。

ただ、パーティーといっても、ダークスーツやロングドレス着用のディナー・パーティーから、裏庭でひらく気楽なバーベキュー・パーティーまで、実にさまざまなパーティーがある。

どんなパーティーだか分からないと、服装はいつも悩みの種だが、そのときは、カジュアルかネクタイ着用なのか、単刀直入に聞けばよいだろう。

手みやげについては、ワインやケーキなどの飲食物が喜ばれる場合と、失礼にあたる場合がある。ディナー・パーティーやランチョンとよばれる昼食会のように、招待する側があらかじめすべてのメニューを決めてある場合は、デザートなどをもっていくのは、かえって失礼になるからだ。ワインもいけないとよく言われるが、ワインはその場で開けなくてもよいので、手みやげにしてもかまわないという人もいる。結局、いちばん無難なのは、あらかじめ花を贈っておくことだろう。

食事というより、つまみと飲み物が出るくらいのくだけた集まりなら、ワインやチョコレートなどが喜ばれる。またアメリカには、参加者が料理や飲み物を一品ずつもちよるポトラック・パーティーという形式もあるが、この場合は、指定されたものだけをもっていけばよいことになっている。

ところで、お中元とお歳暮は日本の風習であって、欧米では、一年の決まった時期に何かを贈るという習慣は、クリスマス以外にはほとんどない。そのかわり欧米人は、結婚、出産はもちろんのこと、誕生日や結婚記念日、退職などの節目節目に、かなりこまめに贈り物をする。

アメリカには、花嫁や初めて妊娠した女性のために、プレゼントを浴びせるという、シャワー・パーティーがある。

これは、その女性の仲間たち（本来は女性だけ）が、結婚生活や新生児に必要なものを選んで贈るという、合理的で、いかにもアメリカらしいパーティーだ。

プレゼントとは少し違うが、アメリカ人はまた、さまざまな機会に、実によくカードを送る。パーティーへの招待も、招かれたことへのお礼も、電話ではなくカードで出す。パーティーに出席できないときもカードだけは送る。祝い事だけでなく、病気見舞いもお悔やみもカードを利用する。クリスマス・カードは、いわば日本の年賀状と同じような感覚で、一年に一度の挨拶代わりとなる。

三十分遅れて行くのが礼儀

日本人は、人の家に招かれたら、時間よりほんの少し遅れて行くのが常識だろう。

このあたりの感覚は、イギリスやフランス、アメリカなどでも、おおむね通用する。これは客を迎える支度でおおわらわのホスト、ホステスへの気配りであろう。

ただし、ドイツやスイス、ベルギー、北欧などでは、時間厳守だという。几帳面なイギリス人は、時間より少し早めに行って、定刻の五分過ぎまで訪ね先の家の廻りをうろついて時間をつぶすなどという話も実際にあるが、そこまでやらなくとも、指定された時刻より早くにベルを鳴らさないということでは、日本と似ている。

ただ、そうした常識がまったく通じない国々もある。

定刻を三十分遅れて行ったのに、まだその家の夫人の頭にはヘア・カーラーが巻かれていた、などという光景に出くわすのがラテン・アメリカ諸国である。

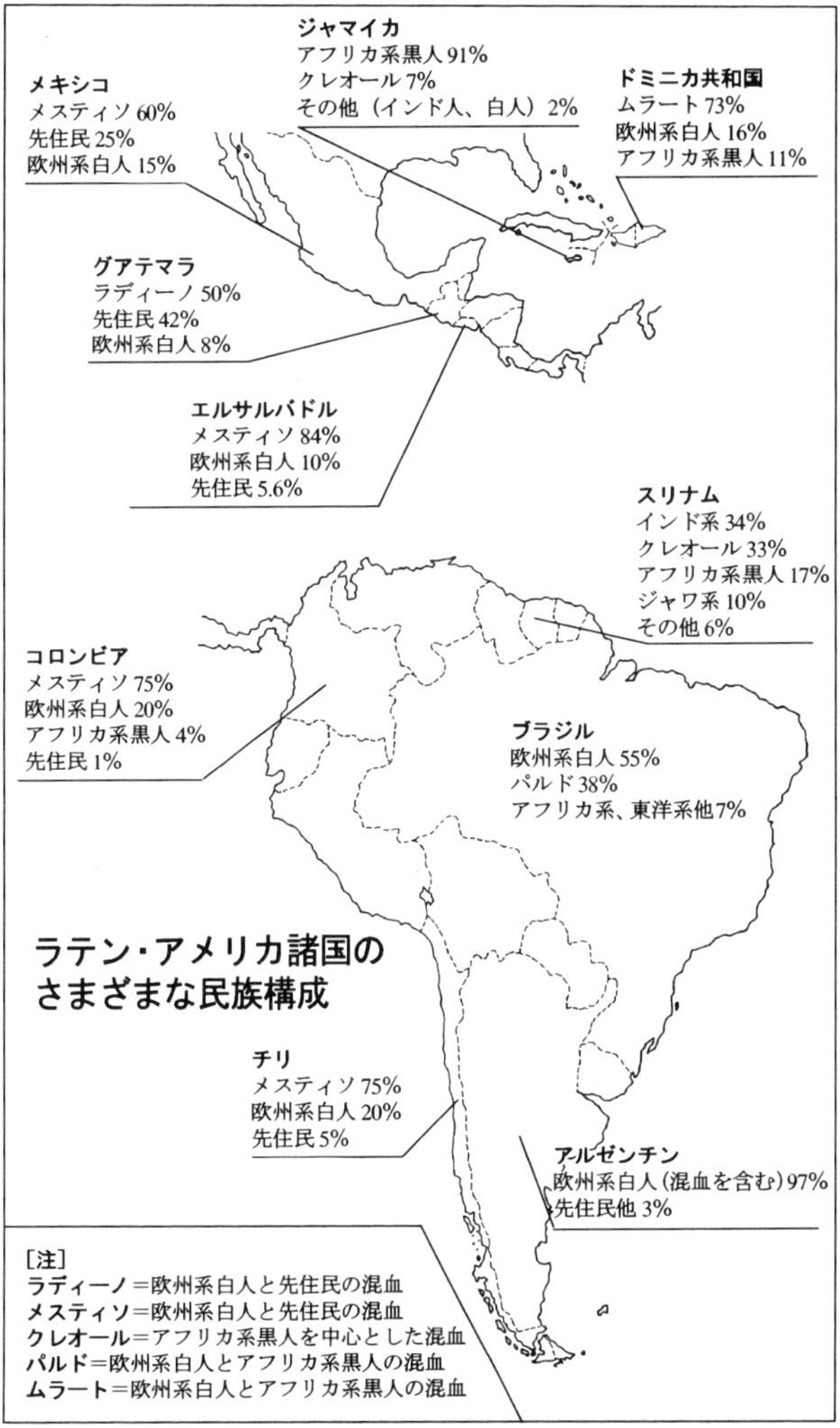
ジャマイカ
アフリカ系黒人 91%
クレオール 7%
その他（インド人、白人）2%
メキシコ
メスティソ 60%
先住民 25%
欧州系白人 15%
ドミニカ共和国
ムラート 73%
欧州系白人 16%
アフリカ系黒人 11%
グアテマラ
ラディーノ 50%
先住民 42%
欧州系白人 8%
エルサルバドル
メスティソ 84%
欧州系白人 10%
先住民 5.6%
スリナム
インド系 34%
クレオール 33%
アフリカ系黒人 17%
ジャワ系 10%
その他 6%
コロンビア
メスティソ 75%
欧州系白人 20%
アフリカ系黒人 4%
先住民 1%
ブラジル
欧州系白人 55%
パルド 38%
アフリカ系、東洋系他 7%
ラテン・アメリカ諸国の
さまざまな民族構成
チリ
メスティソ 75%
欧州系白人 20%
先住民 5%
アルゼンチン
欧州系白人（混血を含む）97%
先住民他 3%
[注]
ラディーノ＝欧州系白人と先住民の混血
メスティソ＝欧州系白人と先住民の混血
クレオール＝アフリカ系黒人を中心とした混血
パルド＝欧州系白人とアフリカ系黒人の混血
ムラート＝欧州系白人とアフリカ系黒人の混血

ラテン系の人々の時間の観念がいい加減なことは、すでに神話化されているが、それは、すべてのラテン・アメリカ人が時間を気にしない、ということではない。南米には、ドイツ系移民やアメリカへの留学経験者などが相当いるので、そういう人たちは日本人と会うようなときには、時間に正確なことをアピールすべく、約束通りの時刻にあらわれることもある。タカをくって遅れてゆくこともできないのだ。

ただ、大勢の集まりとなると、みんながみんなそれぞれの時間感覚で集まるので、決まった時刻に全員がそろうということはまず起こりえない。

夜八時頃にパーティーをはじめると言えば、ある人にとっては、十時過ぎが「だいたい八時頃」であり、またある人は、はじめから集まる時刻など気にしていないからだ。そうした習慣をもつ人たちのところへ定刻の十分過ぎくらいに行ってしまったら、招いた方がびっくりしてしまうだろう。非常識な人だ、と言うことにもなりかねないのだ。

だから、ラテン・アメリカでは、テーブル席がセッティングされているような格式張ったディナーでもない限り、最低でも、二、三十分遅れていくのが礼儀とされている。

体力と気力、そして丈夫な胃袋

ラテン・アメリカの夜のパーティーは、はじまる時刻が遅い上、食事が終わってからもえんえんと飲めや踊れやの宴が続く。他の早寝、早起きに慣れた文化圏の人々には異様に長く感じられる。

とくに、年越しのパーティーや結婚披露宴のような大がかりな集まりは、みんなで明け方まで飲めや歌えで楽しむのがあたりまえになっている。上流の家庭では、さすがに、こうしたパーティーに子どもを同席させることはあまりないが、ラテン・アメリカの庶民の子どもたちは、大人にまじって、夜更けまで踊っている。並みの日本人の大人より、よほど体力があるかもしれない。

そもそも、この地に決定的な影響を与えたスペイン人は、夜の九時過ぎから夕食をはじめるという習慣をもっている。早寝早起きのスイス人ならそろそろベッドにという頃に、ようやく乾杯が始まるということもめずらしくないのだ。

スペイン人は、あまり自宅には人を招かないので、パーティーはたいていレストランでひらかれる。招かれた方は、夕方から十時頃の集まりの時刻まで、バールやタベルナとよばれる居酒屋をはしごしながら、オリーブやタコや具入りのオムレツで、かるく腹ごしらえをする。そのあとに、パーティーのディナーが待っているのだ。

ラテン系の人と同じように人生を楽しむためには、何といっても体力と気力、そして丈夫な胃袋が必要である。

使用人のつかい方

東南アジアや中東、アフリカ、ラテン・アメリカなどにはじめて駐在する日本人がまず戸惑うのが、使用人との関係だ。

日本人は、家庭で人を使うということに慣れていない。日本社会は社会的階層をほとんど意識しないですむという意味ではすばらしいのだが、それだけに私たちは、階級・階層の差というものがなかなか実感できないのだ。

階層社会というとまっさきに思い浮かぶのが、インドのカースト制度だろう。

実際、社会のさまざまな仕事はカースト制度によって細かく仕切られていて、家庭のトイレの掃除まで、それぞれ専門の掃除人がやってくる。トイレ掃除をするのは、かつて不可触民《アンタッチャブル》ともよばれた指定カーストのいわば最下層をなす人々で、ある日本人がチップを手渡そうとしたら、その家のお手伝いさんからきびしくとがめられたという。何かやるのなら、床にでも放り投げればよいというのだ。

フィリピンに赴任した日本人は、前任者のところへ通っていたお手伝いさんを、家事なら自分でもできるからといって断ろうとしたところ、職を失えば一家が路頭に迷うと泣きつかれて、自分で掃除、洗濯をしないことが雇用創出になるのかと得心したという。

コロンビアに単身赴任していた日本人は、和食の作り方などを覚えてくれたお手伝いさんを大切にしていたので、自分がでかけるついでに彼女を市場まで車に乗せて行ったら、使用人などと親密になるのかと、仕事上の関係者からさんざんに言われてしまったという。このとき、彼女を乗せたのが助手席だったこともわざわいしたらしい。彼らの感覚では、助手席は自分の妻を乗せる席であり、他人を乗せる場合でも上席なのである。

使用人をめぐる戸惑いやトラブルは、あげればきりがない。また使用人が本当に信頼できるかどうかという別の面での気苦労もあるため、本当は人など雇いたくないのだが、という日本人もけっこういる。

ところで日本には、「職業に貴賤はない」という考え方が、比較的すんなりと受け入れられている国のように思える。もちろん医者や弁護士などのエリートと、いわゆる「3K」の労働者との隔たりは歴然だとしても、地味な職人技が尊敬を集めるようなところがある。また、儲からなくても町工場でコツコツ働くタイプが好意的に語られる。だが韓国では、一般に、ものをつくる職人は尊敬を受けない。

日本の「匠《たくみ》」やドイツの「マイスター」（英語のマスターだが、とくに職人の親方をいう）のように、熟練した職人が高い評価を与えられる社会は意外に少ないのだ。

また多くの社会で、社会的地位の高い者と低い者との接点は非常に限られている。日本の社員食堂では、部長も事務職も同じメニューから選び、大学教授も赤ちょうちんをくぐるが、イギリスでエグゼクティヴとタイピストが同じ食堂でランチをとることなどまずないのだ。

エジプトのレストランでは、庶民の客向けの席の奥に、社会的地位のある客向けの席が間仕切りで別にもうけられている。そうでなくても西洋式のレストランは、たいてい、はじめから客層を限定している。そうしたことを意識せずに、どこでもジーンズ姿で訪れてぜいたくな食事を注文する日本人は、現地の人々の目にはかなり奇妙にうつるようだ。

第6章 数の神話 色の神話

ブランデンブルク門　1791年に完成。古代ギリシアの建築様式を取り入れている。門の上に飾られているクヴァドリーガは、1810年にナポレオンがパリに持ち去ったが、のちにプロイセンが取り戻したというエピソードがある。長く、東西ドイツ分裂の象徴だった。　ベルリン、ドイツ

東西南北と東南西北

それぞれの国の文化は、おのおの、異なった自然環境から生まれたために、地勢や方角についての考え方も重要度も、それぞれに異なっている。

それでも一応、方角については、東西南北を基準にして示されるのがふつうだが、イスラーム地域には、聖地メッカという特別の方角がある。

イスラーム圏のホテルに宿泊したとき、異邦人がどうしても分からないのが各部屋の机などに貼られている矢印のシールや板の意味だ。実はこれが、メッカの方向を指し示すしるしなのだ。そして、この矢印の先には qibla（キブラ）と書かれているが、これは「聖地メッカの方角」という意味の言葉なのだ。モスクでは、このキブラは半ドーム状の壁龕《へきがん》（壁の垂直の面につくったくぼみ＝ミフラーブ）であらわされている。

またメッカの方角とは、正確にいえば、メッカの聖モスク内にあるカァバ神殿の方角のことであり、イスラーム教徒はこの神殿に向かって礼拝する。これが、彼らにとって、もっとも重要な方角ということだ。

こうしたイスラーム教徒を別にすると、多くの人びとにとっては、やはり日の出の方角がもっとも重要ということになるだろう。日本の場合も、元旦に手を合わせるのは、いつも東である。そのほかにも、北枕にしない、西に極楽がある、さらには、お世話になった人の方へは足を向け

ミフラーブ　メッカの方角をしめす半ドーム状の壁のくぼみ。壁には装飾文字で聖句がきざまれている。　スルタン・ハッサン・モスク、カイロ、エジプト

て寝ないなど、方角についての特別な意識は、いまも日本にさまざまな形で残っている。

方角の語順は、日本では「東西南北」、中国では、麻雀でもおなじみの「東南西北」だ。この順番は、音《おん》のよさもあったのだろうが、日の出の方向である東、温暖で豊かな南がとくに好まれたからではないか、とも考えられている。

古代中国では、北は極北の星のあるところ、つまり天の頂があり、万物を支配する天帝がいる方角とされていた。高松塚古墳、キトラ古墳などの玄室には、中国文化の影響を受けた青竜＝東、白虎＝西、朱雀＝南、玄武＝北の四神が描かれているが、玄武だけはカメとヘビの組合せになっている。一説では、これは、男女和合を象徴する形であり、北が他の方角より高くにおかれていたことを示しているのだという。

英語の場合は、North, South, East and West（北南東西）となる。地球の極、つまり地図の上下を確認すれば、おのずと右側が東になるわけだ。これも、世界帝国をつくりあげたイギリスらしい方向感覚といってもいいのかもしれない。

右と左の文化

それならば、右と左とは何だろう。国や地域によって左側通行、右側通行があるのはなぜなのだろう。この違いは日本国内にもあり、エスカレーターで右をあけるのは関東、左をあけるのが関西だといわれる。

ちなみに、右側通行、左側通行の起源には、次のような説もある。日本では、武士が左側に刀を差していたので、市中、街道ともに、左側通行とおのずから決まっていた。これを守れば刀の鞘がぶつからないし、いざというときには、右手で刀を抜いて攻撃に移ることができたからだ。

ヨーロッパ諸国も、中世までは、日本と同じ理由で左側通行だったという。さまざまな民族と接する機会が多いヨーロッパでは、日本以上に安全に気を使わなくてはならなかったのだろう。ところが武器の開発、発展によって、右、左が逆転してしまったというのだ。

十六世紀頃、戦場に登場した銃は、産業革命を経て一気に普及し、個人の武器となった。銃は、剣と違って、右腰にさげ、右手で使うものだ。そのため、剣や刀で相手と向かいあう左側通行の社会とは逆になってしまったというのである。

人間の社会は、右利き中心の世界だ。日本でも最近は、左利きをむりやり直さなくてもいいという考えになってきてはいるものの、ギターや洋式の鋏などを別にすれば、琴や三味線のような和楽器、和裁の道具などは、いまだに、ほとんどが右利きのものばかりだ。

また、「右」「左」という言葉についても、「座右の銘」「私の右腕のような人」など、右には、いい意味の言葉が多い。逆に、左には「左前（死装束の着方であるため、不吉とされ、経済状態が悪くなることにまで意味が広がっている）」から「左巻き」まで、その表現にも恵まれていない。

しかし、左利きが多いとされる欧米でも、左右については、かなり屈折した歴史があるようだ。たとえば、英語では、右はライト right、左はレフト left と言うが、右利き、左利きはどう言うのだろう。私たちにとっては、あまりなじみのない言葉だが、右利きは dextrality、左利きは sinistrality と言い、ともにラテン語の dexter（右）と sinister（左）から派生した言葉だという。そして、dexter の形容詞 dextrous には「器用な」「利口な」という意味があり、左利きの形容詞 sinistrous は「不吉な」「不幸な」という意味だったというのである。また right には、正しい、権利という意味がある。

イスラーム教徒の右手と左手

いつだったか、あるアメリカの写真雑誌に、ベドウィンの首長たちが左手で食事をしている写真が掲載されたことがあった。写真を裏焼きにしたことに気づかないまま出版してしまったために、右手で食べているはずが左手で食べているようになってしまったのだ。この雑誌が発売されるや、敬虔なイスラーム教徒たちからすさまじい抗議が殺到したという。

このように、左右にこだわるのは、イスラームがヒンドゥーと同じように、右手を清浄、左手を不浄とするからだ。イスラーム教徒は、大便をしたとき、左手で水をすくってお尻を洗う。左手はこのときに使う手だから、他人にその手を差し出すのは失礼だということなのだ。

しかし、だからといって、左手を使わないで一生を終える人などいるはずはない。

それは、イスラーム教徒を見ると、いまだに、「何人の奥さんがいるのか」と興味本位で尋ねるのと同じような疑問で、「左手を使わない」などということは、実際には、ありえないことなのだ。

またイスラーム教徒は、常に右を重視し、何をするにも右からはじめる、とも言われる。右手で扉を開け、家に入るときは右足から、などなど。しかし、これもまた日本人が、いまだに丁髷《ちょんまげ》、着物で、木と草でつくった家に住んでいる、というのと同じレベルの誤解だろう。

もちろん、預言者ムハンマドの教えに忠実に従うことが何よりも大事だという人は確かにいる。そうした人にとっては、冒頭にあげた写真の裏焼き事故でさえ、イスラームへの「冒瀆」と感じるかもしれない。しかし、イスラームの教えといえども、現代の人びとの生活に定着しているものと、そうでないものがある。イスラームの人たちはその基本を守りつつ、臨機応変に生きていると思った方がよさそうだ。

数の神話――吉数と凶数

人類の記録の歴史は、いまから五千年以上前、物の数を確認することからはじまったという。それほどまでに、私たちと数字のかかわりは古い。そして面白いことに、数をあらわす言葉はさまざまでも、0から9までの算用数字を使えば、世界中のほとんどの国の人に正確な情報を伝えることができる「共通言語」だということだ。

しかし、いくつかの数字については、その数が、それぞれの文化のなかでいつしか特別な意味をもつようになっていった。よく知られるように、日本では、四《し》と死《し》の発音が同じなので使わないとか、キリスト教の国では十三を嫌うといったようなことである。

ここでは、いくつかの基本的な数字について、それぞれがどのようなことに結びつけられているのかを、簡単に見ておこう。

一 最初の数。根元のイメージ。優勝者の象徴。めでたい数。キリスト教徒、ユダヤ教徒、イスラーム教徒は唯一神を信じるので、神に近い数字というイメージがある。

二 天と地、陰と陽、男と女、生と死、右と左、善と悪など、この数字は、事物を対比させる働きがあるので、対立や闘争と結びつけられることが多い。英語の俗語では、two-time some-one（〜と浮気する）、two-timer（浮気者）と言うから、これもトラブルのもとには違いない。二は、日本では、割れる数なので、婚礼といったようなお祝いのときの贈り物には避けるが、中国では、逆に、お悔やみの品は二個を避ける。

三 多くの文化圏で、調和と安定をあらわす縁起がよい数字とされている。三は、力関係を分散できるので、古くから人びとは、三で物事をそろえた。キリスト教の三位一体や、三種の神器、三色旗はそのあらわれだ。ただし中国では、三は「散」に発音が似ており、散は死に通じることから、年輩者への贈り物には、三個を避ける。

四 四季、四方など、人間社会を取り巻く環境の完成した状態をいう。だからヨーロッパでは、調和をあらわす数とされている。ただし、日本や中国東北部の一部、そして香港では、音が「死」に通じるため、縁起が悪い数とされる。

五　片手の指の数、両手、両足、頭の五方向など、人間の十全な身体に結びつけて考えられる世界共通の吉数。日本では縁起のよい数字の一つだが、西洋ではそれに加えて魔よけの意味もある。ことに「ソロモンの星」とよばれる星型五角形は、神秘的な形とされている。ペンタゴン(五角形)は米国国防総省の別名。日本には五稜郭があった。

六　ユダヤ、キリスト教世界では、神が天地を創造するのに要した日数。完全と調和をあらわす。正三角形を二つ組み合わせた星型六角形は、「ダビデの星」として魔力をもつと言われる。ユダヤ教のシンボルでもある。ただし、理由は定かではないが、勝負事には不吉な数とされ、ヨーロッパの賭博師のなかには、この番号を嫌う人もいるという。また666は、黙示録のなかで、この世の終わりにかかわる獣の数として嫌われる。

七　洋の東西を問わず、縁起のよい聖数とされていて、その起源は、メソポタミア文明にまでさかのぼることができるという。キリスト教をはじめとする多くの宗教・文化には、七にまつわる言

ユダヤを象徴する燭台メノラ
燭台については旧約聖書の出エジプト記に記されている。7つの天体、週の7日、7つの天国などをあらわすとされている。台部分には、ユダヤ教徒の象徴である三角を重ねたダビデの星があらわされている。

葉がいくつもある。be in seventh heaven（七番目の天国にいる）とは、有頂天になっているという意味だし、イスラームやユダヤ密教では、天国にいることとは、七つ目の至上の段階にいることだとされている。

八　日本の伝統では、その形から末広がりの縁起のいい数とされ、古くから、繁栄を象徴する。ところがヨーロッパの俗説では、仲違い、戦い、破壊の数というイメージがある。

九　日本では「苦」に通じるので嫌い、病室などにはこの数字をつけないことが多い。しかし中国の場合は、一桁の数字のなかでは、奇数の最高位の数として好まれている。欧米でも、この数を繁栄に向かう数として好むという。アメリカでは、be on cloud nine（九番目の雲の上にいる）という言い方は、うれしくてどうしようもない、という状態を表現するときに使う。もともとはcloud sevenだったが、cloud nineが気象学用語で入道雲（わき起こる雲）だったことから、パイロットの間でcloud nineが使われるようになったのだという。

十　指の数を基本として、完成した形をあらわすことは世界共通。ユダヤ教、キリスト教では、モーセの十戒が強く影響している。

十八　西洋占星術でいう凶数。人の清らかな心を破壊する反逆、滅亡、失策を象徴する。

十九　西洋占星術でいう吉数。太陽が象徴する天の王子、幸福、成功、名誉をあらわす。

二十一　トランプ・ゲームのブラック・ジャック（一発で最高の状態になること）。

四十　旧約聖書のなかでは、モーセがエジプトを出てから四十年、キリストは荒野に出て四十日、とされている。これは具体的な数ではなく、「長い間」という意味で使われる。ところが、アメリカでは、grab forty winks というと、四十回のまばたきくらいの短い睡眠＝仮眠というように、時間の短かさをあらわすこともある。

十三日の金曜日

「十三日の金曜日」にまつわる俗信は、日本の伝統文化にはない。だから、よほど気にする人でない限り、この日を忌日と意識して行動することはまずないが、欧米では、私たちが四や九を嫌うのと同じように、かなり強く意識している。

一般には、キリストの最後の晩餐の出席者が、キリストと十二人の弟子の計十三人だったからだ、と言われるが、その日について極端な説を唱える人のなかには、聖書に記された邪悪な出来事も、その多くが十三日の金曜日に起こっているという人もいる。

ヘビに誘惑されたイブが、アダムに知恵の実を食べさせたのもこの日、ノアの方舟の大洪水が起こったのもこの十三日の金曜日だったというのだ。それだけではない。バベルの塔をつくろうとしたために、神の怒りをかい、言葉が通じなくなってしまったのも、イスラエルの神殿がエジプト軍に破壊されたのも、すべて、この日の出来事だと言うのだ。

ところが、その起源はキリスト教とはまったく関係のないところにある、という説もある。

金曜日は、日本では、ローマにならって金星の名前をつけられているが、英語の Friday は、実は、古代北欧神話の豊穣の女神フリッガの名前に由来している。つまり古代の北欧の人びとは、曜日名に、自分たちの言葉や伝統的な北欧神話の神々の名前をつけていたのだ。

たとえば、火曜日Tuesdayは Tiu's day（戦いの神ティーTiuの日）、水曜日Wednesdayは Woden's day（ウォドゥン神 Woden の日）、木曜日 Thursday は Thor's day（雷神トール Thor の日）、そして金曜日 Friday がフリッガの日 Frigg's day だったのである。

ところが、キリスト教がヨーロッパにひろまってゆくにつれて、古来からの神やその信者たちは異端者、魔女として、森や山のなかへ追いやられていった。

しかし、魔女として追放された巫女たちは、フリッガ信仰の再興を願って、毎週金曜日、つまりフリッガの日に十一人が集まり、そこに女神フリッガと悪魔を加えた十三人が、キリスト教徒にどのような災いをもたらそうかと相談するようになったというのだ。そのため長い間、北欧では、金曜日は「魔女の日」と言われていたという。

十三についてもいくつかの説があるが、また別の北欧神話に由来するとの説もある。

あるとき、北欧神話に登場する十二の神々が、祝宴を開いたことがあった。ところがその宴会に招かれなかった悪神ロキがこのことを知って、宴会の場に乱入し、十三神になった。招かれざる客人の出現がもめごとを起こすのは世の常だが、それは神々の世界でも同じだったようだ。しかも、もみ合ううちに、神々のうちの一神が死んでしまうという事件があったのだという。そのため、十三という数がそろうと不吉だ、とされるようになったともいわれている。

この北欧神話が、キリスト教の十二人の弟子とイエスとの最後の晩餐の言い伝えに影響したのではないか、とする研究者もいる。ユダがロキにあたるというわけだ。

欧米のマンションやホテルには、十三階というフロアがほとんどない。十二階の次は十四階である。十三階にしてしまうと、買い手がつかないというのだ。ホテルの部屋にももちろん十三号室はないし、飛行機のような危険をともなう乗り物の座席にも十三番がない。その他、住所にも、十三番地のないところがあるし、宝くじのような縁起物にも十三という番号がなかったりするほど嫌われている数だ。

欧米では、十四人が集まるはずのパーティーに一人が欠席したりすると、あわてて別の人を招いたりすることがある。しかし、そこまではしなくても、出席者が十三人になるようなパーティーの計画ははじめから立てないという。結婚式場では、十三日の金曜日は、最後まで予約が入らない。

この迷信は欧米だけではない。キリスト教徒が九割近くを占めるフィリピンの第十三代大統領エストラダは、この数字を嫌って、自分は「戦後九代目の大統領」だと名乗っていたほどだが、彼の弾劾動議が成立したのは、二〇〇〇年十一月十三日だった。

キリスト教とはあまり関係のないスリランカでも、イギリス植民地時代の影響を受けて、十三という数を嫌うようになってしまった。自動車のナンバーで十三の数字が入っている番号は誰も使おうとしないので、一九九四年以降、このナンバーはお蔵入りになってしまっている。

1ドル札のピラミッドと白頭ワシ

ところがアメリカには、独立当初十三州だったことから、この数字をよく解釈する人たちもいる。一ドル紙幣の裏にあるピラミッドの段数は十三、国鳥である白頭ワシがにぎる矢も十三本、オリーブの葉も、実の数も、その上の星も十三だ。

三月十五日は悲劇の日

The ides of Marchとは、三月十五日のことだ。実はこの日は、西欧では、(最近ではそうでもないが)何事もなければよいがというような縁起の悪い日なのだ。とくに英語のThe ides of Marchという言いまわしには「気をつけなければいけない日」という意味がある。

古代ローマの暦には、月ごとに三つの区切りがあった。calends(一日《ついたち》)、nones(idesの日も含めて九日前の日)、そしてidesである。

idesの日は、三月、五月、七月、十月では十五日で、その他の月では十三日だった。当時は、各月のそれぞれの日は、この区切りの日から何日前という、実に面倒な言い方をしていた。The ides of Marchとは、この古代ローマのカレンダーの読み方の名残りなのである。

紀元前四四年、古代ローマでは、カエサル(シーザー)が絶大な権力を誇っていた。カエサルはエジプトの女王クレオパトラとの間に嫡子をもうけ、王として君臨しそうな勢いだったが、反対派はこれを望まず、三月十五日をカエサル暗殺の日とした。

シェイクスピアが書いたところによると、老いた予言者がカエサルに「三月十五日にご用心」

と警告したという。カエサル自身は、このことを気にも留めずにいたものの、その日になって再び予言者に出会ったので、「ご老人、きょうは三月十五日だが」と言うと、その予言者は「そのとおり。でも、まだ終わったわけではありません」と答えたことになっている。そして、この日にカエサルは、元老院で暗殺されてしまったのである。

三月十五日が縁起の悪い日、不吉な日と言い伝えられるようになった背景には、こうした物語がある。そしてこの日は、実際に不吉な日として歴史に記されることになった。それは、一九三九年の三月十五日、つまり、ヒトラーによるチェコスロバキア全土の征服、解体であった。

チェコスロバキアの奪取に成功したヒトラーは、この年九月にはポーランドへも侵攻し、ヨーロッパ全土を巻き込む第二次世界大戦がはじまる。三月十五日は、ヒトラーが第二次世界大戦への引き金を引いた日、チェコスロバキアの人びとだけでなく、全世界にとっての、まさに凶日だったといえよう。

ちなみに日本で歴史に名を残す三月十五日としては、一九二七年の昭和恐慌（金融恐慌）、一九二八年の三・一五事件がある。

ラマダーンのタブー

イスラームの国々には、一年に一度、断食月《ラマダーン》がある。この期間は、ビジネスも観光もスムーズに進まないと考えておいた方がよいだろう。郵便物、荷物が滞ることも決してめずらしくはないのだ。

イスラームの断食は、日の出から日没まで続く。飲食、喫煙はもちろん、自分の唾さえ飲み込んではいけないとされている。薬を飲まなくてはならない病人や兵士、旅行中の者はこれを免除されるが、その分は、どこかで穴埋めをしなくてはならない。

ただし、長期の病気療養を必要とする者や、老齢で体力的に問題がある場合は、一人の貧者に食事を施すことで断食を免じられる。

飲食だけでなく、この間は、性交も禁じられている。この決まりを破った者は、六十日間断食をするか、六十人の貧者に食事を施さなければならない。かつてはそのために、奴隷を一人解放するという罰則もあった。また緊急時以外は、輸血さえしない。

イスラームの人びとは長年の経験から、この断食に慣れているが、ふつうの生活を送らなければならない部外者にとっては、かなり苦痛である。観光客用のホテルのレストランは開いていても、外では、ほとんどすべてのレストランが閉まっているので、外に出た旅行者は断食しなくてはならなくなる。結局、旅行者はホテルに釘づけになってしまうのだ。

では、聖職者だけでなく、一般の信者にまで苦行を強いるラマダーンは、なぜはじまったのだろうか。

実は、この断食は、西暦紀元六一〇年のラマダーンのある夜、アッラーの神が天使ジブリール（ガブリエル）を通じて、預言者ムハンマドにコーランの啓示をはじめたということによる。したがって、ラマダーンとはコーランの誕生を記念する月であり、本来は、日中は修行をし、夜はコーランを読むというものだったという。しかし現在は、昼間の反動から夜はお祭り騒ぎのようになる。厳格な信者は別にして。

このラマダーンには、もう一つ問題がある。ラマダーンは九月、それも太陰暦をもちいるイスラーム暦の九月である。

イスラーム暦がはじまったのは、西暦では六二二年七月十六日ということになるが、一カ月が二十九日か三十日で、一年は三百五十四日、しかも閏年をおかないので、西暦とは毎年、十一日以上のずれが生じることになる。ちなみに二〇〇一年では、三月二十六日がイスラーム暦の一四二二年一月一日、二〇〇二年では三月十五日がイスラーム暦の一四二三年一月一日となる。

西暦に慣れた私たちには、毎年移動するやっかいな一カ月ということになるのだ。

色の神話

色についても、国や地域によって、さまざまな考え方、感じ方がある。

たとえば日本では、喪服として着る黒を普段着とすることもあるが、イタリアでは、葬式を連想させるような紫色はふだんの服の色とはしないからだ。台湾でも、白、黒、青は葬式を連想させるので、社交の場での服はもちろん、贈り物の包装にもこうした色はもちいないという。

日本では国旗の色であり、おめでたい色でもある紅（赤）白の組合わせを普段の装いにももちいるが、ブラジルでは、外国人が自分たちの国旗の色である緑と黄色の服を着ることを不愉快に思うらしい。親しみをこめて着たつもりでも、逆効果になることがあるので、自分勝手な思い込みには気をつけなければいけないということだろう。

ここでは、簡単に、世界各地の人びとが、色についてどのようなイメージをもっているかをみておこう。

白　日本やヨーロッパでは花嫁衣装の色。その他の文化圏でも、清純・無垢を象徴することが多い。ただ、中国や台湾、朝鮮半島では、葬式の色なので避けた方がいいとされていた。ところが最近、西洋風のウェディング・ドレスは中国では絶対に受け入れられないだろう、という大方の予想を覆して、都市部の花嫁には純白のドレスが大人気だという。

キリスト教文化圏では、白は、堅信礼という宗教儀式や卒業式のような大切な節目のときのドレスの色でもある。ラテン・アメリカでは、女児のおしゃれ着といえば、白いワンピースだ。親しい友人に女の子がいたら、白い子供服を贈ってあげれば、まず間違いない。

黒　多くの文化圏で、喪をあらわす色とされる。日本人女性やフランス人女性をはじめとする先進国の女性は、黒やグレイなどのモノトーンの服を着こなすが、世界的にみれば、女性が黒を好んで着ることはあまりない。相手の国の習慣を知らない場合は、贈り物などにも、黒は避けた方がよいだろう。中国でもドイツでも、白や黒の模様の包装紙は嫌われる（中国では、青も喪を連想させるという。ドイツ人は茶系も好まない）。

赤　血の色であり、情熱の色でもある。アメリカ人やドイツ人は赤を好む、という統計がある（ただし赤毛は、悪魔や魔女のイメージと結びついて嫌われる）。また赤いバラは、恋人に贈る特別な花とされている。メキシコでは、赤い花は魔法をかけ、白い花は魔法を解く、と言い伝えられている。赤は、日本でも中国でも、縁起のよい色と考えられている。

ピンクも、中国人をはじめとして、多くの民族が幸福をイメージする色なので、女性や女の子への贈り物や包装紙に向いている。

青　中国や台湾では喪の色だが、ロイヤル・ブルーは英国王室のシンボル・カラーで、高貴さを連想させる色でもある。男児への贈り物に青を選ぶのは、だいたいどこの国でも同じだ。中東では青い色が魔力から身を守ってくれると言われるので、青いトルコ石はお守り代わりに使われる。またトルコでは、青いガラス玉に目玉を描いた魔除けがいたるところで見かけられる。

黄色　太陽の色、黄金の色として好まれる。たとえば中国では、皇帝のシンボル・カラーであり、皇帝以外は着用してはいけなかった時代もあった。また古代エジプトでも、黄金をイメージする色、神の身体の色、永遠不滅の色とされていた。

一方ヨーロッパでは、この色は、扇情的もしくは卑劣というイメージもある。

東洋人はイエロー、黒人と白人の混血もイエロー・ボーイ（ガール）と言われるなど、黄色は民族差別とも直接結びついている。またメキシコでは、黄色い花は死を意味し、フランスでは不貞を暗示する、とされている。

紫　日本でもヨーロッパでも、古来、もっとも高貴な色とされていた。古代中国でも、天子の衣は「紫衣」であり、紫を尊ぶ伝統は、明・清朝の宮殿「紫禁城」にまで通じている。聖徳太子の定めた冠位十二階でも、最高位の衣は紫だった。

しかし一方では、紫は喪をあらわす色でもあり、色彩感覚の豊かなイタリア人をはじめとするヨーロッパ人は、すでに述べたように、濃い紫色の服はあまり着ない。プレゼントも、この色は避けた方が無難だとされる。

曜日には色がある

色については、それぞれの国や文化によって、さまざまな解釈がある。したがって、外国などにいる場合は、自分の好みよりその国の「禁色」に注意すべきだということだろう。

たとえばタイでは、それぞれの曜日に色が決められており、その色が、その曜日に生まれた人にとっての縁起のいい色、守護色となる。日曜日は赤、月曜日は黄、火曜日はピンク、水曜日は緑、木曜日はオレンジ、金曜日は青、土曜日は紫といった具合である。

だから、火曜日に生まれたラーマ五世を記念して建てられたチュラロンコン大学のスクールカラーはピンクであり、ノートをはじめ、トイレットペーパーまでがピンクで統一されていると言われていた。

現在では、あまり意識されなくなったというが、タイの伝統的な服装も、自分の生まれた曜日の色を身につけることが多かったらしい。

そのため、タイ駐在のある日本人ビジネスマンが、気分転換のつもりで、毎日、色の違うシャツで出勤していたら、現地のスタッフから、「みっともないからやめた方がいい」と忠告されたという。これは現地に行ってみないとなかなか分からない、文化の違いの実感であろう。

黄色とユダヤ人

かつてキリスト教社会では、黄色は好ましい色ではなかったという。現在ではそれほどでもないが、黄色は、ヨーロッパではユダヤ人、アメリカでは、太平洋戦争で敵として戦った日本人をイメージさせる色だという。かつては黄禍論を唱えたヨーロッパ人もいた。

しかし黄色は、前述したように高貴な色ともされていた。

現在でも、タイをはじめとする上座部（小乗）仏教の国々では、赤みを帯びた黄色の衣をまとった僧に出会う。おびただしい金の装飾品で有名なインカ文明の発祥の地ペルーでは、クリスマスの頃になると、女性に黄色の下着を贈る風習がある。

だが黄色には、枯れ葉や病気のイメージがつきまとっているために、この色を否定的にとらえる社会も少なくなかった。一九四一年、ナチス・ドイツは六歳以上のすべてのユダヤ人に、黄色い布地に黒い縁取りをした「ダビデの星」のマークを着用するよう強制した。

ただし、ユダヤ人に印をつけるという非人道的な扱いは、ヒトラーの発明ではない。古くからヨーロッパのキリスト教徒たちは、ユダヤ人にキリスト教徒とすぐに区別できるような服装を身につけるよう、強制したこともあったのだ。ユダヤ人のための特別な服装は、時代によって、上着につける札や帽子などに変わり、色も白、青、赤などさまざまだったが、時代を通じて見ていくと、やはり黄色が多い。

黄色とユダヤ人が結びつけられた理由はよく分からない。

キリストを裏切ったユダが身につけていたのが黄色い衣だったというのは俗説だろう。派手で、遠目にも目立つ黄色は、古くからヨーロッパでは、娼婦の色であるとか、不貞の色だなどと、不名誉なイメージを負わされてきた。そうしたことも、ユダヤとの結びつきに無関係ではないのかもしれない。

そうした歴史から、いまでも黄色を「不吉」や「不貞」のイメージでとらえる人たちもいる。しかし黄色といっても、淡いクリーム色から濃い山吹色まで、すべてが嫌われるわけではないから、黄色い花やスカーフなどを贈るときは、それが問題ないかどうかを店員に確認した方がいいかもしれない。

罵りあう人たち

日本では、ウェイターを「ボーイさん」とよぶことがあったが、これはアメリカでは、とくに黒人のウェイターやホテルマンに対しての侮辱の言葉になる。それを知らずに声をかけて喧嘩になったこともあるという。

　黒人に対しては、奴隷制時代の差別用語であるニグロ（黒）は禁句である。その変形であるニガーは、さらに軽蔑した言い方になる。そのほか、スペイド（トランプのスペイドが黒いから）、スプーク（おばけ）、アンクル・トム（白人に迎合する黒人）などが、言えば喧嘩になる言葉だ。

　もし、具体的に黒人のことを言う場合は、ブラック、もっと正しくはアフリカン・アメリカン（アフリカ系アメリカ人）という言葉を使った方がいい。ただし、中米から移住してきた黒人のなかには、アフリカ系と十把一絡げにされるのを嫌って、ハイティアン・アメリカン（ハイチ系アメリカ人）やカリビアン・アメリカン（カリブ系アメリカ人）を自称する人も多い。

　逆に、黒人たちから白人に対しての差別語もある。

チャーリー（まぬけな奴）、ホワイティ（白ん坊）などがそれにあたる。

アメリカのマイノリティーとしては数の上で黒人に迫り、まだまだ増加が予想されるラテン・アメリカ系の移民に対しては、スピクという差別語がある。これは英語を話せない移民がカタコトで「英語、話せません」と言うときのスピーク speak の発音をからかったものだ。ラテン・アメリカ系は、従来、スペイン語を話す人という意味でヒスパニックとよばれていたが、この言葉は中南米からの非合法移民というイメージがつきまとっているので、近頃では、ラテン・アメリカ人という意味で、ラティーノという言葉が好まれるようだ。

　また、ユダヤ人差別の伝統は、いまも言葉に残っている。

シーニー、ヘップ、ジェイ・バードなどがそうで、シーニーは迫害されていた時代にユダヤ人がよくついていた職業の仕立屋に由来し、ヘップはナチス時代に生まれた言葉で、Hier-osolyma est perdia（エルサレムは滅ぼされた）の頭文字をとったものだ。ジェイ・バードは、さらに手が込んだ侮蔑語で、jew bird → J-bird → jay bird となったものだ。最初の jew はユダヤ人、最後の jay はカケスという鳥のことである。カケスには「のろま」という意味がある。ちなみに、『変身』を書いた小説家のカフカという名はカケスを意味する。その他、ジューボーイ、イドもユダヤ人の蔑称であるし、彼ら独特の名前の調子からカイク、ユダヤ人に多い名前アイザックの愛称アイク、アイキーも蔑称として使われる。アイキーにはユダヤ人の金貸しという意味も込められている。

日本人を含めた東洋人についてもかなり差別語がある。バナーナ（外は黄色でなかは白い）、グック（よごれもの、ごみ）、スラントまたはスロウプ（ともに傾斜＝つり上がった細い目）などである。日本人に対しては、ジャップ、ニップがよく知られている。

また、中国人はチンクとよばれるが、この言葉には細い裂け目という意味があるので、中国人の特徴である細い目とチャイナに近い発音から中国人と結びつけられたらしい。

そのほか、他民族、他国人にたいする悪口は、それだけで一冊の本になるほどたくさんある。

たとえば、イタリア系にはウォップがある。ウォップは、シチリアの言葉グアッポ（乱暴者）が、アメリカに渡って、勢いよく戸が閉まるときの擬音語ウオップ（パタン！）と重なり、差別語となった。

アイルランド人はミックと言われるが、これはアイルランドに多いマイケルという名の愛称があだ名になったものだ。そのほか、ポーランド人はポラック、カナダ人はカナックなどとよばれるが、ときにはその言い方のなかに、悪口がこめられている場合がある。たとえば、ある人たちがポラックというと、「闇屋」を意味するといったようなことだ。ロシア人が、あのグルジア人！と吐きすてるように言ったときは、あのギャング野郎が、ということだという。

ここで紹介した侮蔑語は、そうした言葉のごく一部にすぎない。アメリカには、人種、民族を侮蔑する言葉が、何と二百以上もあると言われている。いたずらっぽく冗談半分に言うこともあれば、はっきり侮辱するために使うこともある。もしこうした言葉を知っていても、私たちにとって大事なことはただ一つ、決して真似をしたりしないことだ。

フランスは悪口の王国

フランスもまた悪口の王国である。礼儀知らずの田舎者、成金という意味で、アメリカ人はアメロック、アメロ、またはリカンという。日本語で「アメ公」というような語感だろうか。同じように、日本人を意味するジャポネも、ときには、金持ちの田舎者という意味を込めて使われるようになってきたという。

また、イスラーム文化を持ち込み、フランスに溶け込まないアラブ人に対しての蔑称も多い。

アラビコ（アラブ人）、その短縮形のビコ、トロンク（婉曲にアラブ系の人）、ブニュウル（北アフリカの色黒の人）、ラトン（小ネズミ）などである。

フランス人が、ドイツ人を軽蔑するとき、あるいは敵意をもって罵るときには、アルボッシュまたはボッシュという。この言葉は、ドイツ人という意味のアルマンと、頭とか頭蓋骨を意味するカボシュを合わせた言葉だ。

フランスは、スペインからの移民、亡命者も受け入れてきたが、彼らを軽蔑する言葉もある。エスパンゴである。同じように、特定の外国人を指す侮蔑語としては、イギリス人に対してはラングリッシュ、中国人にはシネトク、ロシア人にはポポフ、イタリア人にはリタルなどがある。

これだけバカにされれば、フランスに住む外国人たちも黙ってはいない。ファランズーズが、彼らがフランス人をバカにするときの言葉だ。

ナチスとハイル・ヒトラー！

ドイツには、深刻な移民問題がある。その代表がトルコ人問題で、ベルリンにはトルコ語しか通じないトルコ人街までできているのだ。そのトルコ人に対しては、カナーケ（複数＝カナーケン）という。語源は、ポリネシア語で人間を意味するカナカに由来すると言われるが、無教養な奴、まぬけというような意味で使われている。

日本人に対しては、英語のジャップがドイツ語の発音になったヤップ（複数＝ヤプセン）がある。ドイツ人は、これが日本人を侮蔑する言葉だと知っているので、面と向かって言うようなことはないが、言われたときには、相手が敵意をもっているということを知っておいた方がよい。

ドイツ人とイタリア人は、侮蔑語で応酬しあっている。ドイツ人からイタリア人に対しては、スパゲティ喰らい、これに対してイタリア人はドイツ人をジャガイモ喰らいと言う。互いの食生活をののしり合っているのだ。また、第二次世界大戦で負けたのは、イタリアなんかと組んだからだという冗談はよくドイツで耳にする。日本人に向かって、「今度はイタリア抜きで……」などと片目をつぶってみせたドイツ人もいるくらいだ。

ドイツ人に対して、決して言ってはならない言葉はナチ！である。この言葉は、日本人にも馴染みがあるものの、欧米ほど深刻には意識していないのかもしれない。

この言葉は、第二次世界大戦の悪夢をひきずっているので、ドイツでは最大級の禁句、欧米のほかの国でもめったに口には出さない。同じように、ヒトラーへの忠誠を示した挨拶だったハイルも使わない。これは本来、幸運、健勝といった意味の何でもない言葉なのだが、ハイル・ヒトラー！で知られるように、ナチスを想起させることから、いまでは冗談でも使ってはいけない言葉になってしまった。

第7章 宗教に生きる人たち

ミラノ大聖堂（ドゥオモ）　ゴシック様式によるカトリック教会。イタリア最大の規模をもつ。1386年に着工され、完成したのは1887年。135本の尖塔と3159体の聖人の彫刻で飾られている。　イタリア

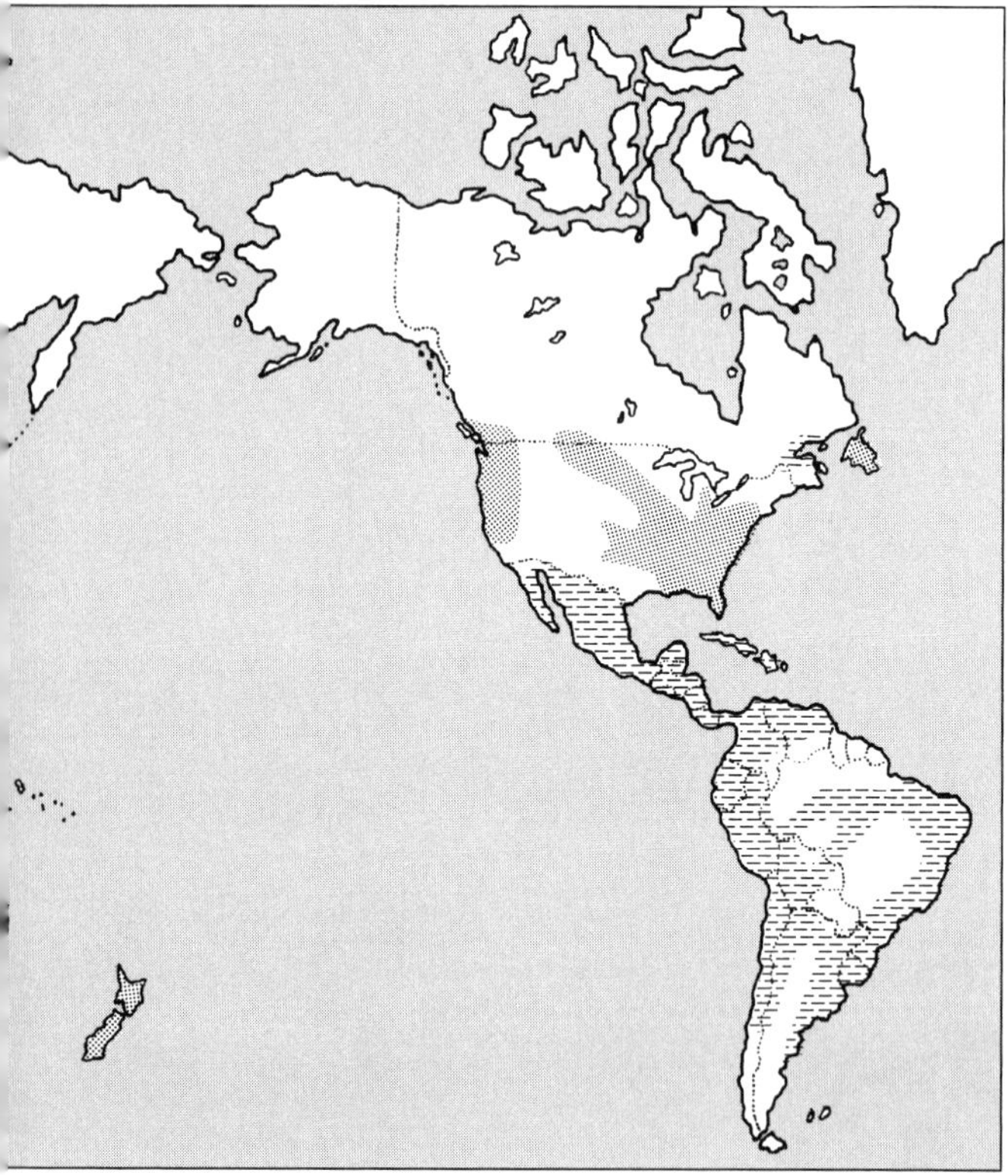

キリスト教・イスラーム
カトリック
プロテスタント
東方正教
イスラーム（スンナ派）
イスラーム（シーア派）
アジアについては、次頁の地図を参照してください

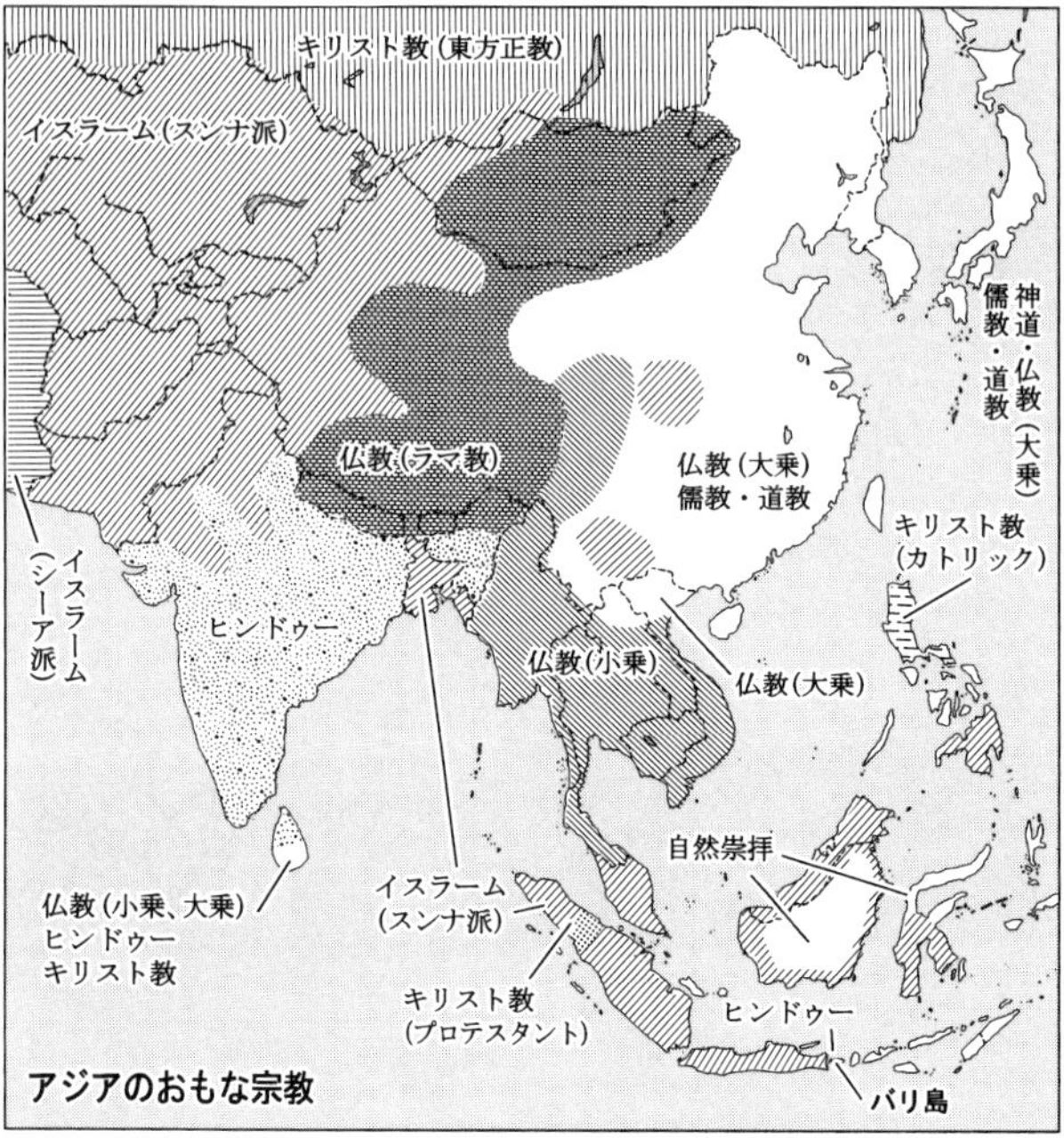
キリスト教(東方正教)
イスラーム(スンナ派)
仏教(ラマ教)
仏教(大乗)
儒教・道教
神道・仏教(大乗)
儒教・道教
イスラーム(シーア派)
ヒンドゥー
キリスト教(カトリック)
仏教(小乗)
仏教(大乗)
自然崇拝
仏教(小乗、大乗)
ヒンドゥー
キリスト教
イスラーム(スンナ派)
キリスト教(プロテスタント)
ヒンドゥー
バリ島
アジアのおもな宗教

死の宣告

二〇〇一年五月、富山県のある町で、切り裂かれたコーランがパキスタン人が経営する中古車販売店に投げ捨てられるという事件が起こった。

イスラーム教徒にとってコーランは、預言者ムハンマドが伝えた神の言葉そのものであり、その扱いには、細心の注意を要求される。もちろん、それを本にするにあたっては、一文字のミスも許されない。もし印刷ミスでもあったら、神の言葉を冒瀆したとして地位を失うのはもちろん、ときには、生命にまでかかわるというほど深刻な事態になるものなのだ。そのコーランが破られ、捨てられていたという。

それを知った日本在住のイスラーム教徒たちは、一斉に富山県の警察署に押し掛け、外務省にも出向いて、実行者の割り出しを執拗に求めた。

この犯人が、コーランを破くことによって、イスラーム教徒であるパキスタン人に、ダメージを与えたことは間違いない。しかし、それは同時に、すべてのイスラーム教徒に宣戦布告したのと同じことなのだ。彼らのよびかけに応じて過激なイスラーム教徒たちが行動を起こさないとも限らない。

一九八九年、ムハンマドやイスラームを冒瀆したとして問題視された『悪魔の詩《うた》』事件は、もう忘れられてしまったのだろうか。この本は、イギリス国籍のインド人サルマン・ラシュディ氏が書いたもので、預言者ムハンマドを思わせる人物が妻や娘を使って売春業を営んでいたなどという内容だったために、イランのホメイニ師は、彼に対して「死刑」のファトワ（法学の権威者による意見書）を出した。

そのためラシュディ氏は、すぐさま、外部とまったく接触ができないところに身を隠したが、この本の日本語への翻訳者だった五十嵐一氏は、一九九一年七月、筑波大学構内で暗殺されてしまったのだ。それもナイフで首を何度も切り裂かれるという無惨な殺され方だった。犯人は逮捕されておらず、真相は、依然、不明のままだ。

西欧的な考え方では、この本の出版は、「出版・報道・表現の自由」ということになるのだろう。しかしそれは、西欧社会の常識であって、イスラーム世界の常識とはまったく相容れなかったわけだ。

だから、コーラン破棄事件も、どこから刺客が送り込まれてきても、少しも不思議ではない。もし犯人が分かれば、実行者はもとより、犯人の家族の安全すら保証はない。エスカレートすれば、中東にいる日本人観光客が無差別にターゲットにされるかもしれない、というほどの事件なのだ。

日本人はあまり実感がもてないのかもしれないが、宗教の問題は、ときには生死という問題にまでつながるのだということだけは知っておいた方がいいと思う。

ちなみに、『悪魔の詩』の著者サルマン・ラシュディ氏に対しては、一九九八年、イランのハラジ外相がイギリスのクック外相に対して、ファトワを履行する意志はないと確約したことで、一件落着している。

聖地は観光地ではない

私たちは、日常的には、ほとんど宗教と縁のない暮らしをしている。神社やお寺などへは、盆と正月、あるいは、七五三か結婚式のときくらいしか訪れることがないのではないか。

日本人は、よく、年末から年始の一週間のうちに、クリスマス、除夜の鐘、初詣と、三つの宗教を渡り歩く、と言われる。家のなかには、神道の神棚と仏教の仏壇が仲良く同居し、結婚式は十字架の前でという、世界でもきわめて珍しい民族なのだ。私たちは、このことを恥じたり、否定する必要はないと思うが、外の世界からはこれが実に奇妙に見えるということだけは、自覚しておいた方がよいと思う。

はじめにあげたイスラームだけでなく、宗教は、いまも多くの国で根強く生きている。もし、キリスト教を信じていないが教会で結婚式をした、などと言ったら、人によっては、「あなたは神を冒瀆しているのか」と、激しく怒り出しかねない。彼らは教会を異教徒のための結婚式場だとは思っていないからだ。

確かに、現代の日本人からは、宗教に対する敬虔なイメージは相当薄れている。修学旅行で訪れる神社、仏閣も、観光名所としてしか受けとられていない。また、そういう教育もない。

海外に行っても、こういった調子で寺院を訪ねるために、行く先々でトラブルが絶えない。日本人観光客の騒々しさに怒ったバチカン市国などは、痛烈な抗議文を「静粛令」つきで日本に送ってきたことさえあるのだ。傍若無人のおしゃべりと、ところかまわぬ記念写真。さらには、サン・ピエトロ大聖堂の十字架を背景に、キリストが十字架にかけられている姿を真似て写真を撮りはじめた観光客がいたというのだ。

そのため現在では、サン・ピエトロ大聖堂の入口に係員が立ち、その場にふさわしくない人物の入場を拒否するようになってしまった。ここは、彼らにとっては聖堂であって、Tシャツ、ジーンズで歩きまわるような観光地ではないのだ。

イスラームの国では、さらに気配りをする必要がある。とくにイスラームの聖地メッカがあるサウジアラビアは、外国人に対して非常に厳格で、しっかりした紹介者がいなければ渡航できないし、入国できたとしても、偶像を創り出すカメラは厳しく取り締まられている。違反したときには、フィルムはもちろん、カメラも没収となる。

イスラームの教えでは、創造主は、唯一、神だけなので、絵画（写真も含めて）や彫像をつくることによって神の創造の真似をするのは冒瀆行為となる。だから、人や動物を写すことは許されない。ただし、植物や風景はその範囲ではないともされているが、それでも撮影することは危険をともなう可能性が大きいと覚悟しておいた方がいいだろう。

観光客を積極的に受け入れているエジプト、トルコでも、モスクのなかでは静粛にしなければ

嘆きの壁で祈るユダヤ教徒　壁は紀元後70年、ローマ軍によって破壊されたエルサレムの神殿の遺構の一部で、ユダヤ人にとっては聖域。この丘の上には、イスラーム教徒にとっては、預言者ムハンマドが昇天したとされる岩のドームがある。　エルサレム、イスラエル

ならない。

そして、モスクに行ったとき、これだけは決してしてはいけないということを一つだけ憶えておいた方がいいだろう。それは、メッカの方向を示すミフラーブに向かって足をのばして座ったりしてはいけないということだ。

すでに述べたように、足の裏を見せることは、中東、アフリカのイスラームの国々では、最大の侮蔑を意味する行為なのだ。もし、メッカに向かって足を投げ出しているようなところを見られたら、それこそ何が起こるか分からない。

その他、キリスト教、ユダヤ教、イスラームを問わず、信者が礼拝をしている場所にカメラを向けてはいけない。また、男女とも、半袖、半ズボンなど、肌の露出が大きい服装は慎まなければならない。これは日本人だからというのではなく、欧米人も同じである。そうした格好

で行くと、場所によっては立ち入りを禁じられる。

男性であれば、魅力的な女性の隣にいたいのはあたりまえだろうとつい思ってしまうことがあるが、イスラームの国では、ノースリーブにショート・パンツの女性は嫌悪される。エジプトで全席指定のバスにそんな格好のイタリア人女性が乗り込んできたとき、乗客の顔が一様にこわばった。隣の席のチケットをもっていたエジプト人男性は、席を替わってくれそうな人を探して右往左往し、結局、キリスト教徒の男性がその席に移った、ということがあった。欧米ではおしゃれな格好も、汚らわしいとされてしまうことがあるのだ。

それなら、ベリー・ダンスは問題ないのかとよく訊かれるが、これは観光用、接待用のものなのだ。イスラーム教徒の人と夕食をとっていても、ベリー・ダンスがはじまると席を離れてしまう。彼らは見たくないのだ。レストラン、ナイト・クラブで見せ物として踊るダンサーには、ロシアなどからの外国人女性が多いというのが実情だ。伝統文化を伝えるということで参加するアラブ人女性のダンサーたちは、腹部の肌を見せるような衣装は着ない。

なお、キリスト教、イスラームの聖地、教会、モスクでは、帽子をとるが、髪の長い女性は、髪を隠すようにと言われることがあるので、布を持参しなければならないこともある。

ナイキの運動靴回収事件

キリスト教徒でもないのに、十字架をアクセサリーにしたり、宗教画をプリントしたTシャツを着たりすると、場合によっては反感をかうことがある。

たとえばユダヤ教の「ダビデの星」は、ユダヤ教を信じる人以外はデザインに使わない。もしそんなことをしたら、ユダヤ教徒は侮辱されたと思うだろうし、逆に、反ユダヤ主義者からの攻撃を受けないともかぎらない。そうしたことは、私たち日本人が、神棚や仏壇をインテリアに使ったりする外国人にいい感情をもたないのと同じことだ。宗教心が強いだけに、その不快感は、圧倒的に彼らの方が激しい。

日本人も欧米人も、アラビア語はほとんど読めない。そのため、コーランの文字が書かれたTシャツなどを非イスラーム圏の店でつい買ってしまうことがある。

しかしコーランは、イスラーム教徒にとっては神の言葉そのものなのだ。その神聖な言葉を適当に使ってデザインしたシャツなどを着てイスラームの国を歩いたら、無事に帰国することができるだろうか。

土産物ではないが、こうしたことで世界的な問題になったのは、スポーツ用品メーカーのナイキだった。一九九七年の夏モデルとして発表した運動靴のロゴが、アラビア文字の「アッラー（神）」に酷似していたのだ。イスラーム諸国では、われらが神アッラーを踏みつけるとは何たる冒瀆かと抗議が噴出し、ボイコット運動へと発展したのである。驚いたナイキは、すぐにイスラーム社会に謝罪し、商品の回収はもちろんのこと、米国内のイスラーム系の小学校に運動場を寄付して、事態を収拾した。

イスラームの伝統的な家屋　2階、3階の出窓が、女性が外界と接する場所だった。出窓の床には星形などの穴があけられていて、真下ものぞけるように工夫されている。出窓の側面からも見えるようになっているので、中からの視界はかなり広い。　アル=ラシッド、エジプト

日本人は、自分は無宗教だと平気で口にするが、それは世界の常識とはまったく違うのだ。とくに一神教を信じる人びとに対して、自分は無宗教だなどと言ったら、彼らの神を否定しているともとられかねない。

鞭打ちか結婚か

イスラーム女性のイメージというと、頭からすっぽりベールを被って目だけを出している姿だろうか。

マシャラベーヤ　イスラームの伝統的な家屋に見られる女性用の出窓にほどこされている。格子模様はイスラーム美術として発展した。　アル＝ラシッド、エジプト

かつてイスラームの女性は外界との接触を許されず、窓から顔をのぞかせることもできなかった。今日、よくイスラーム建築の粋として紹介される細工格子（マシャラベーヤ）は、家の中にいる女性が外の人に見られず、自分の方からだけ外を見られるように工夫したものだ。

それほどまでに厳しい決まりがあるのだから、異教徒である外国人観光客がイスラーム教徒の女性を写真に撮ることは、

当然、厳しく禁じられている。エジプトのように欧米の影響の強いところでは、親しくなれれば記念写真におさまるくらいのことはしてくれるが、興味本位の写真撮影は避けた方がいい。

アラブ圏に行くと、ホテルのエレベーターなどで、ベールを被っている女性と乗りあわせることがあるが、そんなときは、じろじろ見たりしないことだ。話しかけたり、服に触れたりすることは厳禁である。とにかく女性には、離れたところからでもカメラを向けてはいけない。相手次第では傷害事件にもなりかねないのだ。

イスラームでは、酒もそうだが、退廃に結びつくものはことごとく禁じられている。女性についても、ローマなどの退廃のイメージがあったために、ムハンマドは、女性の魅惑的な部分をヒジャブ（ベール）で隠すという決まりをつくったというのだ。

イスラームを国教としているマレーシアは、マレー人のほとんどが、イスラーム教徒である。しかし、東南アジアにある国というイメージのためか、ここでも女性にアタックする日本人男性が絶えないという。あるとき、日本人の男がマレー人の女性を口説き落として、ホテルの部屋に連れ込んだのだが、不審に思った人に通報され、警察に踏み込まれるという事件も起こっている。

マレーシアでは、異教徒の男とマレー人の女がひとつの部屋にいるだけで罪に問われるのだ。相手が未婚女性である場合は、鞭打ち、あるいは、男性が改宗の上、結婚という選択を強要されかねない。結局、その男は、真剣なつき合いだということを強調して、結婚を選んだという。そうしなければならないほど、鞭打ちの刑とは、すさまじく、恐ろしいものであるらしい。

変わりゆくイスラーム女性

イスラーム圏の観光ガイドたちが、毎回うんざりするのが「奥さんは何人？」という質問だという。いまは一夫一婦制の社会がほとんどだから、多くの女性と暮らすことに好奇の目が向けられるのだろうが、その疑問を解くためには、このような制度が生まれた背景を理解しなければならない。

ムハンマド以前の時代には、ほかの地域と同じように、女児よりも男児の生存率が低かった。さらに当時の社会では、ジハード（聖戦）で命を落とす男も多かったので、女性の人口が男性を圧倒していた。そうした未亡人や子どもたちを救済するために、一夫多妻制を導入したのである。

したがって、この制度は、男性の快楽のためではない。男性は扶養する複数の妻を平等に幸せにしなければならない、という義務があるのだ。だから現代社会のように、男女数の差がそれほどではなくなり、また給与で働くような人が増えてくると、一夫多妻制の維持はしだいに難しくなり、社会通念としても、女性がそれを望まなくなってきている。

女性の労働については、いまなら、女性も社会に出て働けばいいということになるが、ムハンマドの教えでは、人間には基本的に男女の役割の分担がある、とされている。男は家族を養う糧を得るのが仕事であり、女性には子どもを生み、育てるという仕事があるというのだ。

もちろん、現在の、開かれたイスラーム諸国では、女性の社会進出を否定してはいないが、家事をうまくこなす女性が、やはり社会的には高く評価される。そうしたことが、欧米や日本の社会からすると、女性が虐げられている、という見方になってしまうのだろう。しかし、イスラーム教徒が言うように、基本的な役割が違うのだから、社会における役割にも分担があるはずだと考えれば、それを一概に「差別」だと決めつけるわけにはいかないのかもしれない。

国際化に向かうイスラーム社会では、女性の問題はますます大きくなってきている。たとえば、比較的自由の範囲が広いエジプトの場合も、家庭の仕事を優先してきた女性たちは、参政権や離婚の権利があるのに、それをまったく知らない人が多い。また、文盲率が高いために、基本的な面での社会参加が妨げられてきた。しかし、いまは、ヒジャブを脱ぎ捨てて社会参加をする女性も増えてきたし、アラブ・アフリカでの女性のあり方を議論する会議もさかんに行なわれるようになってきた。ムハンマドの教えに従ってきた女性たちにとって、二十一世紀は大きな転機の世紀になるかもしれない。

なぜ遺体を葬るのか

宗教は、人々の生き方、そして死のあり方について、私たちに何を教えてくれるのだろう。

葬式でもなければ宗教を意識することがない、といわれるほどの日本では、そのときになっても、葬儀社まかせで、形式的に死の儀式をすませてしまうことがほとんどだ。しかも火葬場で火葬にすることをあたり前のようにも思っている。そんな国は、実は世界でもめずらしいのだが。

各宗教の葬儀、亡骸の処理方法から、その国、その文化の隠れた部分を探ってみよう。

［キリスト教］

カトリックは、教会を中心に、信仰のあり方や儀礼の方法が統一されている。葬儀についても、死期が近づくと神父を招き、「病者への塗油」の儀式を行なって、罪の告白を受ける。亡くなるとミサがとり行なわれ、その際に、聖体拝領がある。亡骸は正装、あるいはきちんとした身なりに整えて、棺に納め、墓地に埋葬する。カトリックでは、遺体を重視するので埋葬と決められていたが、環境がそれを許さない状況に迫られ、一九六三年に火葬が認められた。

東方教会も、基本的には、カトリックと同じだが、プロテスタントの場合は、葬儀についても個人の自由が認められ、火葬についても、第二次世界大戦前から、わずかではあるが行なわれるようになっていた。

［ヒンドゥー教］

仏教発祥の地であるインドでは、七世紀に仏教が衰退し、古代のバラモン教がインド古来の民間信仰を取り入れる形でヒンドゥー教がおこる。

古代インドの身分制度カーストの最上位にあったバラモン階級を中心に発展したバラモン教は、紀元前四世紀頃から一般民衆にも広がりはじめ、民間信仰をも吸収する形で八〇〇年頃に聖典が編《あ》まれた。人間も含めて、自然界のすべては宇宙の秩序であるダルマによって調和が保たれており、人の行為であるカルマは、前世、来世にも大きくかかわっている。現世で幸福な生活を送っている者は、前世でよい行ないをした人であり、現世でよい行ないをすれば、来世に幸せな生活を送ることができる、とする。

人の死については、遺体は火で焼き尽くされ、現世の形が残らないのが理想とされた。魂は焼かれることによって天に昇り、遺灰を近くの川に流すことで自然に還り、新しく生まれ変わることができると信じられてきた。そのため、火葬でなくてはならない。

[イスラーム教]

アラビア語で死者の名前に故人であることを示すために、マルホゥーム（女性はマルホゥーマ）という言葉をつけるが、これは「神のご慈悲がありますように」という意味である。

一般的には、死者が出ると、イスラームの指導者（イマーム）を招き、コーランを唱えて、神に許しと慈悲を乞う。そして、遺体を清浄な白布で包み、モスクまたは墓地へ運び、頭、もしくは顔をメッカの方角に向けて、埋葬する。

仏教のように成仏する（仏になる）わけではないので、死者を拝むことはない。墓場は、神による最後の審判で、復活が許されるまで待機する場所だから、土盛りに石ころだけの簡素なものでかまわない。ただ、復活するためには遺体が必要なので、土葬されなくてはならないのだ。エ

イスラーム教徒の墓　棺形の墓標がおかれることもあるが、土盛りに石やサボテンの目印程度のものも多い。墓地は生活圏から離れた沙漠や荒れ地に営まれている。背景は紀元前1900年頃の古代エジプト時代の王のピラミッド。　アル＝リシュト、エジプト

ジプトのように、供養のためのセノタフ（空墓）や死者のための家が建てられることがあっても、それは死者との対話の場所であって、そこで死者を礼拝したりすることはない。

　イスラーム教徒は火葬を嫌う。アラビア語で火はナールというが、これはそのまま地獄を意味する言葉でもあるのだ。コーランの教えでは、アッラーを信仰しない者、不義をはたらいた者は、復活が許されず、火焔地獄で永遠の責め苦を受ける。

　中東の観光国でもあるエジプトでは、現地で亡くなる観光客も出てくる。

　そうしたときのために、外国人用の火葬の施設もあるにはあるのだが、まるでゴミの焼却炉のようなものなので、遺族にはとても耐えられない。そのようなときは、移

送の手続きをしなくてはならない。二十世紀末には、カイロの墓地で強引に遺体を火葬しようとした人が逮捕されるという事件も起こっている。

しかし、逆に、イスラーム教徒が日本で死ぬと、火葬がほとんどなので、これもまた大変な問題となる。一九九四年、山梨県で自殺した身元不明の外国人を火葬にしたことがあったが、あとになってそれがイラン人だということが分かった。イラン政府はすぐに外務省に、なぜ火葬にしたのか、厳しく説明を求めたという。それもそのはずで、イランでは、最大級の侮蔑の言葉が「お前の父親は火葬されたぞ」なのだ。つまり、おまえは、アッラーの教えに反したために地獄の業火に焼かれたような悪人の子どもだ、ということだ。あるエジプト人にこのことを尋ねたら、そんな恐ろしい悪口はこれまで聞いたことがない、もしそんなことを言われたら、自分がどうなるか分からないくらい怒ってしまうだろう、という答えが返ってきた。

［ユダヤ教］

紀元前四世紀頃から信仰の高まりをみせたユダヤ人の宗教。イスラエルの人びとを率いてエジプトを脱出し、シナイ山で唯一神ヤハウェから十戒を授かったとされるモーセの律法を中心にした旧約聖書をその拠り所にしている。そして、ユダヤ人だけが神から選ばれた民、契約の民とし、神の国を地上にもたらすメシアの到来を信じる。

ユダヤ教にとって人の死は、肉体は土に、魂は神のもとに還るということだ。最初の人間とさ

ユダヤ教徒の墓地　ユダヤ教徒のためだけの墓地にたつ、ヘブライ語の記された墓碑。失われたユダヤの神殿を模している。　チェコ

れるアダムが「土塊《つちくれ》」という意味の名前であるように、神に創造される以前の土にかえすということから、遺体は清浄な白布に包んで埋葬することになっている。ただし、選ばれた民が葬られる場所は、ユダヤ教会によって、異教徒とは別に定められた墓地でなくてはならない。

逆に、キリスト教徒たちも、ユダヤ人が自分たちの墓地に葬られることを嫌っている。

伝統的には、死から埋葬までの間、遺族は身につけている服や黒布を引き裂いて悲しみをあらわし、肉食、飲酒、男女の交わりを断つという。

天地創造説と進化論

キリスト教徒の拠り所である聖書の「天地創造」の物語はあまりにも有名である。ここでは、神が土塊から人をつくったということになっている。日本人で、この話をそのまま信じている人はほとんどいないだろう。人間はサルと同じ祖先から進化したという進化論を〝科学〟として受け入れているからだ。

ところが、先進諸国のトップを走るというイメージのあるアメリカ合衆国では、人はサルから進化したものではなく、神がつくったものだと信じている人が決して少なくない。かつてプロテスタント正統主義を熱心に信奉していた合衆国南部はバイブル・ベルト（聖書地帯）とよばれていたほどで、そこでは、いまだに学校で進化論を教えていいかどうかの対立がある。

一九二五年、テネシー州では、聖書の天地創造説に反する理論を公立学校で教えることを禁じた。このとき、デートンという町で生物学の教師をしていたジョン・スコープスは進化論を教えたとして逮捕され、裁判の結果、一〇〇ドルの罰金という有罪判決がくだった。そのときの検察側の参考人には、三度も大統領候補に指名され、国務長官も務めたウィリアム・ブライアンが立ったというから驚きである。このとき決まった州法は一九六七年になってようやく廃止されたが、いまも聖書の天地創造説と進化論の両方について、教えることに反対するという意見があるのだ。

南部でも、アーカンソー州の州法では、創造主である神が人を創ったとする創造説を学校で教えることを禁じているが、こうした極端な法は、創造説を唱える勢力がそれだけ強いということのあらわれだといえよう。しかもこのアーカンソー州の州法に対して、連邦最高裁は、これを違憲とするなど、非常に深刻な問題なのだ。

今日、人類の故郷はアフリカにあり、もとは肌も黒かったという説が有力である。そこから人類が世界に広がったのであれば、白人は有色人種から分かれた一種族ということになる。そうなると人種問題もからんで、よけいに進化論は受け容れられなくなる。白人がアフリカの黒い人種から進化したというのは、信じられないというよりも、信じたくないということだろう。

ちなみに進化論は、イスラームもその教えに反するとして受け容れていない。

二十一世紀を占う鍵

世界各国の人びとの生活、習慣だけでなく、その国の政治、経済にも「宗教」は大きな位置を占めている。それは、それを信じる人たちのアイデンティティの基本であり、それを信じない人たちとはおたがいに相容れない部分がどうしても生まれてくる。

そのため、人びとは、戦闘で勝利すると、相手の宗教を弾圧したり、改宗させるなどして、精神的な勝利をも目指してきた。

一九八九年、アメリカのブッシュ大統領とソビエトのゴルバチョフ書記長のマルタ首脳会談によって、冷戦は終結した。この記念すべき瞬間から、世界は平和に期待したが、今日のイスラエル、パレスティナ問題などにみられるように、世界各地には、解決の糸口が見いだせない宗教、民族紛争が絶えることなく起こっている。

冷戦後の旧ソ連、東欧では、ロシア正教やイスラームが復興し、新たな分裂がはじまっている。先進諸国では、政治不信、社会不安から新興宗教、カルトが起こり、さまざまな集団がつくられている。そうした意味でも、宗教は二十一世紀を占う重要な鍵であるといえよう。

私たちは、世界各地に、異なる宗教、異なる民族があることを認め、そこで育まれた異文化を理解し、尊重することからはじめなければならないのではないだろうか。

マナーとタブーの小事典

スルタンアフメット・ジャミィ　1616年に建設された、イスタンブールを代表するモスク。内壁を飾る青いタイルが美しいことからブルー・モスクの愛称でよばれている。　トルコ

アイ・コンタクト　欧米では、挨拶するときは、必ず相手の目を見る。狭い通路などで他人とすれちがうときも、目をそらさず、軽く目礼する。一般に欧米人は、アイ・コンタクトを非常に重視するが、アジア、アフリカの一部民族には、目上の人の目を見るのは失礼だという概念があって、文化摩擦のもととなることもある。

挨拶（言葉）　ヨーロッパの諸言語では、挨拶の多くは「よい何々を」という願いの言葉に由来する。

たとえば、英語のグッド・デイは、「よい日ですね」という意味で、会ったときに交わされる挨拶であるとともに、別れに際して、「よい一日を」と祈念する挨拶でもある。イタリア語では、朝のあいさつのブオン・ジョルノや午後以降の挨拶のブオナ・セーラが、別れのときにも、ふつうにもちいられる。

別れる際には、このような時間帯に関するもののほか、「よい一日を」「よい旅を」「よいお仕事を」「幸運を」など、相手の状況を思いやった挨拶が、臨機応変に使われる。また、「次にお会いするときまで」という挨拶もある。親しい相手に対しては、会ったときも別れるときも、もっとくだけた言い方をする地域も多い。

アラビア語では、出会いのときも別れぎわも、「あなたに平和がありますように」を意味するアッサラーム・アライクムと、「あなたにこそ平和がありますように」のワ・アライクム・アッサラームという挨拶を交わすのが基本。サラーム（平和）は単独でももちいられるが、マレーシアやインドネシアでは、スラマッと転訛して独特の挨拶の常套句をつくるなど、地域によって、いろいろな言い方が生まれている。

朝鮮半島では、礼儀正しい挨拶が重視され、挨拶の表現も多い。ただ、アンニョンハシムニカまたはアンニョンハセヨは、もともとの意味が「お元気ですか」なので、家庭内では使わない。

漢民族は、元来、様式化した挨拶の言語やしぐさをあまりもたない。你好（共通語の発音でニーハオ）は、「お加減いかがですか」と、相手に面と向かって問う挨拶で、フォーマルな感じがする。

ヒンドゥー語のナマステは、「あなたに敬意を」ということなので、出会いのときにも別れぎわにも、もちいられる。ナマスカールは少していねいな表現。

挨拶（しぐさ）　挨拶のしぐさにはおじぎ、**→会釈**、**→握手**、**→頰キス**、肩を抱きあうなどのほか（**→アブラソ**）、合掌のかたちや（**→ナマステ**、**→ワイ**）、胸に手をあてる、互いの鼻をこするなど、多くの種類がある。欧米式の握手は、ほぼ世界の標準的な挨拶となっている。

相づち　欧米人を相手に、「話を聞いていますよ」というメッセージのつもりで相づちを打っていると、話の内容に対する肯定や同意と受け取られることがあるので注意する必要がある。

握手　欧米では、握手はしっかり握って上下に二、三回ふるのがよいとされているが、イギリスやフランスでは、軽く握るだけなど、握手の作法には地域差がある。だらりと力を抜いた手はデッド・フィッシュと言って、一般に嫌われる。握手は、本来、男性のための挨拶で、女性同士はふつう握手はしない。ただ、女性に対して男性の方から先に手を差しださないというマナーは、英米を中心に、現在はあまり気にされなくなってきている。

アクセサリー　イスラームでは、男性はネックレスやピアスなど、女性的なアクセサリーをつけない。サウジアラビアでは法律違反で、金のチェーン・ネックレスなどをつけていた外国人男性が、それを没収されたり逮捕されたりすることがあった。ただし、指輪はかまわない。

あくび　ヨーロッパでは、かつて、開いた口から悪魔が入ってくると言って、あくびが出ると、口に十字を切った。アラブ人のなかには、いまでも、左の手のひらを口に当ててまじないを唱える人びとがいる。現在の常識では、あくびは、緊張感がない証拠とみられる。

脚・足　西洋文化では、脚を組むことは不作法ではないが、中東や東南アジアでは許されなかったり、不遜ととられることがある。アメリカ人男性がよくやる片膝の上にもう一方の脚の足首をのせる「４の字形」の脚の組み方は、ヨーロッパでも行儀が悪いとされるが、とくにイスラーム社会では足の裏を見せるのは非常な失礼にあたる。イスラームの社会では、腰掛けるときには、両足は地面につけておくのが原則。

頭　頭は神聖な場所とされているので、中東や東南アジア、インドでは、子供の頭をなでることをはじめ、人の頭に触れることは絶対にタブーである。

アブラソ　スペインやラテン・アメリカで一般的な、肩をたがいに抱きあう挨拶。イタリア語ではアブラッチョ。

安息日　欧米などキリスト教圏では、日曜日が安息日となるので、パーティーを催すなら金曜日か土曜日の夜。ヨーロッパでは、日曜日に芝刈りなどをすると苦情がくる国もある。ドイツ、オランダ、スイスなどでは、引っ越しも日曜は避けるべきだとされている。

イスラームでは、木曜の夜から安息日に入るので、木曜の夜から金曜は、人を招くことを避ける。

ユダヤ教では、金曜日の日没から土曜日の日没までが安息日。イスラエルでは、シナゴーグ（ユダヤ教会堂）へ徒歩で行く。公共のバスも、原則的には運行しない。自動車を運転するのも労働とされているからだ。ユダヤ教徒のなかには安息日に運転する「世俗派」の人びともいるが、イスラエルの超正統派の人びとの居住区に安息日に車で入ったりすると、たいへんな非難をあびる。このほか、火を使うことも禁じられているので、家庭の食事は作り置きをするなどの工夫が凝らされる。テレビを見るのも禁止。

イカ　→シーフード

イースター　→復活祭

いちじくの手　ヨーロッパや日本では、女性器や男性器をあらわす猥褻なジェスチャーだが、アメリカでは手話の「t」を意味するほかは、特別の意味はない。ポルトガルやブラジルでは、この指の形をした魔除けのお守りが売られている。

イヌ　キリスト教徒がイヌを食べないのはレビ記の教えによるというより、西洋的なペット食タブーによるものだろう。「羊頭狗肉」の成語で知られる通り中国のイヌ食は有名で、とくにチャウチャウ種は食用のために品種改良されたものだ。朝鮮半島やタイなど、アジア一帯でイヌ料理が知られており、日本でも、かつては食べられていたことが宣教師の記録などに残されている。ヨーロッパでも古代ギリシア・ローマ時代には、薬効を期して、あるいは宗教儀礼として食べられていた。

イスラームでは、イヌは不浄とされ、食用には決して供されないだけでなく、厳格な国では、イヌのぬいぐるみや絵も贈り物にされない。当然、イヌをペットとする習慣もないが、イランでは最近、室内でなら飼ってもよいことになり、愛玩用のイヌがわずかだが認められつつある。

色　黒や紫は喪を意味するので、ヨーロッパなどではプレゼントには不適切。中国では白、黒、青といった色がやはり喪を連想させるので、包装紙などには、ほとんど使わない。逆に縁起のよい色は赤やピンク、金。国旗の色が緑と黄色であるブラジルでは、この色を組み合わせた洋服は着ない方がよい。アラブでは、青い色は魔力から身を守ると言われ、トルコ石がお守りに使われたりする。赤ん坊のお祝いにも、青い色のものが喜ばれる。いまあげた例のほかにも、色のもつイメージは地域によってさまざまである。→花

ヴァレンタイン・デー　ヴァレンタインは、キリスト教の聖人。欧米では、恋人たちにとって特別な日だが、女性から男性に愛を告白する、と決まっているわけではない。この日には、誰でも好きな人（友達、家族、いつも世話になっているさまざまな人）に、カードなどを贈る習慣をもつ人びともいる。日本のように、決まってチョコレートを贈

るわけではない。

Vサイン　一般的には、「勝利」や「平和」のサインとして知られているが、ギリシアでは相手に突き出すように出したVサインは侮辱のしるしとなる。イギリスでは、手の甲を相手に見せる裏がえしのVサインが、侮辱をあらわす。

ウインク　インドでは、人を馬鹿にしているか、性的な誘惑と受けとられる。イスラーム圏では、女性のウインクは厳禁。

ウサギ　イヌやネコなど、身近な動物を食用とすることをタブーとするはずのヨーロッパ人の矛盾を示す一例。童話「ピーターラビット」の例でも分かるように、ヨーロッパでもウサギはかわいい動物とみなされているが、一方では、ウサギ料理が好まれる。

ウシ　ヒンドゥー教徒にとってウシは、神聖な動物なので、決して食べることはない。牛革製品ももたない。とくに白いウシは神からの特別な使いであると考えられているので、路上で近寄ってきたら、場所を譲って触れないようにする。
→**革**

腕組み　欧米では一般に、防御のサイン。「あなたの言っていることは信じないよ」ということ。

ウナギ　→**シーフード**

ウマ　イスラーム教徒、ユダヤ教徒は、食べることをタブーとする。また西洋文化でも、フランスなど一部地域を除き、食用にはしない。

会釈　日本のおじぎは、角度や間合い、回数によってさまざまなニュアンスが表現できるが、外国人はこれが苦手である。日本人がよくやるような、握手をしながらのおじぎは、見苦しいので避けた方がよいとされるが、ドイツ人は握手しながら軽く会釈する。首を斜めに傾ける会釈は、イギリス独特の挨拶。中東では、深いおじぎは神に対してするものとされているので、人に対しては、あまり深くおじぎをしない方がよい。

アフガニスタンのタリバーンは、「サラーム」という挨拶の言葉をともなわない、おじぎだけの挨拶は罪である、とのお触れを出した。

エビ　→**シーフード**

オオカミ　古ゲルマン人には、オオカミ信仰があったため、キリスト教徒はオオカミを異教の象徴として忌み嫌った。狼男はその一例。

贈り物　贈り物については、日本人の常識が通用しないことが多い。たとえば中国では、時計を意味する「鐘」の発音が「終」に通じるため、また傘も同じような意味で、贈り物には適さないとされている。コウノトリ、ツル、ハンカチも、葬式を連想させるので避ける。イギリスでは石鹼

や下着など、直接肌につけるものは性的な意味を連想させるので注意する必要がある。**↓革、↓花、↓ナイフ**

欧米人に贈り物をするとき、「つまらないものですが」と謙遜すると、「つまらないものをなぜくれるのか」と誤解されることもある。またアジアでは、ふつう、贈り物をその場で開けるのは慎みがないとされるが、欧米社会では、贈られたものはその場ですぐに開ける。

欧米人は、誕生日や退職などの節目に、こまめにプレゼントやカードを贈る習慣がある。アメリカのシャワー・パーティーは、花嫁や初めて妊娠した女性に実用品を中心としたプレゼントを浴びせる習慣。

OKサイン　親指と人差し指で輪を作るサインは、多くの場合OKやゼロをあらわすが、地中海沿岸や中東、南米の一部や北欧、ロシアでは、下品な意味合いをもつ。ギリシアでは、同性愛のサインになる。これらの地域では、指でつくった輪は肛門や女性器の象徴なのだ。

おじぎ　↓会釈

親指　アメリカをはじめ広くOKサインとして通用する親指立ては、中東などでは無礼なしぐさとなる。

貝　↓シーフード

カエル　イスラームやユダヤ教では、食べることが禁じられている。またフランスをのぞき、西洋でも、カエルを食べることを嫌う人びとは非常に多い。

傘　英語圏には、室内で傘をさすと縁起が悪いという俗信がある。室内で傘を干したり、傘売場で傘を買う前に開いてためすといった行為が嫌がられることもある。

数　複数の贈り物をするときには、中国などでは、必ず偶数個とする。ヒンドゥー文化では、人にお金を渡すときには、奇数になるようにする。欧米で花を贈るときは、奇数本（ただし十三本は厳禁）がよいとされる。十三という数はキリスト教徒には忌み嫌われるが、仏教では十三回忌や十三仏めぐりでも分かるように、重要な数字である。京都では、数えで十三歳になった子供が陰暦三月十三日にお参りをする十三参りという風習がある。その他、数にまつわるイメージ、習俗は、非常に多い。

カタツムリ　欧米では、フランス以外では一般に、食用にはしないとされている。

ガッツポーズ　握り拳を振り上げたり、力こぶを誇示するしぐさは、欧米では、性的な意味をもつ。とくに腕を素早く曲げながら、肘関節の内側や力こぶのあたりを反対の手で押さえたり、ばしっと叩いたりすると、侮辱や挑発となる。曲げた腕は男根の象徴。

割礼　男子では陰茎の包皮、女性では陰核や小陰唇など、性器の一部または大半を切り取る習俗。現在は、ユダヤ教

半島の一部などでは、住居のなかでは靴をはかない。しかし、その習慣のない国でも、寺院に入るときには靴を脱がなければならないところが多い。反対に、欧米や中国では、人前で靴を脱ぐことをタブーとする女性も多い。靴を脱ぐことが性的な連想につながるためである。フランスでは、新婦の靴紐をほどくのはハネムーンでの新郎の義務とされる。韓国では、脱いだ靴を直すと、早く帰りたい、という意思表示とされるので、脱いだままにする。
　なお、男性のビジネス・スーツには紐付きの靴、またはモンクストラップの靴をはくべきで、ローファーははかないのが一般的だ。

車　日本では、運転席の後ろに賓客を乗せるが、欧米では、ふつう助手席が上席とされる。イスラームの戒律のきびしいところでは、肉親と夫婦以外の男女が車に同乗することが禁止されている。サウジアラビアでは女性の運転は禁止。

黒ネコ　西洋では古くから、魔女の手先と信じられていた。黒ネコが目の前を横切ったりするのは凶兆。

クローバー　四葉のクローバーは縁起がよい、という俗信は、アイルランドのカトリック教徒から世界中に広まった。三葉のクローバーに似た植物の総称シャムロックは、アイルランドの国章に使われている。

契約　国際的なビジネスの契約にあたって、常識の違いが浮き彫りになることがある。欧米人は、一般に、契約書にサインする直前まで日本人よりはるかに慎重である。とくにドイツの会社は、複数のエグゼクティヴが契約まで長い時間をかけて検討する。

化粧　欧米では、女性が人目のあるところで化粧直しをしたり髪をさわるのは、娼婦のしぐさであり、男性を誘うサインだとされてきた。また、顔に手をもっていくのもいやらしい行為を暗示すると考えられていたが、最近では日本同様、電車のなかで化粧をする女性がロンドンやニューヨークなどの都市で増えている。

月経　月経中の女性を不浄とみなす文化は非常に多い。たとえば、ユダヤ人社会では、相手がユダヤ教徒の男性の場合は、女性は相手の身体に触れないようにし、物も直接渡さず、相手の手の届くところに置く。朝鮮半島では、月経中の女性は箒を跨いではいけない。経血が箒につくと、その血から女性の気が箒に移って、箒が鬼神となって動き出すという迷信があるからだ。パプアニューギニアでは、月経中の女性は外出できない。また、男性用の椅子に座ったり、ものを跨いではいけないとされる。

月光　ヨーロッパをはじめ、さまざまなところで、月の光にあたると気が触れると信じられている。狼男の伝説はその一例。

結婚指輪　指輪の交換は夫婦結合の象徴で、古くからインド・ヨーロッパ語族の言語圏で知られていた風習。十六世紀末までイギリスでは、結婚指輪は右手の薬指にはめていた。ロシアの一部では、いまでも右手の薬指。台湾では女性が右手の薬指、男性は左手の薬指にはめる。

ゲップ　欧米では、ゲップは非常に不作法だが、アラブ社会や中国では、たっぷり食べたというサインとして、料理に対する満足をあらわす。

幸運　西洋には幸運を祈るべきところで、「幸運を」と言ってはいけない、という俗信がある。これは邪視信仰とかかわるもので、「グッド・ラック」と言うかわりに「ブレイク・ア・レッグ」(脚を折れ)などと声をかけたりする。→**邪視**

コーシェル　ユダヤ教では、宗教上の戒律によって、食べてよいものはコーシェル、それ以外はトレイフとよばれる。コーシェルは旧約聖書によって許された食材を、決められた畜殺方法で処理したもの。チーズなどの製造法や家庭での調理法にもさまざまな規定がある。

国歌・国旗　国歌が流れるときは、必ず起立する国がある。たとえばタイでは、朝八時と夕方六時に、公共の場所で国歌が流されるが、その際は、直立不動の姿勢をとらなくてはならない。映画館でも、上映前に国王賛歌が流れるが、このときも直立不動で立っていなければならない。座っていると、外国人でも不敬罪で罰金や投獄されることがある。外国では一般に、国旗に対して、日本よりはるかに敬意を表することが要求される。

子ども　西洋社会では大人の時間・空間と、子どものそれがはっきり別れている。社交の場では、常に男女のペアが基本の単位なので、大人のパーティーに子どもを連れていくことはない。ドイツやフランスは、とくにこのあたりが徹底していて、コンサートやレストランはほぼ子連れ禁止である。ただイギリスでは、最近、子ども連れでも入れるパブが増えている。→**しつけ**

コーヒー　モルモン教徒は酒、タバコ、コーヒーなど、刺激物を飲まない。オランダでは、コーヒーは会食のお開きの合図である。またドイツには、コーヒーは不妊症になるという俗信がある。メキシコのレストランでコーヒーを頼むと、インスタント・コーヒーの粉の入ったカップとお湯が出てくることがある。トルコでは、結婚を申し込みに来た男性やその母親に、申し込まれた女性がコーヒーをいれるという儀礼的習慣がある。

菜食主義　→**ベジタリアン**

酒　イスラームではアルコール類は禁止されているので、料理や洋菓子に使うこともいけない。ただし実際の扱いは、国によって違う。戒律のきびしいところでは、ウィスキー・ボンボンの持ち込みを通報されて鞭打ちの刑に処された旅行者もいる。ヒンドゥー社会でも、原則的に禁酒。キリスト教社会では、モルモン教徒の禁酒が有名だが、一般的にプロテスタントはあまり飲酒を好まないようだ。

欧米では、公共の場で酔ってはいけないなど、年齢以外にも法律や条令による規制が多い。トンガでは、年に一度、警察で発行される酒類購入許可証がないとアルコール類を買えず、その量にも規制がある。韓国では、目上の人の前では、顔をそむけながら酒を飲むのが礼儀とされる。酒とは関係ないが、韓国では、かつては、親の前でメガネをかけてはいけない、といわれたこともあった。メガネをかけると、えらそうにしている、と思われるからだという。これも礼儀だったのだ。

砂糖　砂糖はカロリーが高いため、現代の欧米社会ではなるべく避けようとする人が多い。アメリカではチョコレートケーキが「デヴィルズ・ケーキ」(悪魔のケーキ)などとよばれることもある。

差別語　口に出してはいけない差別語には、人種、性差や階級差、貧困、ホモセクシュアルに関するものなど、さまざまな種類がある。一例として、アメリカ国内での少数民族に対する蔑称と、それらに対する「政治的に正しい呼称(ポリティカル・コレクトネス)」をあげておく。

黒人　×ニグロ Negro、ニガー Nigger　△ブラック Black　○アフリカン・アメリカン African-American、ハイティアン・アメリカン Haitian-American、カリビアン・アメリカン Caribbean-American など

ラテン・アメリカ系　×スピク Spic, Spik　△ヒスパニック Hispanic　○ラティーノ Latino

インディアン　△インディアン Indian　○ネイティヴ・アメリカン Native-American

ユダヤ系　×ジューボーイ Jewboy、イド Yid、カイク Kike、アイク Ike、アイキー Ikey　△ジュー Jew　○ジューイッシュ・アメリカン Jewish-American

アイルランド系　×ミック Mick、ミッキー Mickey　○アイリッシュ・アメリカン Irish-American

イタリア系　×ウォップ Wop、アイティ Eyetie, Iti, Ity　○イタリアン・アメリカン Italian-American

ポーランド系　×ポラック Polack　○ポリッシュ・アメリカン Polish-American

中国系　×チンク Chink、チャイナマン Chinaman　○チャイニーズ・アメリカン Chinese-American

日系　×ジャップ Jap、ニップ Nip　○ジャパニーズ・アメリカン Japanese-American

塩　塩は腐敗を防ぐという作用のためか、日本の「浄めの塩」のように、塩にまつわる俗信や風習は古くから各地にみられる。欧米で食卓で塩をこぼすと縁起が悪いとされるのもその一例。

時間　時間の観念は、民族、社会によってさまざまだ。開発途上国の人びとが時間にルーズなのは、時計をみる習慣がないからだという考え方もあるが、逆に、時間に支配されたくないと思う人びとの社会だからこそ時計が普及しない、とも言える。一般に、時間に厳しいのはスイス人、ドイツ人をはじめとする北ヨーロッパの人びと、そして日本人で、その反対がアラブ系、ラテン系、そして南半球の人びとだろう。アラブ人は、時間は使用人であって主人ではない、と考えているし、インドネシアには、伸縮自在な「ゴムの時間」という言い方がある。

ただし、これらはあくまでも一般論であって、個々人の習慣や状況によって、時間の感覚はさまざまである。たとえば、時間に厳しいはずのイギリスの列車は、あまり時間通りには運行されない。南アメリカでは、北半球の人間に対しては、時間を守ることを当然のように要求する。ビジネスでは時間厳守でも、パーティーには遅れて着くほうが礼儀にかなう社会も多い。

敷居　日本でも朝鮮半島でも、敷居を踏んではいけない、と言われる。朝鮮半島では、敷居に鬼神が棲んでいるとされるからだ。モンゴルでは、ゲル（住居用大型テント）に入るときは、必ず右足から入る。一般に、内と外を分けるような、境界に関するタブーは多い。

自殺　ギリシア人やローマ人は、不名誉を避けるための自殺を認めていたが、キリスト教社会、とくにローマ・カトリックでは、自殺は神に絶望するという究極の罪である。日本人の「切腹」が、西洋でいまだに話題になるのは、自殺に対する概念が異なることのあらわれだろう。

ヒンドゥー社会の上位カーストでは、夫を亡くした妻は殉死すべきであるとされ、殺人まがいの寡婦焼死事件がいまだにある。また、自ら爆弾を抱えて相手とともに死ぬテロ事件もあとをたたない。他の国でも、一般に、宗教観を超えて、抗議行動として焼身自殺が行なわれることがある。

しつけ　西洋社会では、子どもは早い時期から親との分離独立をうながされるような環境で育つ。たとえば欧米では、夜中の授乳が必要なくなった頃から、赤ん坊は子ども部屋に一人で寝かされる。彼らにとっては、夫婦の寝室は性的な空間なので、両親が子どもに添い寝する日本の習慣は理解されない。

また、アジアやアフリカでは、母親が子どもをおぶったり、布でくるんで背負うなどしながら家事をこなす社会が多い。一方、欧米では、母親は赤ん坊が起きている間は子どもに声をかけてあやし、眠ってしまうと、家事に切り替える傾向がある。このような育て方の違いは、生後三カ月の赤ん坊の行動パターンにすでにあらわれる、という報告がある。

親と子は独立した存在で、親は子どもの成長を助けるものという英米流の考え方からすれば、子どもを自分の分身のように感じ、子離れがなかなかできない日本の母親は批判の対象になる。公共の場での日本の子どものマナーの悪さも、しつけができていない証拠として、よくやり玉にあげられる。

シーフード　レビ記に「ひれやうろこのない」水中の生き物は食べてはいけないという教えがある。イスラーム教徒やユダヤ教徒はかなり厳格にこれを守る。

キリスト教社会でも、ウナギやタコは一般的には嫌われるが、南欧には、タコやウナギ料理、イギリスのサウス・コーストにはウナギのゼリー寄せがあるなど、地域によっては好まれている。

脂肪　今日の英米では、脂肪分たっぷりの食事、油ものの料理は、貧しい人の食物を連想させるらしい。

酌　朝鮮半島では、左手で酌をしてはいけない。女性がすすんで酌をするのもいけない。一般的に、女性は酌などするものではないとする社会は多い。欧米では、相手に酌をするという習慣そのものがない。

邪視　邪視とは、その視線に触れると災いが起こるという目の魔力のことだ。思わぬ災難がふりかかったとき、日本人なら、さしずめ「たたり」や「親不孝の報い」といった発想になるところだが、古代の地中海地方の人びとは、ある種の人間、とくに嫉妬心を抱いた人間の邪悪な視線によると信じていた。また邪視の魔力は、他人の幸福をねたむ者が意図的に発するだけでなく、当人が気づかぬまま、その視線で他人に害を与えることもある、と考えられてきた。邪視の迷信は、今日も、地中海地方やアラブ社会に生き残っている。たとえばイタリアでは、聖職者が邪視をもつとも考えられていて、修道士や修道女に出会うと、縁起が悪いとされる。

ポルトガルやイタリアの「いちじくの手」のお守り、トルコの青いガラス玉に目を描いた「ナザルボンジュウ」は、ともに邪視よけのお守りとして知られる。また、英米でも、うっかり自慢めいたことを口にしたときに「木にさわる」とか、幸運を祈る言葉のかわりに「足を折れ」などと言うのは、嫉妬の女神にたたられないためのまじないで、邪視の迷信の名残りだろう。→**色**、→**木**、→**幸運**、→**見る**

写真　飛行場や基地を写真などに撮ると、軍事目的と疑われる国がある。また、キリスト教、ユダヤ教、イスラームを問わず、信者が礼拝しているところにカメラを向けてはいけない。教会の内部などは、撮影禁止の場所もある。ユダヤ教の聖地、嘆きの壁では、安息日と祝日は撮影禁止。イスラーム教徒の女性にも、カメラを向けてはいけない。アラビア半島の厳格なイスラームの国々では、人や動物を写すことは偶像崇拝につながるとされるため、禁止されている。東南アジアなどでは、仏像を背にして写真を撮ることは不敬に当たる。それでなくても、人が食事をしているところなどには、カメラを向けない方がいい。それはよその国を訪れる観光客の最低限のルールだろう。

南米やアフリカの先住民族などには、写真に撮られること自体を嫌う人もいるので、人物や宗教的儀式などを許可なく撮らないことだ。グアテマラでは、先住民を撮影した日本人観光客が殺されたことがあった。

謝肉祭（カーニヴァル）　カトリック文化圏で行なわれる民間行事で、禁欲生活を送る四旬節の前の数日間に行なわれる。有名なリオのカーニヴァルのほか、水をかけあうような奇習など、地域によって、さまざまな祝祭がある。

手食　世界の人びとの半数近くは、直接手を使って食事をする。地域的には、アジア、アフリカ、オセアニアなどで、とくに、イスラーム教徒やヒンドゥー教徒は、宗教的戒律によって、手食を基本とする。どちらも「不浄」でない方の右手をおもにもちいる。

人物画　イスラームでは、人間の姿を描いたものは偶像崇拝につながるとされるので、人物画は贈り物として適さない。戒律に厳しいところでは、アニメのキャラクターがプリントしてある文具なども、空港で没収されることがある。ポケモン（ポケット・モンスター）関連商品は厳禁。**→人形**

すする　日本や朝鮮半島では、麵類などを音を立ててすするが、欧米人は食事のときに音を立てることをひどく嫌う。

スーツ　国際社会の公式な場では、ダーク・スーツに無地または織り模様のネクタイという保守的なスタイルが常識。上着の袖からシャツが見えること、ズボンはベルトではなくサスペンダーで吊ること。またボタンダウンのシャツは、ビジネス・スーツには合わせないこと、腰掛けてズボンの裾が上がっても、すねの見えない長さの靴下をはくことなど、日本人が気がつかない着こなしのルールは多い。**→ネクタイ**、**→ポケット**、**→靴**

スプーン　**→ナイフとフォーク**

性行為　宗教儀礼との関連で、性行為を一時的に禁じる社会は非常に多い。たとえばイスラームでは、ラマダーン（断食月）の間は性交は禁止されている。

アメリカでは、ウィスコンシン州以外は、どこの州でも性行為に何かしらの規制がある。オーラル・セックスやホモセクシュアルを禁じる州は多いし、ジョージア州では、正常位以外は厳禁とされる。もっとも、これらの規制がまったくの有名無実であることを示す統計は多い。

正座　正座をするのは、日本の伝統的な風習で、朝鮮半島では、正座は囚人の座り方とされる。

成人式　子どもから大人へと移行する時期の、あるいは共同体の成員となるための「通過儀礼」としての成人式は、先進諸国ではほとんど形骸化している。ただし、ユダヤ教徒は、男子十三歳、女子十二歳で成人式を行ない、その日を境に宗教的責任を負うことを義務づけられている。

カトリック教徒の子どもが七歳くらいになると受ける堅信礼は、子どもにキリスト教徒であることを自覚させる儀式である。このときの、晴れ着で着飾った子どもたちの姿は、日本の七五三のお参りを思わせる。プロテスタントの諸教会では、自分の意志で信仰を表明できる年齢になってから、堅信礼もしくは信仰告白式が行なわれる。

ラテン・アメリカでは、女子が十五歳（キンセアーニョス）になると、特別なお祝いの場をもうける。アメリカでは、十六歳の誕生日が大きな節目とみなされる。またアメリカの高校や大学で催されるプロムというダンス・パーティーは、大人としてのマナーが試される機会とされる。

セクシャル・ハラスメント（セクハラ）　性的な嫌がらせのことだが、こちらが嫌がらせのつもりでなくても、相手にそう解釈されると、場合によっては、やっかいな訴訟問題になる。日本では、まだセクハラの基準があいまいだが、アメリカでは、かなり厳しい。日本の常識はまったく通じないと思っておいた方がいいだろう。

欧米人は、ただでさえプライベートな質問を嫌うが、そこに性的なニュアンスが少しでも含まれていたら、セクハラとみなされて問題となる可能性がある。ただし、女性をほめるのがマナーと考えるイタリアやスペインでは、親しみを込めた挨拶や冗談がセクハラととられることは比較的少ない。

接近　イギリス人をはじめとする中部・北部ヨーロッパ人と北米人は、エレベーターですし詰めにされると、天井を仰いだり目をつぶったりして、他人と触れ合っていることを懸命に意識しないようにする。また彼らは、日本の都市の満員電車などは、耐え難い苦痛と感じるという。日本人は、人混みはわりあい平気だが、話し相手と向き合うと、距離を保ちたがる。同じことは、インドのヒンドゥー教徒にも言える。英米人は、日本人やインド人より短い対面距離を好むが、それでも腕を伸ばして相手に触れられるくらいに距離を縮めることはないし、知人と並んでベンチに腰掛けるときも、ある程度の距離を必ずおく。

反対に、イスラームのコミュニケーションは、超接近型で知られる。仲間と話すときには、相手の顔に息がかかるくらいまで近づく。また、男女が人前で触れ合うことはないが、男性どうし女性どうしが腕を組んだり、手をつないだりする。

「接近」傾向は、ラテン諸国や、スラヴ諸国にもある。中南米にビジネスで訪れる北米人に対して、話し相手が自分の肩に手をかけたりしても、決して後ずさったりしないように、などという忠告があるくらい、双方が好む対面距離には差がある。また、日本人もアメリカ人も、恋人どうしでテーブル席に座るときには向かい合って座るが、ラテン・アメリカでは並んで座る。

殺生　仏教では、原則的に殺生を禁じているが、チベット仏教や上座部仏教では肉食が許されるなど、解釈はさまざまだ。殺生にもっとも厳格なのはインドのジャイナ教で、いっさいの肉食を禁じるほか、僧侶は小さな虫を吸い込まないように布で口を覆い、生き物を踏み殺さないようにと、箒で地を掃きながら歩く。

背中　東南アジアの一部では、王族に背中を見せるのは失礼な行ないとされているので、王族の前から退くときは、逆歩する。

添い寝　欧米には、日本のように親と子どもがいっしょに寝るという習慣はない。カトリックの国のなかには、三カ月以上の幼児を親と同じ寝室で寝かせることを法律で禁止しているところもある。アメリカでも、一歳にならない子どもに、夜、両親の時間を奪うのは不公平だと言って聞かせる。→**しつけ**

僧侶　仏教の僧侶にとっては、女性に触れること自体が戒律違反になるので、タイやラオスなど、東南アジアの仏教国では、女性は僧侶に触れることはもちろん、話しかけることもタブーとされる。供物も直接手渡さず、盆にのせて差し出す。

ダイエット　アメリカなど、いわゆる先進諸国では、外見的なイメージの問題と成人病予防の観点から、ダイエット産業がますます盛んである。アメリカでは、肥満は自己管理能力のなさとみなされ、ダイエットとエクササイズはエグゼクティヴにとっては必須の条件とされている。ただヨーロッパでも、フランスやイタリア、スペインなどでは、ダイエットより食の楽しみを優先させる傾向が強い。

体毛　アメリカの女性にとって、他人の目に触れる体毛はタブー。すね毛などの脱毛は、身だしなみの一つである。フランスやスペインでは、体毛をあまり気にしない。

タコ　→シーフード

堕胎　カトリック、イスラームでは堕胎を禁じている。ただし、理由を限定して、法律で許可しているカトリック先進国も多い。アメリカでは、堕胎を認めるかどうかが、常に政治の争点となっている。

タバコ　英米では、喫煙はすでにタブーとなりつつあり、公共の場での禁煙や分煙が進んでいる。喫煙がタブーでない国でも、ふつう食事中は吸わないが、トルコのように食事中吸ってもかまわない国もある。キリスト教徒のなかでは、モルモン教徒はいっさいタバコを吸わない。スイスやシンガポールでは、タバコの吸い殻を外で捨てると罰金刑が科される。イスラームでは戒律上は禁煙だが、巻きタバコや水タバコが好まれる地域も少なくない。韓国では、儒教の影響によって年配者の前ではタバコを吸わない。中国、インド、アフリカやラテン諸国といった喫煙国では、まわりに勧めてから自分も吸う方がよいとされる。

食べ残し　日本では、食べ残しは行儀が悪いとされるが、韓国や中国では、出された料理をすべて食べると、足りないという意思表示ととられることもある。少し食べ残しがあると、あまるほどもてなしたということになる。インドネシア、タイ、香港やアラブ諸国などでも、食べ残すことがマナーにかなう。

畜殺　イスラームやユダヤ教など、家畜を屠ることが宗教儀礼と結びついている文化は非常に多く、畜殺する人やその手順まで、厳密に決められている。モンゴルの遊牧民は羊を屠るとき、羊が鳴声をたてるのは不吉と信じているので、左手で羊の口を押さえる。また、さばくときには、血を一滴も大地にたらしてはいけないとされる。血も脂も肉も、すべて食べてしまうのが掟である。

茶　日本の茶道ほどでなくても、お茶にまつわる儀礼的習慣をもつ社会は多い。イギリスのアフタヌーン・ティーは、夕方、軽食とともに紅茶を飲む習慣だ。オーストラリアでティーといえば、事実上の夕食。中国の飲茶は、昼食代わり。シルクロード沿いの諸地域では、チャイハネ（チャイハナ）などとよばれる一種の喫茶店が、イスラームの戒律で酒を飲まない男たちの社交場となっている。

沈黙　日本では「沈黙は金」とされるが、フランスには「沈黙は合意」という諺がある。欧米では、主張すべきことは主張しないと、誤解が生じることもある。権利の上に眠るものは守らず、というのが欧米の考え方なのだ。

角の手　人差し指と小指を立てる「角の手」は、ヨーロッパでは、かつては、寝取られ男の意味、あるいは性的侮辱をあらわすときによく使われていた。このしぐさには、魔除けの意味もあり、これをかたどったお守りが南欧の一部で売られている。

唾　一般には、唾や痰を吐くのはマナー違反だが、唾にまつわるまじないは多い。たとえば英語圏には、梯子の下をくぐったとき、悪運を避けるために、左の肩越しに唾を吐く人がいる。ロシアでは、三回肩越しに唾を吐くと、悪い知らせがこないとされる。

　ヒンドゥーでは、他人の唾も自分の唾も不浄とされるので、食器などを共用しないばかりか、コップから口を離して飲むこともある。

爪　日本では、夜、爪を切ると、親の死に目に会えないと言われた。韓国では、父母に受けた身体の一部を粗末に扱わないということから、夜は爪を切らないし、切った爪も明るいところで処分した。西洋では、金曜日に爪を切ってはいけない、と言われている。また、新生児の爪ははさみで切らず、母親がかみ切るという風習も知られている。

鉄　ヨーロッパでは、鉄製品が貴重だったはるか昔から、邪視封じや魔除けのまじないに使われてきた。また、馬蹄や古釘などを偶然見つけると、縁起がよいとも信じられている。**→邪視、→馬蹄**

手招き　「おいで」という手招きをするとき、欧米や中東ではふつう、手のひらを上に向けて指を動かす。ただし、地中海沿岸では、日本と同じように手のひらを下に向けて手招きをするところもあるが、これは、上向きの手招きをする人びとにとっては、「あっち へ行け」、「バイバイ」のしぐさにとられるため、誤解が生じることもある。

トイレ　トイレとその使い方はさまざまだが、大きく分けて、欧米の腰掛け式と、アジア、アフリカのしゃがみ式がある。東洋では、一般的に、トイレは西の方角（極楽浄土のある方向）に向けるのは縁起が悪いとされる。西洋では東の方角（エデンの園がある方向）に向けるのは縁起が悪いとされる。

　イスラームの教えでは、トイレには浄めの水を置くこと、お尻は水で洗って浄め、水がなければ砂をもちいることなどが定められている。また右手で小用をしてはならず、右手でお尻を浄めてはならない。

　ヒンドゥーの教えでは、大小便をしたあとは、必ず水で浄める。また、ウシが立ち入るような場所では、小用をしてはならない、道や灰にも放尿してはならないなど、排便、排尿には禁止事項が多い。つまり原則として、むやみには外でしてはいけないということだ。

ナイフ　友情を断ち切ることを意味するので、ラテン・アメリカやインドネシアなど、多くの地域で贈り物には不適とされる。**→贈り物、→ナイフとフォーク**

ナイフとフォーク　ナイフ、フォーク、スプーンのもちい方にはいくつかの様式がある。たとえばフランスでは、左手にもったフォークをひっくり返して、くぼんだ部分に食べ物をのせたり、右手に持ち替えてすくったりする。イギリス人はこのようなフォークの使い方を嫌い、とくに持ち替えを「ジグザグ・イーティング」と言って軽蔑する。アメリカでは、先に肉をすべて切ってしまってから、右手に持ち替えたフォークで食べるのがふつうである。

東南アジアなど、新しくナイフ、フォーク、スプーンがもたらされた国では、ナイフはもちいずにスプーンを右手、フォークを左手にもつことがある。地域によっては、スプーンだけで食べる習慣もある。

中指　欧米では、握り拳から中指を立てて相手に見せるのは、たいへんな侮辱となる。同様に、アラブ圏では、手のひらを開いたまま中指を立てる下品なしぐさがある。中指は男根の象徴。

ナプキン　西洋のテーブルマナーでは、ナプキンを落としたら自分では拾わない。また、食後あまり丁寧にナプキンをたたまない方が、美味しかったという表現となる。伝統的な中華レストランで、ナプキンがでないときは、テーブルクロスで手を拭いてかまわない。

ナマステ　ヒンドゥーの出会いと別れの挨拶で、胸の前で合掌しながら「ナマステ」という。→**挨拶**

人形　イスラーム文化圏では、人をかたどったものは偶像崇拝につながるとされるため、一般に、贈り物としては不適切。戒律のきびしい地域では、玩具の人形やこけしなども税関で没収される可能性がある。→**人物画**、→**偶像**

ネクタイ　ネクタイとスーツの組み合わせには、日本人があまり知らないルールがある。たとえば、斜めストライプのいわゆるレジメンタル・タイは、軍隊や大学など、さまざまなグループごとに固有の柄があるので、部外者は身につけない方がいい。

妊娠　ほとんどの社会で、妊婦には、さまざまなタブーと習俗がつきまとう。日本の若狭湾付近で近代まで使われていた「産小屋」（お産をする女性を隔離するための小屋）は、かつてポリネシアにも広くみられた。

歯　アメリカでは、歯並びが悪いと、生まれ育ちがよくないことのしるしとみなされるため、子どもへの歯列矯正は常識となっている。

乳歯が抜けると、日本では上の歯は縁の下に、下の歯は屋根の上に投げる風習があるが、英米では、歯を枕の下に入れて眠ると、妖精がやってきて歯のかわりにお金をおいていく、と子どもに言う（フランスでは妖精ではなくネズミ）。エジプトでは、歯を綿などに包んで太陽に向かって投げる。インドネシアには、上の歯はベッドの下に、下の歯は屋根の上にという、日本とよく似た風習がある。

箸　箸使いの作法は、日本と中国、朝鮮半島では、異なることがある。たとえば、「箸から箸へ」食物を受け渡すのは、朝鮮半島ではマナー違反ではない。「直箸《じかばし》」も、日本以外では普通に行なわれている。逆に、日本以外では、皿の上に箸を置くのは縁起が悪いとされるので、満腹になったら、テーブルか箸置きに置く。箸を落とすのも縁起が悪いとされる。

梯子　英語圏ではよく、梯子の下を通ると縁起が悪いと言われ、うっかり通ってしまったときには、→**指十字**や→**唾**を吐くなどのまじないをする人もいる。

馬蹄　ヨーロッパでは、古代から鉄製品一般が魔除けにもちいられていたが、なかでも馬蹄は、家の入り口や船に取りつけて魔除けとしたり、それを偶然見つけて拾うと縁起がよいとされてきた。

花　ヨーロッパや南米では、一般に、紫の花は葬式用、黄色の花は侮蔑、不貞をあらわすとされる。またユリ、カラー、キクやマリーゴールド、ダリアは葬式の花である。ヒースは、ドイツ北部ではよく墓地に植えられているので、家に不幸をもたらすと信じている人がいる。インドの葬式用の花はプルメリアである。花言葉は、あまり意識されないが、赤いバラは愛情の表現として受けとられるので、状況を考慮して贈る必要がある。メキシコでは、黄色の花は死、赤い花は魔法をかける、白い花は魔法を解くとされている。ベネズエラでは、国花のランを贈ると喜ばれる。花束は、十三本以外の奇数本にする。こういったTPOさえ花屋で確認しておけば、花はほとんどの国々で喜ばれる、便利なプレゼントである。

　ユダヤ教では、何色であっても花は喜びのしるしと考えるので、葬式には花は避ける。とくに超正統派では、葬式の献花は厳禁である。逆に、中国では、花はもともと病気と葬式のときに贈るものだったが、いまではプレゼントとして定着しつつある。中国では、欧米と違って、偶数本にするのが常識。

鼻をかむ　日本でも欧米でも、人前で鼻をかむのは不作法とされることがある。日本人は鼻をかまずにすすったりするが、欧米人は鼻をすする音に嫌悪感をもつため、一般に鼻をかむよりもすする方がずっと不作法だとされる。イギリス人などは大きな音を立てて鼻をかみ、そのハンカチを袖口にしまいこむ。

ハラール　イスラームでは、コーランと旧約聖書によって食用を許されているものをハラールとよび、食べてはいけないものをハラームとよぶ。ハラームは、ラクダが許されていることを除いて、ほぼユダヤ教の→**コーシェル**と重なる。ただし、ユダヤ教と違って、料理法の規定はない。死肉やアッラー以外の神に捧げられた不浄物などのハラームを知らずに口にしたとき、無理強いされたとき、慈悲深い神は、これを許してくださるとされる。

パン　キリストの「体」の象徴であるパンは、キリスト教徒にとって特別な食べ物で、決して粗末にあつかってはいけない。

パンは手でちぎって食べるもので、かじるのはマナー違反。皿に残ったソースをパンで拭って食べるのは、フォーマルな席では避けた方がよい。

ひげ　ひげは、昔から、さまざまな権威や立場と結びついてきた。中東には、ひげをたくわえた男性が多く、イスラーム教徒のシンボルともなっているが、その習慣は古代オリエントのセム族にすでに認められる。サウジアラビアでは、ひげは男性の義務。一方エジプトでは、最近、ひげはあまりはやらないらしく、若い世代にはきれいに剃っている男性も多い。

日本人は、欧米人やアラブ人に比べると、どうしても若く見られがちで、ビジネスの場で不利益をこうむることもある。きちんと手入れをしたひげは、見た目の年や権威などをいくらかかさ上げしてくれるという意味では役に立つ。

左手　イスラーム、ヒンドゥーでは、左手は不浄とされている。食事や、贈り物を受け取るときなどは、右手を優先的に使う。左手を使ったしぐさも避ける。その他の文化圏でも、左手はマイナス・イメージをともなうことが多い。たとえばニジェールでは、料理で女性が左手を使うと、毒を盛っているのではないかと疑われた。

避妊　カトリック教会では避妊を禁じている。エイズや性病を予防するためであっても、コンドームの使用を認めていない。

貧乏揺すり　どこでも一般に行儀が悪いとされるが、朝鮮半島では福を逃がすのでしてはいけないといわれる。

フォーク　→**ナイフとフォーク**

ブタ　イスラーム教徒、ユダヤ教徒にとって、ブタは不浄なので決して食べてはいけない動物である。ブタの人形や貯金箱なども、贈り物としては不適切。→**革**

復活祭（イースター）　十字架にかけられたキリストが復活して弟子たちの前に現われたことを祝う復活祭は、春分後最初の満月の次の日曜日で、年によって日が変わる移動祝祭日である。この復活祭直前の四十日間を四旬節と言い、断食を含む禁欲生活をおくることになっている。四旬節中の金曜日には、肉を食べずに魚を食べる。

ベジタリアン　英米には、ベジとよばれる菜食主義者が少なくない。ヒンドゥー文化圏では、戒律上、肉食を避ける人が多い。昨今の狂牛病と口蹄疫の広がりから、ヨーロッパでは、急にベジタリアンが増えている。ただし、ベジタリアンと言っても、牛肉は避けるが鶏肉は食べるとか、肉は食べないが魚は食べるといった程度から、卵や牛乳まで口にしないという徹底派までさまざまである。食事に招くときは、何を食べないのかを尋ねておいた方がよい。

ベール ユダヤ教、キリスト教、イスラームは、ともに、女性は頭にベールをかぶるものとしている。とくにイスラーム教徒の女性に対するこの掟は厳しく、ベールなしで人前に出ることを禁じている国も多い。ただし、メッカ巡礼のときだけは、女性はベールをかぶってはいけない。↓**帽子**

イスラーム教徒の女性のベールにはいろいろなスタイルがあり、呼び名も地域によって異なる。ヒジャブが代表的だが、イランではチャドルという。アフガニスタンのチャドリは、目の部分だけが網になっていて、全身をすっぽり覆う袋のようなものだ。ペルシア湾岸の、頭から身体全体を覆うマント状の衣服は、アバヤとよばれる。トルコやレバノン、エジプトの都市部などでは、伝統的なベールではなく、思い思いのスカーフで髪を包んで、おしゃれを楽しむ女性も多い。

帽子 アジア諸国の仏教寺院内（敷地も含む）では、帽子、スカーフなどで頭を覆うことはタブーとされている。反対にイスラームでは、頭のてっぺんを神に見せることは不敬で、丸い帽子などをかぶって礼拝する習慣がある。モスクに入る女性は必ずベールをかぶらなければならない。キリスト教の教会では、男性は帽子をとるが、女性は帽子やベールなどのかぶりものをしていなければならない。もっとも現在ではほとんどの教会が、女性が何もかぶっていなくても入場を認めている。

正統派ユダヤ教徒の男性は、シナゴーグのなかやその行き帰りには、ヤムルカとよばれる房つきの帽子をかぶらなければならない。聖地の嘆きの壁では、非ユダヤ教徒でも、柵のところにある小さな帽子（キッパ）をかぶれば、壁の間際まで行くことが許されている。

韓国では帽子をかぶることは礼儀正しいことのあらわれであり、西洋と違って、地位や身分の高い人の前でも決して帽子はとらない。↓**ベール**

頬キス 西洋式の挨拶の一種で、頬と頬を寄せてキスのまねをする。しぐさだけのことも、チュッと音をさせることもある。ロシア人は「ベア・ハッグ」ともよばれるきつい抱擁とともに、頬キスを二度、三度と繰り返す。南欧やラテン・アメリカでは、女性同士や親しい男女が抱擁しながら頬キスをする。フランス人は気軽に、ひんぱんに頬キスをする。右、左と二回がふつうだが、オランダ人やベルギー人は三回かわすことが多いという。

ポケット　多くの地域で、片手をポケットに入れたまま握手をしたり、話したりするのは失礼にあたる。着こなしのマナーとしては、男性の伝統的なスーツのズボンのヒップ・ポケットには物を入れない。シャツは胸ポケットのないものが正式で、あってもペンなどを入れない。

ほめる　相手の持ち物をほめると、その物に災厄がふりかかるという邪視信仰が、中東や東欧の一部に残っている。またほめることは、それを欲しがっていると思われることもあるので、相手の所有物をむやみにほめることは控えた方がよい。食事中に料理をほめると、おかわりの要求とうけとられる地域も多い。アラブ社会では、夫人をほめることはおろか、話題にすることも厳禁である。「奥さんや娘さんはお元気ですか」などとたずねることも控えた方がよい。中国では、適齢期の女性や夫人の容姿をほめると、下心があるととられることがあるという。**→邪視**

本音とたてまえ　京都の人に「ぶぶ漬け」（茶漬け）でもどうか、と誘われたら、引きあげる潮時だというが、似たような風習は他の文化にもみられる。たとえばイランでは、食事時に出会った人を儀礼的に食事に誘うが、これはたてまえでそう言っていると思った方がいい。ことわっても、三回以上誘われるようなら本当の招待かもしれない。

まじない　一神教のキリスト教社会にも、ローマ、ゲルマン、ケルトやさらに古い諸文化の俗信とまじないがたくさん残っている。イスラームでは魔法、偶像崇拝、占いの類は禁じられているが、実際には、邪視の迷信とそれを防ぐお守りなど、俗信のたぐいは少なくない。**→いちじくの手、→色、→木、→偶像、→くしゃみ、→邪視、→角の手、→唾、→馬蹄、→指十字、→ヤドリギ**

マンガ　欧米では、ふつう、マンガやコミックは子どもが見るもので、大人が夢中になるようなものではないとされている。日本で中年の男性までもがコミック雑誌を読みふける光景には違和感を覚えるという。

右、右手　右手は、イスラーム文化圏でもヒンドゥー文化圏でも韓国やモンゴルでも、不浄な左手に対して、聖なる手、あるいは浄い手とされ、飲食やものを受け渡すときに優先的に使われる。イスラームでは、食事のときをはじめ、靴をはくとき、髪をとかすときなど、できるかぎり右側を優先する。

マスク　日本人が風邪や花粉症などのときに使うマスクは、欧米人はふつう使わない。マスクをしていると不審者扱いされることもある。

ミサ　カトリックでもっとも重要な典礼。非キリスト教徒、非信徒でも参加できるが、キリストの「体」と「血」となったパンとぶどう酒を受ける「聖体拝領」は信徒のみに許された秘蹟なので、非信徒はこの間、座って待つ。ミサは日曜日だけでなく毎日行なわれている。プロテスタントの礼拝は、日曜日の午前中に行なわれる。カトリックの聖体拝領に相当する聖餐式は、やはり非信徒は加わることができない。→**教会**

耳　インドでは耳は神聖である。自分の耳をつかむしぐさは、誠実や悔恨をあらわすが、他人の耳をひっぱったり叩いたりするのはタブーである。イタリアでは、自分の耳をさわると、相手に対する侮辱のしぐさとなる。

見る　他人をじろじろ見つめるのは、どの社会でも嫌われる。アイ・コンタクトを重視するヨーロッパやアラブでも、古くから、邪視の迷信によって、「見つめる」ことはタブーとされてきた。→**邪視**

虫　イスラーム教徒、ユダヤ教徒にとって、イナゴ、バッタ以外の虫を食べることはタブーである。しかし、日本のイナゴやハチノコ料理、アボリジニのアリ・セミ・甲虫類の幼虫の生食など、世界の多くの人びとが虫を食用としている。

モスク　エジプトのモスクは気軽に入れるが、サウジアラビアでは異教徒は入れなかったり、スリランカでは女性が入れなかったりと、非イスラーム教徒がモスクに入れるかどうかは、地域によっていろいろである。モスクのなかでは、仰向けに寝たり、メッカの方向を示すミフラーブの方へ足を伸ばして座ってはいけない。

ヤドリギ　イギリスではヤドリギをお守りとしたり、クリスマスにはヒイラギとともに家に飾る。またヤドリギの飾りの下にいる娘にはキスをしてもかまわないともいう。ヤドリギに関する風習はケルトの信仰に由来する。

指差し　日本でもみだりに人を指差すのは不作法だが、ほとんどの社会で、指差しは、不作法どころかタブーとなっている。とくに人差し指で指差すのはいけない。中国では、急須の口ですら、指に似ているので、人に向けてはいけないとされる。指で物を指差すことを嫌う社会も多い。アメリカでは、自分や方向、あるいは物を示すのに親指を使うが、これを嫌う社会も多い。

指十字　人差し指に中指を重ねるように交差させる指十字は、幸運を祈ったり、不運を避けるまじないである。

曜日　→**安息日**、→**金曜日**

ラマダーン　イスラームの断食月のこと。イスラーム暦の第九月と定められているが、イスラーム暦は太陰暦なので、断食月は毎年少しずつずれていく。ラマダーンの間イスラーム教徒の人びとは、日の出前から日没まで飲食を絶つ。

また、この間は性交も禁じられる。イスラーム教徒でない人びとが断食を強要されることはないが、開いているのは、観光客用のホテルのレストランくらいである。それ以外の場所での飲食はめだたないように済ませたほうがよい。

礼拝（イスラーム）　イスラーム教徒は毎日、日の出の時刻、昼前、午後、日没前、就寝前の五回、お祈りをする。モスクへ行くことが望ましいが、その場で小さな敷物を敷いて祈る人も多い。礼拝の前には身を浄める。礼拝中はふつう仕事が中断されるので、礼拝の時刻を新聞などで調べておいた方がよい。

カトリックの礼拝については、**→ミサ**

レディーファースト　アメリカやオーストラリアなどのビジネス・ウーマンに対しては、レディーファーストをあまり意識しない方がよい。フェミニズムの流れのなかで、女性は弱く保護すべきものという価値観が嫌われるからである。ただしこれらの地域でも、年輩の女性や、パーティーで紹介される「夫人」に対しては相応のマナーで応対すべきだろう。ヨーロッパのなかでもフランス、イタリア、スペインなどは、女性を丁重にもてなす伝統が続いている。それ以外の地域でも、重い荷物はもってあげる、ドアは開けて先に通すなど、最低限のマナーは守りたい。

ワイ　タイの出会いと別れの挨拶のしぐさ。あごのあたりで合掌する。両手の位置があごより下がると、目上の人から目下の人への挨拶となり、横柄な印象を与える。

割り勘　割り勘のことを英語でダッチ・トリートなどと言うが、これは貸し借りなしをよしとするオランダ人の習慣を、イギリス人があげつらった表現。イギリス人はパブで飲むとき、一人ずつ順におごるため、一杯飲みたかっただけなのに、結局、知り合いの人数分飲むはめになるなどという話もある。日本人は割り勘に抵抗がないが、韓国人は上の立場の人がほかの人をもてなすという暗黙の了解があるため、割り勘はしない。

碗　朝鮮半島や中国では、スープの器をもちあげてはいけない。日本のように、碗を口もとまで運ぶのは、文明社会では珍しい習慣である。

世界の危険地帯

海外には、気軽に旅行に出かけられない国、地域も多い。外務省では、海外の国、地域のなかでも、とくに治安の悪いところ、災害や騒乱、伝染病などの緊急事態が発生したり、発生する可能性があると判断されるところについて、その危険度を5段階に分けて、そのときどきに発表している。

●危険度5＝退避勧告

現地に滞在しているすべての邦人に対して、その国や地域から安全な国や地域へ退避するか、日本に帰国することを勧めている。

●危険度4＝家族等退避勧告

現地に滞在する邦人に対して、現地からの退避に必要な準備をおこなうことを勧めている。そして家族については、その国や地域から安全な国や地域へ退避するか、日本に帰国することを勧めている。

●危険度3＝渡航延期勧告

該当する国、地域への渡航は、その目的がどんなものであっても延期、自粛することを勧めている。現地にいる邦人にもこのことを通知して注意をうながすとともに、場合によっては退避、帰国を勧めることもある。

●危険度2＝観光旅行延期勧告

該当する国、地域への、急を要する事情ではない観光旅行について延期するように勧めている。現地にいる邦人にもこのことを通知して注意をうながすとともに、場合によっては旅行者に対して帰国を勧めることもある。

●危険度1＝注意喚起

該当する国、地域においては、通常とは異なる特別な注意を必要としていることをしめしている。それがどういう内容であるかは、それぞれの国、地域で異なる。

ただし、こうした勧告、喚起は、違反したからといっても罰則の対象にはならないし、服従させるための命令でもない。渡航にあたっては、各自が、目的地の情勢を把握し、「自分の身は自分で守る」との心構えをもってあたるよう、外務省では指導している。

＊ここにあげたものは、二〇〇一年七月末日の時点で外務省より発表されていた情報によっています。→二七五頁参照

【中南米】

●ニカラグア＝危険度3〜1

北部で元兵士らが参加した非合法武装組織による強盗など

が頻発している。彼らを掃討するために動員された政府軍との小規模な戦闘が繰り返されている。

●コロンビア＝危険度3〜1

コロンビア革命軍の活動拠点があり、国土の半分ほどは治安が悪い。誘拐事件も多発している。

●エクアドル＝危険度3〜1

隣国コロンビアの反政府ゲリラや極右民兵が侵入したことで治安が悪化している。また、外国人の集団誘拐事件が発生している。

この他、**メキシコ**、**エルサルバドル**、**パナマ**、**ジャマイカ**、**ハイチ**、**ベネズエラ**、**ブラジル**、**ペルー**、**ボリビア**の一部地域、または全域に危険度1または2の情報が発表されている。

［風俗・習慣］

メキシコでは、路上や公園でビールを飲んだり、ほろ酔い加減に歌をうたったりすると逮捕されるので要注意。

【オセアニア】

●ソロモン諸島＝危険度3

ガダルカナル島において、先住のガダルカナル人とマライタ島から移住してきたマライタ人との間で対立がある。マライタ人武装勢力による首相軟禁事件も発生した。

●パプアニューギニア＝危険度3〜1

反政府武装組織の独立を求める動きが続いており、武装解除もおこなわれていない。和平監視団、地元治安組織が治安維持に努めている状態。

［風俗・習慣］

南国の開放的なイメージがある地域だが、女性は露出度の大きい服装は避ける。

サモアでは、女性は露出度の大きな水着、派手な色柄の水着は避ける。また目線の高さを同じにして話すことが重要なので、相手が座っていたら、同じように座って話す。

ニュージーランドでは、先住民のマオリ族の集会所マラエは神聖な場所なので土足での立ち入りは厳禁。女人禁制の行事もあるので要注意。ヨーロッパからの移民は環境、自然保護問題、とくに原子力、森林、捕鯨問題には敏感なので行動、話題には配慮する。

フィジーでは、路上での飲酒は禁止されている。また、女性の服装では足を隠すようにし、ミニスカートやショートパンツは避ける。寺院を訪れるときは、男女とも肌の露出はできるだけ避ける。ヒンドゥー教徒も多いので、牛革製品は持ち込まない。

海外の危険地帯地図

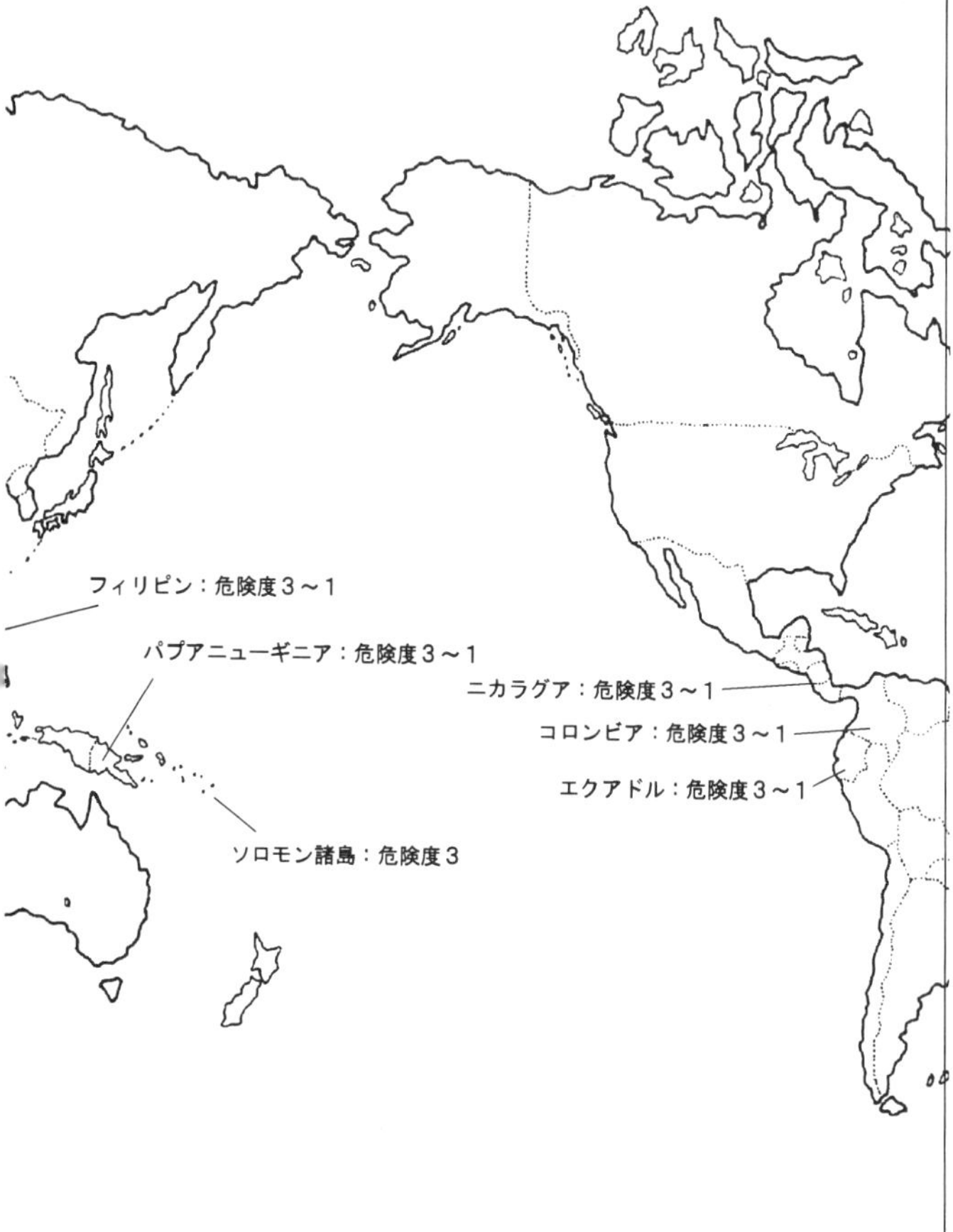

＊外務省の資料による

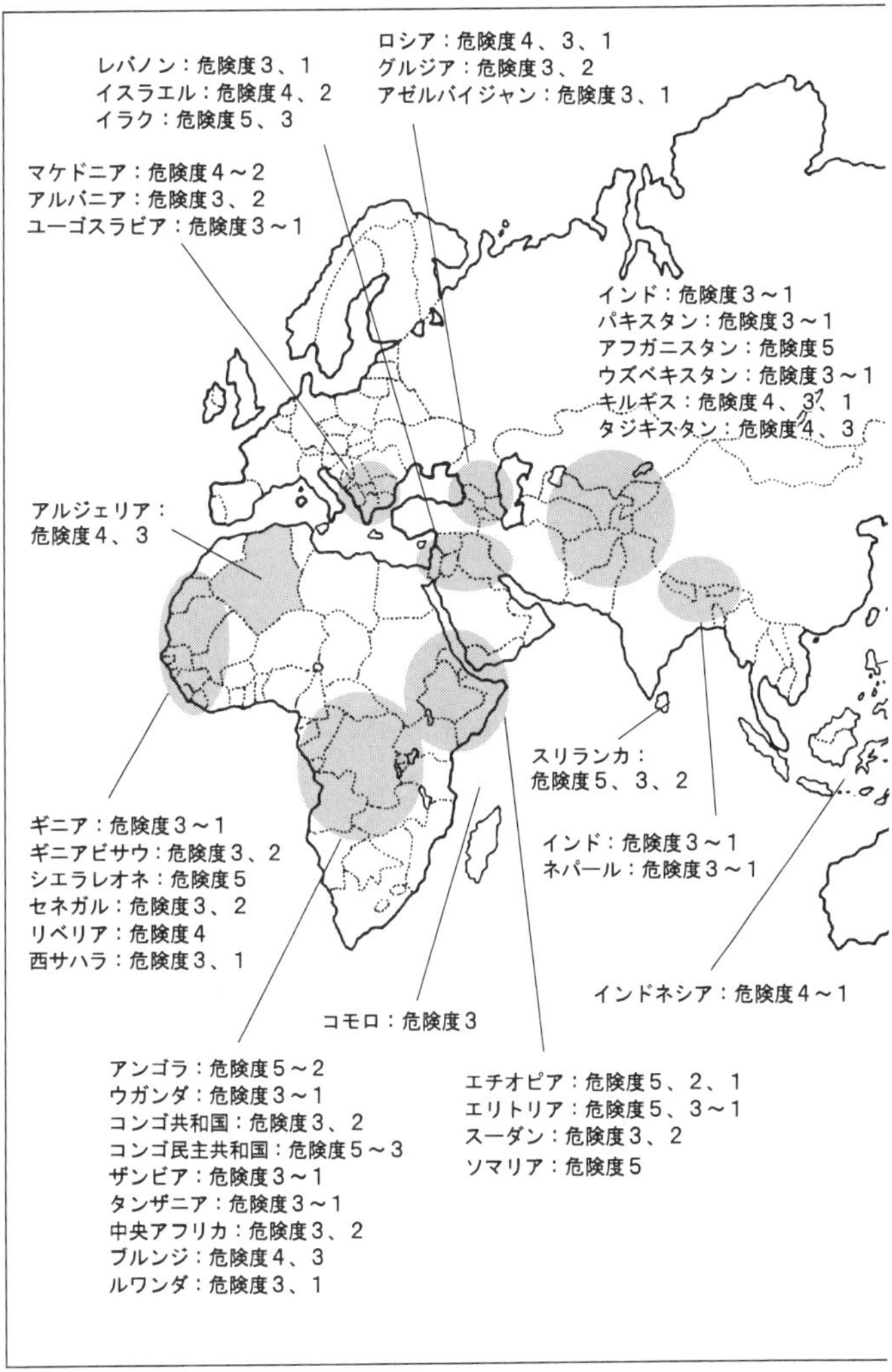
ロシア：危険度4、3、1
グルジア：危険度3、2
アゼルバイジャン：危険度3、1
レバノン：危険度3、1
イスラエル：危険度4、2
イラク：危険度5、3
マケドニア：危険度4～2
アルバニア：危険度3、2
ユーゴスラビア：危険度3～1
インド：危険度3～1
パキスタン：危険度3～1
アフガニスタン：危険度5
ウズベキスタン：危険度3～1
キルギス：危険度4、3、1
タジキスタン：危険度4、3
アルジェリア：
危険度4、3
スリランカ：
危険度5、3、2
ギニア：危険度3～1
ギニアビサウ：危険度3、2
シエラレオネ：危険度5
セネガル：危険度3、2
リベリア：危険度4
西サハラ：危険度3、1
インド：危険度3～1
ネパール：危険度3～1
インドネシア：危険度4～1
コモロ：危険度3
アンゴラ：危険度5～2
ウガンダ：危険度3～1
コンゴ共和国：危険度3、2
コンゴ民主共和国：危険度5～3
ザンビア：危険度3～1
タンザニア：危険度3～1
中央アフリカ：危険度3、2
ブルンジ：危険度4、3
ルワンダ：危険度3、1
エチオピア：危険度5、2、1
エリトリア：危険度5、3～1
スーダン：危険度3、2
ソマリア：危険度5

マーシャル諸島でも、女性は肌の露出が少ない服装を心がける。

【アジア】

●インド=危険度3～1

パキスタン、中国と国境が定まっていないカシミール地方では、過激派による爆弾テロが多発。治安当局との武力闘争も頻発している。

ミャンマーと国境を接するマニプール州では、分離、独立を目指す過激派によるテロが多発。治安当局との武力闘争も頻発している。

[風俗・習慣] ヒンドゥーのタブーを守る。女性は肌を見せないことになっているので、観光客といえどもタンクトップやミニスカート、派手な色、柄の服は避ける。男性もショートパンツは避ける。

牛革製品は持ち込まない。左手は不浄とされているので要注意。

民族、宗教への帰属意識が強いので、特定の民族や宗教を批判してはならない。

●インドネシア=危険度4～1

多くの島からなるため、各地で独立を求める動きがある。一部地域では、武装組織が治安当局とはげしい戦闘を繰り返している。

[風俗・習慣] イスラームのタブーを守る。不浄とされる左手での食事、物の受け渡しはしない。

椅子に座ったときに足の裏が見えるような姿勢はとらない。子どもの頭はなでない。人前で相手を怒ったり、軽蔑するような態度は、日本では考えられないほどの大きな恨みをかうことになるので、絶対にしてはならない。

●スリランカ=危険度5、3、2

北部を中心にタミル人過激派と政府軍の戦闘、対立が続いている。

[風俗・習慣] 女性は肌の露出が少ない服装で。仏像を背景に写真を撮らない。

●ネパール=危険度3～1

各地で毛沢東主義を標榜する極左組織マオイストによる強盗、襲撃事件が多発している。

[風俗・習慣] ヒンドゥーのタブーにしたがう。不浄とされる左手での食事、物の受け渡しはしない。王室に対する批判はしてはならない。

●パキスタン=危険度3～1

北部では、インドとの国境問題で銃撃戦が多発。武装強盗団による強盗、誘拐事件も起こっている。

[風俗・習慣] イスラーム化を推進しているので、イスラー

ムのタブーは守る。酒類は持ち込みも禁止。

●フィリピン＝危険度3〜1

ミンダナオ島で反政府イスラーム・ゲリラと政府軍による戦闘が多発。誘拐事件なども起こっている。

このほか、**カンボジア**、**北朝鮮**、**バングラデシュ**、**東ティモール**、**ブータン**、**ベトナム**、**マレーシア**、**ミャンマー**、**ラオス**の一部地域、または全域に危険度1または2の情報が発表されている。

［風俗・習慣］

シンガポールでは公共の場での迷惑行為は厳しく罰せられる。ゴミを棄てたり、つばやたんをはく、道路で泥酔する、むやみに女性に触れるなどの行為は厳禁。チューインガムは持ち込みさえ禁止されている。その他、麻薬は死刑、落書きはむち打ち。

タイでは、国王、王族に対しての言動には要注意。仏像は壊れたものでも神聖とされているので、むやみにさわらない。僧侶は女性に触れてはならないことになっているので、乗り物のなかなどでも僧侶には近づかない。頭は神聖視されているので、さわらない。子どもの頭もなでない。

ベトナムでは、地ビールは飲まない。衛生面で問題があり、死亡事故もおきている。

マレーシアでは、イスラームのタブーに注意。人差し指での指さしは失礼なことなので、指をさすときは親指を使う。頭は神聖視されているので、子どもも含めて頭はさわらない。

ミャンマーでは仏教への信仰心が篤い。パゴダ（寺院）の境内に入るときは裸足にならなければならない。左手は不浄とされているので握手、物品の受け渡しなどには注意。頭も神聖視されているので、子どもの頭であってもなでない。

モンゴルでは、中国に対する嫌悪感が強いので中国の話題は避ける。日本人が中国人に間違われて暴行を受ける事件も起きている。

ラオスでも、頭は神聖視されているので、子どもの頭であってもなでない。

【中東】

●アフガニスタン＝危険度5

旧ソ連の勢力が撤退して以降、内戦が続いていて、新イスラーム勢力タリバーンと反タリバーン各派との間で戦闘が続いている。

●イスラエル＝危険度4、2

ヨルダン川西岸、ガザ地区でパレスティナとの抗争が続いている。非常に緊張した状態にある。

【風俗・習慣】ユダヤ教の戒律を理解して行動する。イスラーム地区ではイスラームのタブーにしたがう。

●**イラク＝危険度5、3**

湾岸戦争ののちに定められた北緯36度線以北、北緯33度線以南の飛行禁止区域に対する空爆が継続。この他の地域でも治安はよくない。

●**レバノン＝危険度3、1**

南部からはイスラエル軍が撤退したものの、依然として緊張した状態にある。イスラーム過激派、パレスティナ・ゲリラ組織の銃撃戦、各宗教間での対立、抗争が断続的に発生している。

このほか、**イエメン**、**イラン**、**クウェート**、**サウジアラビア**、**トルコ**の一部地域、または全域に危険度1または2の情報が発表されている。

【風俗・習慣】

全体的にイスラームのタブーにしたがう。

【ヨーロッパ】

●**アゼルバイジャン＝危険度3、1**

隣国アルメニアとの対峙、緊張関係が続いている。

●**アルバニア＝危険度3、2**

組織犯罪（武器密輸、麻薬など）が多発し、治安の悪化した状態が続いている。

●**ウズベキスタン＝危険度3〜1**

アフガニスタンの内戦、タジキスタン、キルギスの状況次第で、反政府勢力の動きが活発化し、治安が悪化する可能性がある。経済状況が悪いので誘拐、強盗の危険もある。

●**キルギス＝危険度4、3、1**

南部で武装組織による邦人の誘拐事件も起こっている。引き続き、武装組織の活動が活発化する可能性がある。

●**グルジア＝危険度3、2**

民族問題、宗教対立などで国内情勢が安定していない。チェチェンの武装勢力がグルジアを通じて、武器や兵士を補給しているなど、情勢は不安。

●**タジキスタン＝危険度4、3**

武装組織による外国人を標的とした事件が多発している。キルギスの情勢も影響している。

●**マケドニア＝危険度4〜2**

北部のユーゴスラビアとの国境付近で治安が悪化。アルバニア系武装テロ組織と政府軍の間で武力衝突が発生。

●**ユーゴスラビア＝危険度3〜1**

セルビア、コソボで、アルバニア系住民による少数民族への攻撃が続いている。アルバニア系武装組織は、セルビアからの分離独立とコソボへの統合を要求して武力活動を活発化させている。

●ロシア＝危険度4、3、1

チェチェン共和国では、ロシアからの分離独立を求めるチェチェン人の武力勢力によるテロが発生し、危険な状態にある。

このほか、**アルメニア**、**クロアチア**、**ベラルーシ**、**ボスニア・ヘルツェゴビナ**、**モルドバ**の一部地域、または全域に危険度1または2の情報が発表されている。

［風俗・習慣］

イタリアでは教会に入るとき、半ズボン、肩が出ている服装では入場を拒否されることがある。

ドイツでは、中指を立てたり、人差し指をこめかみにあてたりすることは、相手を侮辱したことになるので絶対にしてはならない。訴えられることもある。キリスト教への信仰が篤いので、教会では静粛にする。日曜、祝日のような休息日には騒がない。

バチカン市国のサン・ピエトロ寺院では袖なしの服、半ズボン、ミニスカートなど、露出度の高い服装での入場は拒否されるので注意。静粛を心がける。

【アフリカ】

●アルジェリア＝危険度4、3

イスラーム過激派によるテロ事件や一般凶悪犯罪が多発している。治安は政府当局の警備によってようやく保たれている状態。

●アンゴラ＝危険度5〜2

反政府軍に対して、政府軍の掃討作戦がおこなわれている。そのために反政府軍による襲撃事件などが多発。

●ウガンダ＝危険度3〜1

反政府ゲリラによる襲撃事件が多発。政府軍によるゲリラ掃討作戦もおこなわれている。一部地域でエボラ出血熱も発生している。

●エチオピア＝危険度5、2、1

北部ではエリトリアとの緊張状態が続いている。エチオピア軍は依然、エリトリア領内に駐留しているので、いつ戦闘状態に陥っても不思議ではない。

●エリトリア＝危険度5、3〜1

エチオピアとの緊張状態が続いている。エチオピア軍が依然として領内に駐留しているので、戦争の危険が絶えない。

●ギニア＝危険度3〜1

隣国のリベリア、シエラレオネの反政府勢力と思われる武装集団によって、国境付近で戦闘が続いている。

●**ギニアビサウ＝危険度3、2**

セネガル反政府勢力の拠点があり、これを追い出そうとする軍との間で戦闘状態が続いている。

●**コモロ＝危険度3**

一九九九年四月のクーデター以降、政情が安定していない。

●**コンゴ共和国＝危険度3、2**

国境付近で反政府勢力の一部がいまだに活動している。隣国のコンゴ民主共和国から難民や脱走兵が流入し、緊張状態にある。

●**コンゴ民主共和国＝危険度5〜3**

政情はきわめて不安定な状態にある。大統領が警護官に銃撃されて死亡するなどの事件が起きている。

●**ザンビア＝危険度3〜1**

内戦状態にあるコンゴ民主共和国、アンゴラから難民や反政府軍の兵士などが流入し、物資の強奪、身代金目的の誘拐事件が多発している。

●**シエラレオネ＝危険度5**

政府と反政府勢力の革命統一戦線の間で和平が成立したものの、まだ政情は不安定な状態にある。

●**スーダン＝危険度3、2**

南部では内戦状態が続いている。

●**セネガル＝危険度3、2**

政府軍と反政府勢力の間で戦闘が続いている。

●**ソマリア＝危険度5**

無政府状態が続いている。

●**タンザニア＝危険度3〜1**

反政府勢力がゲリラ活動を展開。隣国のウガンダ、ルワンダ、コンゴ民主共和国などの政情にも影響されている。

●**中央アフリカ＝危険度3、2**

かつて騒乱の原因となった公務員の給与の遅配問題が解決しておらず、ストや騒乱が発生。武装強盗団の動きも活発。

●**ブルンジ＝危険度4、3**

反政府勢力のゲリラ活動が活発化。これを掃討しようとする政府軍との間で戦闘状態にある。周辺諸国の政情不安も大きく影響している。

●**リベリア＝危険度4**

内乱状態が続いていて、政情はきわめて悪い。ギニアとの国境付近では反政府勢力によると思われる攻撃もおこなわれている。

●**ルワンダ＝危険度3、1**

反政府勢力がいつまた活動を再開するか、不安定な状態にある。地域によっては政府軍による警備が強化されているため、安全が保たれているところもある。

●西サハラ＝危険度3、1

モロッコに帰属するか、独立するかの問題が解決していない。

このほか、**エジプト、カメルーン、ガボン、ケニア、コートジボワール、ジブチ、ジンバブエ、チャド、トーゴ、ナイジェリア、ナミビア、ニジェール、マラウイ、マリ、南アフリカ、リビア**の一部地域、または全域に危険度1または2の情報が発表されている。

［風俗・習慣］

チュニジアでは騒音行為をして、住民に迷惑をかけた場合、十五日間の禁固刑、および罰金刑に処せられる。性犯罪についても厳しく罰せられる。

ナイジェリアの都市部では、毎月最終土曜日は清掃日として決められているので、午前七時〜十時までは外出禁止になっている。

【補記】海外危険度情報の変更について

外務省は二〇〇二年四月、従来の「五段階の危険度の数字表記」を廃止し、「渡航情報」中の「危険情報」冒頭に以下の通り四段階／文章表記のカテゴリーを示すようになった。

●「退避を勧告します」

現地に滞在している全ての邦人に対して当該国（地域）から、安全な国（地域）への退避（日本への帰国も含む）を勧告するもの。

●「渡航の延期をおすすめします」

当該国（地域）への渡航は、どのような目的であれ延期するようすすめるもの。また、現地に滞在している邦人に対しては退避の可能性の検討や準備を促すもの。

●「渡航の是非を検討して下さい」

当該国（地域）への渡航に関し、渡航の是非を含めた検討を真剣に行い、渡航する場合には、十分な安全措置を講じることをすすめるもの。

●「十分注意して下さい」

当該国（地域）への渡航、滞在に当たって特別な注意が必要であることを示し、危険を避けるようにすすめるもの。

なお、危険情報の最新データは、外務省の海外安全ホームページ（http://www.mofa.go.jp/pubanzen）で見ることができる。

《おもな参考文献》

『ブリタニカ国際大百科事典』 TBSブリタニカ 一九七二~七五
『文化人類学事典』 石川栄吉ほか編 弘文堂 一九八七
『新・アジアを読む地図』 大薗友和 講談社 一九九八
『世界比較文化事典』 T・モリスンほか著 幾島幸子訳 マクミランランゲージハウス 一九九九
『国際マナー常識事典』 企業OBペンクラブ編著 学研 一九九四
『エミリー・ポスト新エチケット全書』 エリザベス・L・ポスト ブリタニカ訳・編 ブリタニカ出版 一九七七
『アメリカ日常生活のマナーQ&A』 ジェームス・M・バーダマン、倫子・バーダマン 講談社インターナショナル 一九九七
『日本の常識は世界の非常識』 ミッシェル・エンゲルバート、マドレーヌ・グラデュ オーエス出版 一九九三
『あっ!と驚く国際マナーの常識・非常識』 八木大介、企業OBペンクラブ マネジメント社 一九九一
『目からウロコのヨーロッパ』 アンドレ・ギャラビ 小学館 一九九四
『ボディートーク』 デズモンド・モリス 東山安子訳 三省堂 一九九九
『ジェスチュア』 デズモンド・モリスほか 多田道太郎・奥野卓司訳 角川書店 一九九二
『ボディランゲージを読む』 野村雅一 平凡社 一九八四
『身ぶりとしぐさの人類学』（中公新書） 野村雅一 中央公論社 一九九六
『しぐさの世界』（NHKブックス） 野村雅一 日本放送出版協会 一九八三
『非言語コミュニケーション』 マジョリー・F・ヴァーガス 石丸正訳 新潮社 一九八七
『ボディ・ランゲージ解読法』 デーン・アーチャー 工藤力・市村英次訳 誠信書房 一九八八
『非言語コミュニケーション』 アルバート・マレービアン 西田司ほか訳 聖文社 一九八六
『日英比較 ボディ・ランゲージ事典』 中野道雄、ジェイムズ・カーカップ 大修館書店 一九八五
『ジェスチャーの英語』 久保清子 明日香出版社 一九九五
『フランス人の身ぶり辞典』 大木充、ジャン・クロード・ロシニュ くろしお出版 一九八五
『世界20ヵ国ノンバーバル事典』 金山宣夫 研究社出版

一九八三
『ヨーロッパ人の奇妙なしぐさ』　ピーター・コレット　高橋健次訳　草思社　一九九六
『しぐさの比較文化』　リージャー・ブロズナハン　大修館書店　一九八八
『しぐさの日本文化』　多田道太郎　埼玉福祉会　二〇〇〇
『プログラムされた人間』　I・アイブル＝アイベスフェルト　霜山徳爾、岩淵忠敬訳　平凡社　一九七七
『異文化にみる非言語コミュニケーション』　御手洗昭治　ゆまに書房　二〇〇〇
『中国人の非言語コミュニケーション』　奥田寛　東方書店　一九九七
『異文化間コミュニケーション』　ジョン・コンドン　近藤千恵訳　サイマル出版会　一九八〇
『笑い』（岩波文庫）　ベルクソン　林達夫訳　岩波書店　一九七六
『顔の本』　香原志勢　講談社　一九八五
『日本人の表現構造』　ディーン・C・バーンランド　西山千、佐野雅子訳　サイマル出版会　一九七九
『プリニウスの博物誌』　プリニウス　中野定雄ほか訳　雄山閣出版　一九八六
『ベルリッツの世界言葉百科』　チャールズ・ベルリッツ　中村保男訳　新潮社　一九八三
『ことばの身体誌』　風間喜代三　平凡社　一九九〇
『ことばの生活誌』　風間喜代三　平凡社　一九八七
『エ…化史』（春山行夫の博物誌2）　春山行夫　平凡社　一九八…
『タブーの事典』　フィリップ・トーディ　井上廣美訳　原書房　一九九八
『英語　迷信・俗信事典』　…オウナ・オウピー、モイラ・テイタム　山形和美監訳　…店　一九九四
『タブーの謎を解く』（ちく…）　…筑摩書房　一九九六
『論集　酒と飲酒の文化』　石毛直道編　…
『ビールの文化史1・2』（春山行夫の博物誌…）　春山行夫　平凡社　一九九〇
『新・食品事典12』　河野友美編　真珠書院　一九九…
『至高のレストランのテーブル・マナー』　遠藤明　河出書房新社　一九九九
『日本式お作法ナンカ変!?』　小田創　サンドケー出版局　一九九四
『箸の文化史』　一色八郎　お茶の水書房　一九九八
『箸の本』　本田総一郎　柴田書店　一九七八
『食具』（ものと人間の文化史96）　山内昶　法政大学出版

局　二〇〇〇
『ベジタリアンの文化誌』鶴田静　晶文社　一九八八
『ベジタリアンの世界』鶴田静　人文書院　一九九七
『暮しの文化人類学』石毛直道ほか　ＰＨＰ研究所　一九八四
『現代こよみ読み解き事典』岡田芳朗・阿久根末忠編著　柏書房　一九九三
『男の服装術』落合正勝　はまの出版　一九九九
『中世に生きる人々』アイリーン・パウア　三好洋子訳　東京大学出版会　一九六九
『女の文化人類学』綾部恒雄編　弘文堂　一九八二
『世界の女性と暴力』ミランダ・デービス編　鈴木研一訳　明石書店　一九九八
『イスラムの誘惑』菊間潤吾監修　新潮社　二〇〇一
『カトリックの文化誌』（ＮＨＫブックス）谷泰　日本放送出版協会　一九九七
『「中流」という階級』バーバラ・エーレンライク　中江桂子訳　晶文社　一九九五
『英国の貴族』森護　大修館書店　一九八七
『イギリス貴族』（講談社現代新書）小林章夫　講談社　一九九一
『ミドル・クラス』（中公叢書）川上源太郎　中央公論新社　二〇〇〇
『イギリスの味わい方』小林章夫　総合法令　一九九四
『クラース』ジリー・クーパー　渡部昇一訳　サンケイ出版　一九八四
『英国一〇一話』林信吾　中央公論社　一九九五
『パブリック・スクール』（講談社現代新書）竹内洋　講談社　一九九三
『アフタヌーン・ティの楽しみ』（丸善ライブラリー）出口保夫　丸善　二〇〇〇
『早わかりアメリカ』池田智、松本利秋　…八二…二〇〇〇
『色の博物誌』朝日新聞社編
『色』（18増刊号）ポーラ…山貞也　ＫＫベストセラー
『人はなぜ色にこだわ…ズ　一九八八
なお…語の参考文献は載せていない。

21世紀研究会(にじゅういっせいきけんきゅうかい)

「戦争と革命の世紀」といわれた20世紀は終わり、通信技術の発達による国際化、ボーダーレスの時代がやってきた。しかし、はたして日本人は、地球規模の視野をもって21世紀を生きることができるのか。その答えを模索するために、歴史学、文化人類学、考古学、宗教学、生活文化史学の研究者たち9人が集まって国際文化研究の会を設立した。この研究会の編著には『民族の世界地図』『地名の世界地図』『人名の世界地図』(いずれも文春新書)がある。

文春新書

196

じょうしき　せかいちず
常識の世界地図

平成13年9月20日	第1刷発行
平成20年5月30日	第15刷発行

編著者　　21世紀研究会
発行者　　細　井　秀　雄
発行所　　株式会社 文　藝　春　秋

〒102-8008　東京都千代田区紀尾井町3-23
電話 (03)3265-1211 (代表)

印刷所　　大　日　本　印　刷
製本所　　大　口　製　本

定価はカバーに表示してあります。
万一、落丁・乱丁の場合は小社製作部宛お送り下さい。
送料小社負担でお取替え致します。

©21c.Kenkyūkai 2001　　　　Printed in Japan
ISBN4-16-660196-2

文春新書5月の新刊

辻井　喬・上野千鶴子
ポスト消費社会のゆくえ

戦後日本の消費社会の実像と、ポスト消費社会のあるべき姿を問う。社会学者・上野千鶴子氏と元セゾングループ総帥の白熱の対談！

633

渡辺利夫
新　脱亜論

福澤諭吉の「脱亜論」をはじめ、陸奥宗光、小村寿太郎などの明治の先人たちのしたたかなリアリズムに学ばねば、日本の針路は実に危うい

634

髙橋洋一
霞が関埋蔵金男が明かす「お国の経済」

「埋蔵金」論争の火付け役が、財務官僚と族議員に牛耳られた政治の内幕を暴露し、安易な増税論より、なすべき「改革」を明快に提言する

635

中川右介
巨匠《マエストロ》たちのラストコンサート

記憶が切れて演奏中に去ったトスカニーニ、札幌で最後を迎えたマリア・カラス……クラシックの巨匠九人の「最後のコンサート」の物語

636

綾　野　富坂聰編
中国が予測する〝北朝鮮崩壊の日〟

表面では中朝友好を装う中国の深部が、激しく揺らいでいる。経済や後継問題を分析しながら、脱・北朝鮮を提言する衝撃のレポート

637

文藝春秋刊